コロナと闘った中国人たち

日本の支援に「ありがとう！」伝える若者からの生の声

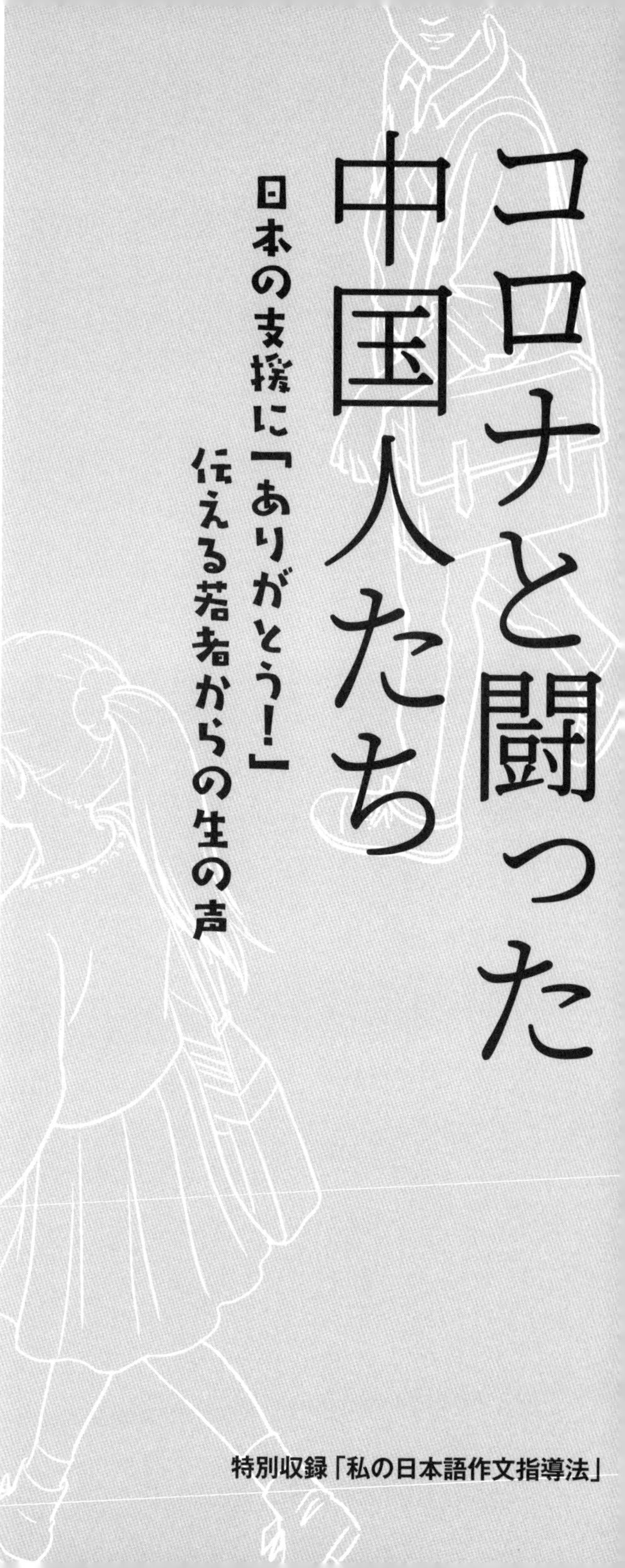

特別収録「私の日本語作文指導法」

中国人の日本語作文コンクール

［第16回］受賞作品集

中国若者たちの生の声

日中交流研究所 所長

段躍中 編

日本僑報社

推薦の言葉

石川 好（作家、元新日中友好二十一世紀委員会委員、日本湖南省友の会共同代表）

今年は新型コロナウイルスが世界中に猛威を振るい、各国・地域に大きな災難をもたらしました。このような困難の中、日本僑報社・日中交流研究所主催の第十六回「中国人の日本語作文コンクール」が滞りなく執り行われました。併せて十六作目となる本作品集のご出版、誠におめでとうございます。

本書は「新型肺炎と闘う」をコンセプトとして（一）新型肺炎と闘った中国人たち――苦難をいかに乗り越えたか（二）新型肺炎から得られた教訓や学んだこと（三）ありがとうと伝えたい――日本や世界の支援に対して――という三つのテーマで募集した作文（応募総数三千四百三十八本）の中から選ばれた、上位八十一本の優秀作をまとめたものです。

本書に収められた中国の大学生たちによる優秀作には、コロナ禍を乗り越えてなお前向きに進もうとする若者らしい力強さや勢いがうかがえるものが数多く見られます。そこに込められた純粋でまっすぐなポジティブエネルギーが、同じようにコロナ禍により打撃を受けた日本の社会にも伝わり、人々の心に寄り添い、励まし、勇気づけてくれることを願うものです。

新型コロナの一日も早い終息を心よりお祈り申し上げます。

二〇〇五年にスタートしたこのコンクールは、これまでに応募者約五万人、受賞者約三千人を数え、日中両国で「最も影響力のある日本語作文コンクール」として広く知られるようになりました。毎回出版されている受賞作品集は、中国の若者たちのリアルな「生の声」であり、貴重な世論であるとして、ますます両国の関心を集めています。

主催者である日本僑報社・日中交流研究所は、日中相互理解の促進を目標に掲げ、民間の交流活動である本コンクールに十六年間、日中関係の良し悪しにかかわらず一貫して取り組んでこられました。とくに中国における日本語教育の発展、海外向けの日本文化の発信、日中両国の誤解を解く相互理解の促進については顕著な成果を上げておられます。この場をお借りして、両国関係の明るい未来のために意義深い活動を続けてこられた主催者をはじめ、関係各社、機関・団体、ご支援ご協力をいただいた全ての皆様に、心より敬意と感謝の意を表します。

中国の若者たちの「生の声」を通して中国の今を理解するのに役立つ本書が、日本の幅広い分野や世代の皆様に届きますことを期待してやみません。

二〇二〇年十一月吉日、東京にて

目次

三等賞

佳作賞

特別収録

「私の日本語作文指導法」

付録

第16回

中国人の日本語作文コンクール

上位入賞作品

最優秀賞（日本大使賞） 1名

萬園華　大連外国語大学

一等賞 5名

李矜矜　安徽師範大学

陳　朝　清華大学

孔梦歌　西安電子科技大学

彭多蘭　東北財経大学

劉　昊　南京師範大学

二等賞 15名

三等賞 60名

佳作賞 219名

☆最優秀賞（日本大使賞）

私たちを言葉が繋ぐ

テーマ「ありがとうと伝えたい――日本や世界の支援に対して」

大連外国語大学　萬園華

今年の春節、中国の武漢で新型肺炎が発生し、爆発的に全国へ広がった。学校が休校し、外出も制限され、普段の当たり前の生活が当たり前ではなくなった。政府や医療関係者、ボランティアは力を尽くして疫病と戦ったが、マスクなど医療用品の不足が状況をさらに悪化させた。しかし、そんな時、日本や世界は中国に助け舟を出してくれた。

多くの国から中国に援助物資が届けられるとともに、精神面の支援もあった。一番印象に残っているのは中国語の能力試験を実施している日本ＨＳＫ（漢語水平考試、中国語検定）事務局から湖北省への援助物資に書かれた「山川異域、風月同天」という言葉だ。日本語専攻の私はすぐにその言葉の意味を調べた。「日本と中国は海に隔てられ、山や川を共有していないが、夜空を見上げる時、同じ明月を楽しんでいる」という意味だと解かった。この言葉は平安時代に日本が唐王朝に贈った袈裟に刺繍されたもので、鑑真和尚はこの言葉に感動し、日本に渡る決意をしたという。だから、中日の友好交流の象徴とも言える言葉だ。日本HSK事務局はこの言葉を通じて、中国と一緒に苦難を乗り越える決意を表したのだろう。

二〇〇八年、中国四川省で汶川大地震が発生した時、私はまだ七歳だったが、初めて日本という国に対して、はっきりした印象を持った。その日、私はテレビで一枚の写真を見た。地震で倒れた家屋の前で、災害救助活動をしている人が二列に並んで、被害者の遺体に向かって頭を下げていた。彼らの表情は本当に悲しそうだった。当時の私は彼らが何をしているのかわからなかったので、父に聞いた。彼らは日本からの救援隊で、地震の被害者を追悼していたことが分かった。「そうだ、私たちは同じ国に属していないが、私たちの運命はつながっている」と思った。その時から、日本は中国を助けてくれた友人という考えが私の心に根付いた。

汶川大震災からもう十二年が経った。しかし、日本に対する感謝の気持ちはいつも私の心の中に残っている。今の私はもう十九歳になり、大学で日本語を勉強している。私がこの専攻を選んだ時、「多くの外国語があるのに、なぜ日本語なんかを選ぶのか？」と言う親戚もいた。それでも、私は日本語を選んだ。そして、今の私はあの時、自分の考えを堅持してよかったと思っている。周りに日本について よく知らない人、誤解を持っている人が多いからこそ、自分の努力を通じて、その心の壁を崩し、より多くの人に本当の日本を理解してもらうべきだ。今回の新型肺炎の経験を通じて、将来、一人前の通訳者になるために日本語をしっかり学びたいという気持ちが一層強くなった。

現在、中国の状況は大きく改善されてきたが、国外では新型肺炎の感染が拡大し厳しい状況となっている。新型肺炎を乗り越えたばかりだが、中国は日本や世界からの支援を忘れることなく、積極的に国際支援に取り組んでいる。遼寧省大連市政府は日本の北九州市にマスクなど医療用品を贈ると同時に、「春雨や身をすり寄せて一つ傘」という一言を日本の人々に送った。この言葉は「春雨の中で一つ傘をともに差すように一緒に苦難を乗り越えよう」という意味だ。この言葉には、日本の支援に対する感謝の気持ちと日本と一緒に困難を乗り越える決意が込められている。言葉のかけ橋によって、両国の二千年にわたる友情は続いているのだ。これはまさに言葉の力である。

　新型肺炎の影響で、東京オリンピックも延期された。しかし、冬は必ず春になる。各国の人々が手を携えて新型肺炎と戦えば、必ず勝利の日がくるだろう。いつか、二〇二〇年を振り返って、「ああ、あの時は本当につらかった。でも、みんなが一緒に頑張ったおかげで、なんとか乗り越えられた」と言える日が必ずやってくるはずだ。来年、オリンピックでぜひ日本に行って、日本や世界の支援に対して、「ありがとう」と伝えたい。

（指導教師　川内浩一）

萬園華（まん・えんか）

　二〇〇一年、江西省出身。大連外国語大学日本語学科三年（応募時、以下同）。本コンクールは今回初参加にして、見事最優秀賞（日本大使賞）を受賞した。

　作文は「私たちを言葉が繋ぐ」と題し、今年の新型コロナウイルスの感染拡大に対して日本から送られた援助物資とそこに書かれていた支援の言葉に感銘を受け、さらに二〇〇八年四川大地震に駆けつけた日本の救援隊の真摯な姿を重ね合わせて「将来、一人前の通訳者になるために日本語をしっかり学びたい」と決意を表明。「この作文を通じて、日本の方々に感謝の気持ちをお伝えできれば」と受賞の感想を述べる。

　趣味は、旅行。

★一等賞

許さんと父の遺言

安徽師範大学　李矜矜

テーマ「新型肺炎と闘った中国人たち――苦難をいかに乗り越えたか」

皆さんはきっとインターネットでこんな写真を見たことがあるでしょう。それは、マスクを取った医師たちの醜悪な顔です。彼らの顔は汗で白くふやけ、何時間もマスクに押されたせいで赤い跡が付いています。そんな顔になりながらも、彼らは最も危険な現場で、患者の命のために働いています。このテーマに医師たちのことを書くのは、当然すぎてつまらないことと思われるかもしれません。しかし私は、周囲で起こった真実を知ってもらうため、あえて医師たちのことを書きたいと思います。

私の親友である許さんの両親は医者です。新型コロナウィルスが私の省でも発生した頃、許さんは大きなカバンを持って私の家にやって来ました。彼女の話によれば、両親から「お父さんもお母さんも、今は仕事が忙しいんだ。それなのにお前は家で何もせずにゴロゴロしている。邪魔だから、しばらく玲さんのところにお世話になりなさい」と言われて、家を追い出されたんだそうです。彼女はすごく怒っていました。そして私の部屋に荷物を置くと、ベッドに身体を投げ出して手足をばたつかせました。それからしばらくの間、許さんは私と共に暮らしましたが、些細なことで急に怒り出したり、何かの拍子に突然泣き出したりしました。私は普段の温厚な許さんを知っているだけに、とても困惑しました。そんなある日の夜、ベッドの中でうとうとしかけていた私に、許さんは正直な気持ちを打ち明けてくれました。「玲玲さん、心配かけてごめんね。実は私、親たちが玲玲さんのご両親に電話してるのを聞いちゃったんだ。お父さんは春節からずっと出勤して、家にもなかなか帰ってこられない。病院の中だけじゃなくて、感染した可能性がある人の家へ診察に行ったりもする。お母さんは防護服を着たまま一日中検査室から出られなくて、顔は皮膚が破れて水も飲めなくなっちゃった。親たちが私を家から追い出したのは、娘が感染するリスクを減らそうと思ったからなんだ。私だって馬鹿じゃないから、そんな気落ちは痛いほどわかるよ。でもね、そんな親たちに何もしてあげられない自分が悔しいんだ」。許さんは、天井を見つめながら静かに涙を流していました。

やがて、パソコンを使った授業が行われることになり、教科書などを取りに行くため、私は許さんと一緒に彼女の家に向かいました。必要なものをカバンに詰め込んだあと、私たちは部屋の空気を入れ替えようと手分けして窓を開けました。すると隣の部屋から小さな悲鳴が聞こえたので駆けつけてみると、許さんが封筒のようなものを握りしめて震えていました。何とそれは、許さんのお父さんが彼女にあてて書いた遺書でした。

「親愛なる娘は、父に腹を立てているのではないかな。私が以前言った言葉を覚えているかい？『天将降大任于是人也……』。もし天から重い責任を任されたら、強い心と体でそれを全うしなければならないんだ。私もお母さんも医者である以上、疫病に立ち向かう責任がある。どれだけ危険でも、第一線に立たなければならい。それからもう一つの責任、それは親として自分の子供を守る責任だ。新型肺炎の流行はまだ終わる気配がない。私たちは多くの人を守らなければならない義務があり、そのせいで命を落とすかもしれない。この先の運命は誰にもわからないけれど、あなたのような可愛い娘に恵まれたことを感謝している。もし私達が感染して死ぬようなことになっても、あなたは私たちの娘として、私たちを誇りに思ってくれることを望みます。父より」

新型肺炎が収束しつつある現在、許さんのご両親は無事に病院から戻り、家族で一緒に暮らしています。先日、あの遺書のことを許さんのお父さんに聞いたら「冗談だよ」と笑っていましたが、冗談にならない可能性だってあったはずです。こんな医師が世界には何人もいるのだろうと思うと、胸が熱くなりました。どうぞご無事でと、祈らずにはいられません。

（指導教師　大滝成一）

李矜矜（り・きょうきょう）

一九九九年、安徽省出身。安徽師範大学日本語学科二年。本コンクールは今回初参加にして、見事一等賞を受賞した。

作文は「許さんと父の遺言」と題し、新型コロナウイルスの流行期に、両親が医者である女友達の許さんを自宅に受け入れた時の筆者の実体験を綴った。許さんの両親は毎日忙しく患者の治療にあたっており、娘にあてた遺書まで用意していた。医者として人の命を守る義務があるという友人の両親の言葉に「胸が熱くなった」と李さんは述べる。

趣味は、アニメ、漫画、音楽鑑賞。

★一等賞

団地の北門

清華大学　陳　朝

疫病の時、私が住む団地の北門は普通の人々が苦難を乗り越える姿を展示する展示会場となった。そこで経験したことは激しい戦いではなかったが、平凡な人々の偉大さを感じさせてくれた。

最初に気が付いたのは団地の警備員さんたちであった。疫病が激しくなるにつれて、北門が唯一の出入り口となり、警備員の仕事量が大幅に増加した。人が入るたびに、情報を確認したり、体温を測定したりするのは彼らの仕事であり、毎日朝から晩まで数百回も繰り返していた。私は北門を通るたびに、いつも長く並んでいる列と警備員の制服の青さが見えた。待ち時間が長く、警備員が行列から文句を言われることもよくあるが、彼らは何とかして人々を慰め、体温測定をし続けていく。感染者と接する可能性があるので、彼らがこの団地の中で一番危険な立場にいるとも言えよう。それなのに、私に対してさえいつも微笑んでくれる。このような単調かつつらい仕事を四カ月も続けている。その様子には、筆者だけでなくこの団地のすべての住民がその働きぶりに感動させられている。毎晩、柔らかいソファーでゲームをやるたびに、まだ体温計を持って、何度も団地に入る人々の体温を測っている彼らの姿が目の前に浮かんでくる。

それから、団地の封鎖のため、毎日の食材は配達員によって北門に送られることとなった。北門の外を眺めると、色とりどりの服を着た配達員の姿が見えた。その中で、体が少し太って、額が汗でいっぱいになっている出前のお兄さんが印象的であった。私が一度野菜を取りに行った時、彼は入り口で止まり、後部座席の箱から袋を四つ取り出し、素早く警備員に渡し、少し説明をしてからすぐにバイクに乗って離れた。疲れを感じさせない彼の一連の動きは私の心を打った。もう少し速く行動できれば、いくつかの家庭が早めに食事できると思っている様子であった。その時は地面に百袋以上の食品が置いてあった。彼のような人が何回も走り回った結果であろう。私の団地だけでなく、この町では数千万人の飲食供給が普通の配達員たちによって維持されていた。そのため、彼らの配達路線はこの大都市の血管とも言えた。

また、この町に戻って半月後、北門のそばに寄付物資のリストが立てられ、上には住民の寄付のさまざまなものが書かれていた。北門を通るたびに、リストは少しずつ長くなることに気が付いた。三月が明ける頃には、壁一面がリストで埋められて、寄付した人数は三百人を超えた。このリストによってわかったのは、一人の力は政府や企業と比較にならないが、一つの団地の力を集めると、物資のリストが壁一面を埋められるほどになるということである。

おそらく大多数の人は私と同様に、医療現場の前線で戦う英雄の姿を実際に目撃したことがない。だが、私は北門のそばで、普通の人の非凡さを実感した。何カ月も単調かつつらい仕事をする人がいれば、身の危険を顧みず出前を運んでくれる人もいる。また、普段は近所との付き合いがあまりない人も疫病に立ち向かうために微力ながらも貢献をした。このような努力は私たちの生活をより安全に導く役割を果たすのはもちろん、前線の戦士を安心させることにも役立つはずである。

　私の団地以外の中国の数千万の団地も同じだと思う。一人一人が自分の責任を持ち、多くの人のために貢献し、苦難を乗り越える。平凡であるかもしれないが、これこそが今回の勝利につながったのではないだろうか。

　疫病が終結したら、私の町だけでなく、他の町や他の国にいる友達に連絡して、疫病の中で黙々と一身を捧げていた各国の警備員、清掃員、配達員、寄付者などの普通の人の物語を記録するドキュメンタリーを製作しようと思っている。彼らに自分の物語を述べてもらうことを通して、多くの人々に、普通の人でも団結すればより強い力が結集できて、どんな大きな災難でも乗り越えられるという信念を伝えたい。

（指導教師　日下部龍太）

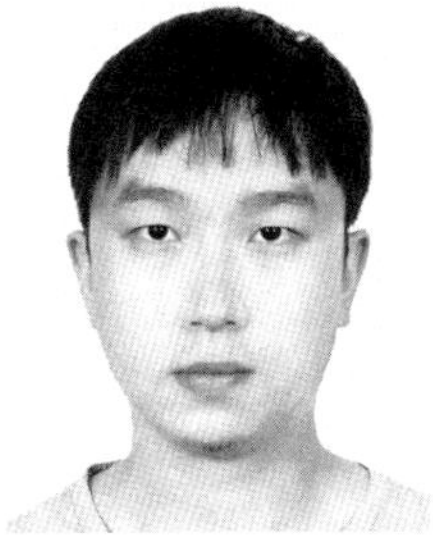

陳朝（ちん・ちょう）

一九九九年、四川省出身。清華大学日本語学科二年。本コンクールは今回初参加にして、見事一等賞を受賞した。

作文は「団地の北門」と題し、新型コロナ流行期に住んでいる団地が封鎖され、唯一の出入り口となった北門での人々の情景を、細やかな観察眼で描いた。住民らの体温を測定する警備員、毎日食材を運ぶ配達員、必要な物資を寄付する住民たち……。そこには新型コロナの脅威と闘う「平凡な人々」の姿があった。「普通の人でも団結すればどんな大きな災難でも乗り越えられる」、その信念を伝えたいと述べる。

趣味は、水泳。

★一等賞

ドアの前の籠

テーマ「新型肺炎と闘った中国人たち――苦難をいかに乗り越えたか」
西安電子科技大学　孔夢歌

「住民の皆さん、今週中は団地の正門から出てはいけません」

春節の翌日、このような通知を受けた。コロナウイルスの感染者が増え、全国の団地では人の出入りを制限し始めた。私の団地も例外ではなかった。

通知を受けた後、母は急いで家にある食料を調べ始めた。父はネットショッピングでマスクを探したが、どこも完売であった。両親の慌てた様子は家の雰囲気を緊張させた。幸い、春節のために、食材は十分に用意してあった。マスクはないが、どうせ外出できない。そう考えて、とりあえずほっとした。

その夜、ベランダで洗濯物を干していた時、スーツケースを引きずって正門に向かう二つの人影が見えた。団地の出口に着いてから、しばらく立ち止まって、一人は正門を出た。もう一人は長い間見送っていた。えっ、ルール違反でしょ？　大胆だなあ！こんな時に出かけるなんて。

　翌日、両親からこんな話を聞いた。「あの家の息子さん、医者だから武漢を支援しに行くって」「本当？武漢に行くなんて危ないし、いつ帰って来られるか分からないし。もう帰って来られないかも……。その家は彼とお母さんだけでしょう。お年寄り一人で家に残るのは不安だよね」。あっ、昨夜の二人はその息子と母親だったのだ。お婆さんが一人で家に帰る姿を思い出して、私は目が潤んできた。

　武漢の惨状をニュースで見た。多くの医療関係者が感染していた。隔離中の民家は、政府に生活物資の援助を求めていた。これらの悲惨なニュースを見て、私はふとあのお婆さんを思い出した。今一人でどう過ごしているのか。食材など足りているのか。私に何か手伝えることはないだろうか。そうだ！家に野菜がまだたくさんあるから、お婆さんに届けよう。両親も私の考えに賛成してくれた。しかし、お年寄りに近づいて感染させてはいけない。そうだ！　籠に野菜を入れて、ドアの前に置いて、ノックしてすぐに帰って来よう。そして、新鮮な野菜を選んで届けた。

　三日後、この前届けた野菜はもう食べ終わっただろうと思い、また訪ねて行って、驚いた。籠には物がいっぱい入っていた。もしかして使ってくれなかったのか。でも、よく見たらトイレットペーパーや油など生活物資もあった。その上、ドアには、「息子さんが無事に帰って来ますように」「何かあったら電話してください」などのさまざまなメモが貼られていた。同じ棟の住人達だ。みんながお婆さんのことを心配しているのだ。隣人たちの行動に温かさを感じた。

　さらに数日後、私たちはやっと買い物に出られるようになり、母は私に買い物を任せた。出かける時、お婆さんの所に寄って籠を見た。ちょっと減っているかなあ？　隣人たちも物資が十分ではないはずなのに。私も多めに買おう。お婆さんの分も一緒に買って差し上げよう。

帰りに寄った時、お婆さんもちょうどドアを開けた。手にたくさんのマスクを持っていた。「息子は医者なので、マスクをたくさん用意してくれました。私一人では使えませんから、皆さんでどうぞ使ってください」と言って、マスクを籠に入れた。そして、「皆様のお気持ちと物資に感謝します。マスクがあります。皆様のお役に立ちますように」というメモも付けた。

彼女がドアを閉めてから、私は買って来た生活用品を籠のそばに置いて、メモに「疫病は非情ですが、人間には愛があります。私たちはきっと疫病に打ち勝つことができます」と書いてドアにしっかりと貼った。本当にそうだ！

このような困難な時期に、みんなは我勝ちに物資を買いあさらなかった。逆に自分の家の物資を困っている人に分け与え、みんなで難関を乗り切ろうとしていた。

疫病は非情だが、人間には愛があった。この寒い冬を暖かくしてくれたのは、思いやりのある人たちだ。これからもずっとこの愛を持って生きていこう。その瞬間、私は疫病に負けない気がしてきた。負けるわけがないのだ！

（指導教師　王金博、竹澤見江子）

孔夢歌（こう・むか）

二〇〇〇年、河北省出身。西安電子科技大学外国語学部二年。本コンクールは今回初参加にして、見事一等賞を受賞した。

作文は「ドアの前の籠」と題し、医者の息子が武漢に医療支援に向かい、一人残された同じ団地に住むお婆さんと住民たちとの温かな交流を綴った。お婆さんの家のドアの前には多くの住民から贈られた食料や生活物資が置かれていた。逆にお婆さんからは息子からというマスクが返礼として置かれていた。改めて人の心の温かさに気づいた孔さんは「私は疫病に負けない」と強い意志を記している。

趣味は、歌を歌うこととドラマ鑑賞。

★一等賞

母、ルワンダに行く

テーマ「ありがとうと伝えたい――日本や世界の支援に対して」

東北財経大学　彭多蘭

ある日の昼食、母はいきなりアフリカ・ルワンダに行くと言いだした。私と父はびっくりして「危ないよ。行かないで」と叫んだ。

現在、中国国内の新型肺炎の状況はほぼ抑えられており、母が医師として働く病院では、医療従事者全員にアフリカのルワンダへの支援を呼びかけていた。家の昼食の時は、私と父の様子を見て母は冗談だと笑って言ったが、私はこの突然の発言に驚き、ちょっと悲しくなり、「本当に冗談だろうか」と心の中で不安が広がっていった。

その後、私はパソコンを開いてネット授業の準備をしていたら、突然検索履歴にルワンダという文字が残っていた。父は普段パソコンを全然使わないので、私は瞳の中で大地震が起こったような気がした。母はやっぱり本気で言ったのだ。私は心配してとうとう母に「行かないとダメ?」と聞いてしまった。すると母は、私が何を心配しているかを理解した上で、私に対して「今は新型コロナウイルスの対処法を見つけたから、医師たちも自分自身をどう守るかを知っている。だから大丈夫、安心してね」と言ってくれた。それでも心配して母になぜ遠くのアフリカに支援しに行くのと聞いた。すると、母は「医者だから自分の力で人を救いたい、患者さんも他の人が大切にしている家族だし、それらの命を救えたら、それはそれで多くの家族も救えるでしょ。患者さんは家の父親か母親か子供かもしれない、家族を亡くした人たちのことを思うと、可哀想だと思うし、しかも新型肺炎は人類の敵で、お母さんは、人を助けることは自分を助けることだと思っている。だから、人を救うことは人類の運命だと思って戦っているの。自分に価値があると信じたい」と言われた。

その話を聞いて、私は子供の頃、母はいつも思いやりの心を持って他人の立場に立っていたことを思い出した。母はよくバスで通学や通勤をしていた時、私の記憶では、子供やお年寄りにいつも席を譲っていた。しかし、母はよく座った直後には「疲れた」と言っていたので、実はこれは善意の嘘だと思う。また、ある雨の日に、私と母が早く家に帰ろうと団地の近くを歩いていると、傘をさしていない中学生を見た。母は「あの子、かわいそうだね、多分同じ団地の子だから、一緒に家まで送ろうか」と言って、私は母と一緒にその子を家まで送っていった。当時あの子が母にどれだけ感謝していたかはわからない。恐らく、ほぼ忘れてしまっていると思うが、私の眼には、母が輝いていたことだけはハッキリと覚えている。

私も母の影響を受けて、人助けをする性格になった。普段は困っている人を見つければ人助けをする。例えば、隣人のお年寄りのゴミ捨てを手伝ったり、家の近くで一人のホームレスがゴミ箱を漁っているのを見て、可哀想だなと思ってホームレスにパンと水を買ってあげたりした。そして、もっと多くの人を助けるために、様々なボランティア活動にもよく参加した。
　新型肺炎との戦いでは、全国各地から数多くのボランティアが湖北省に足を運んだ。他には、湖北省に応援で行った全国各地の医療関係者は四万三千人を超えていた。私はそこに、人間の美しさを感じた。今の時代、ヒーローという言葉はあまり耳にしないが、お母さんのような医療関係者はこの時代のヒーローであり、私たち一般人はこれらのヒーローによく守られていると思う。
　今、学生として私たちが出来ることは、自分の身を自分で守ることだ。家族や友人も外出する時はマスクをしたり、よく手を洗ったり、人の多いところに行かないように呼びかけることも大切だ。更に、日本語を勉強して中日間の医療情報交換もできるように努めたいと思う。日本の医療水準が高いので、日本語学部の学生として、日本の医学研究を翻訳し、多くの人に広め、少しでも貢献したいと思う。また、中国が辿った新型肺炎との闘いの成果を世界に向けてシェアすることにも取り組んでいきたいと思う。

（指導教師　佐藤重人）

彭多蘭（ほう・たらん）

　一九九七年、内モンゴル自治区出身。東北財経大学大学院一年。本コンクールは今回初参加にして、見事一等賞を受賞した。大連民族大学在学中に日本の岡山商科大学に一年間留学した。今回の受賞は、これまでの日本語学習の「努力が報われた最高の証明」だと喜ぶ。
　作文は「母、ルワンダに行く」と題し、アフリカへの医療支援を希望する医者の母と、日本語を学ぶ学生として何か貢献できることは？と考える自身の熱い思いを綴った。後日談だが、彭さんの母は現在は状況が変わり、まだ中国国内で待機中ということである。
　趣味は、登山とジョギング、歌うこと。

★一等賞

マスクで助け合おう

テーマ「ありがとうと伝えたい――日本や世界の支援に対して」

南京師範大学　劉　昊

一月下旬、突然新型コロナウイルスが武漢から中国全土へ広がり始めた。私が住んでいる南京という町でもその影響を受け、感染者の数が日々増えていった。市民はウイルス感染の不安を感じて、市内の薬局に殺到し、あらゆる手段でマスクを買い占めた。私が感染状況の厳しさに気づいた時には、もう手遅れだった。一日中市内を探し回ったが、どこの薬局に行っても、マスクの姿はまったく見つけられなかった。「どうしよう。マスクがないと何カ月も外へ出られないかもしれないなあ」と私はいらいらしながら思った。一生懸命探し回ったが、結局夜まで一枚も手に入れられなかった。

がっかりした私は仕方なく家に帰り、感染が収束するまで外へ一歩も踏み出せないことを覚悟した。その時、母が急に私のそばへ駆け寄り、誰かと言い争うかのように早口で言い始めた。「ウィーチャットのグループで見たんだけど、N95型のマスクが一枚百元で売られているんだって。しょうがないわ。私たちも十枚くらい買おうかな」と顔を顰めながらため息をついた。「悔しいけど、今の状況だったら買うしかないね」と私もいやいやながらつぶやいた。そばにいた父は無言のまま、何かを考える様子でずっとじっとしていた。

翌日、ウィーチャットにメッセージが入った。去年一年間日本に留学していた時に知り合った別府君からだった。去年私は日本に交換留学をした際、別府君にいろいろお世話になった。当時日本語力が足りなかったために、半年が過ぎても友達が一人もできなかった私は、ある日のゼミで、会ったことのない、少し日焼けした男の子に話しかけられた。それが別府君だった。彼は私に中国についていろいろ尋ね、中国のことにすごく興味を持っているようだった。その後、私たちはよく話し合ったり、飲みに行ったりして、だんだん仲良しの友達になったのだ。

「ニュースで見たんだけど、中国の感染状況、今やばそうね。マスクは足りている？　もし足りなかったら国際郵便で送ってあげるよ」とのメッセージだった。

メッセージを読んだ後、私は非常に感動した。初めて会った日のように別府君は再び助けの手を差し伸べてくれた。「日本人はほかの人から迷惑をかけられたくないから、いつも人との距離感を持ち、冷たいふりをしている」とよく言われる。だが、別府君は人々が想像する日本人のイメージと違い、彼の行動は日本人の本当の姿を見せてくれた。「もしよろしければ、送っていただきたいのです」「わかった。今すぐ買いに行くよ」と彼は躊躇なく返信してくれた。

二週間後、マスクでパンパンになった黄色い段ボールが日本海を渡り、私の家に届いた。マスクとともに、「中国頑張ってください」と書いてある紙が添えられていた。「困った時の友が、真の友だね。あなた、本当の友達ができたね。この恩を一生忘れないでね」と父がニコニコしながら言った。

大体同じ頃、「山川異域　風月同天」という文字の書かれた日本からの支援物質が中国に届いた。ありがとう、海の向こう側の友。

四月に入り、中国の感染状況が大分落ち着いた一方で、日本での状況は悪化し始めた。以前の中国のように、日本全国の至る所でマスクは品薄状態になった。マスクが買えなくて困っている人が大勢いるとのニュースが毎日絶え間なく耳に入った。

四月中旬、福岡に住んでいる日本人の友達からメールをもらった。「どこでもマスクが売り切れて困っています。もしよろしければ中国から送っていただけませんか」との内容だった。

メールを読んだ後、私はすぐ薬局に駆け付けた。しかし、当時は一人あたりの買える枚数が制限されており、その後一週間、私は毎日薬局に行き、ようやく二百枚を手に入れた。無事に届いた後、その友達からこのような言葉をもらった。

「心から感謝します。この恩を一生忘れないです」

マスクを通して、私と日本との間の絆がさらに深まった。

（指導教師　林敏潔、齋藤美奈）

劉昊（りゅう・こう）

一九九七年、江蘇省出身。南京師範大学日本語学科四年。二〇一八年から一年間、日本の東京学芸大学に留学した経験を持つ。本コンクールは今回初参加にして、見事一等賞を受賞。

作文は「マスクで助け合おう」と題し、地元南京市内でマスクが手に入らなくなった今年（二〇二〇年）一月、日本留学時代の友人からマスクが大量に届けられ、四月には日本で困っている別の友人に劉さんからマスクを送った「日本との絆を深めた」体験を生き生きと綴った。趣味は、バイオリン演奏と日本語に関すること。

★二等賞

冬を超える

テーマ「新型肺炎と闘った中国人たち——苦難をいかに乗り越えたか」

中国人民大学　肖蘇揚

　試験が終わったら、私は喜んで駅に向かった。北京の冬はとても寒いが、興奮して全身が熱くなった。重いスーツケースの中は服ではなく、家族と友達への思いが詰まっていた。

　春節まで一週間しかないが、行きつけのラーメン屋はまだ営業していた。私が店に行った時、おかみさんがちょうど出てきて、入口にお知らせを貼っていた。「明日は実家に帰るつもりだ。八日から再開する」。彼女は笑顔で私に言った。幸せが顔にあふれていた。

　歓楽に浸る人たち。春節と一緒に来たウイルス。ある日からみんなはマスクをして出かけ、ニュースでも毎日新型コロナウイルスの情報が伝えられた。インターネットのマスクの価格が高騰していた。ウイルスについては様々な説が出てきた。大晦日は家の中がひっそりしていた。誰でも自分の家にいなければならないので、年賀に来る人がいない。日が暮れた。みんなはテレビの前に座って、いつものように「春節聯歓晩会」（日本の紅白歌合戦にあたる）の放送を待っていた。テレビの中の音はとてもにぎやかだが、テレビの前の顔は重々しい。私は時々携帯を見て、国内の感染者数を数えた。各省の医療関係者は今湖北でウイルスと戦っている。防護用具が足りなくて、人手も足りないが、ウイルスからできるだけ人間の命を奪い返すために努力する。

　私がいつも「姉」と呼んでいるおじさんの娘がいる。彼女ももうすぐ病院に行く。産婦人科の医者である彼女は今回のことを担当しなくてもいいのだ。しかし、「基本的な医療知識を身につけているから、プロでなくても助けてあげたい」と言って、彼女は救助隊に入ることにした。おじさんは彼女がウイルスに感染することを心配していたが、この危機の時には誰でも国のために尽くすべきだということが分かっていた。口下手な彼は涙で自分の複雑な気持ちを表すしかなかった。

「祖母と祖父をよろしく頼みます。無事に帰って来ます。きっと。じゃあ、バイバイ」「気をつけてね」

春節の翌日。姉は少しの荷物を持って実家を離れた。病院に着くとすぐ防護服を着て仕事を始めた。防護服の外側は縄で留められていたので、みんな粽のようだ。防護服は脱ぎにくかった。そして、脱げば新しいものに着替えなければならなかった。物資が足りないので、みんなは節約したかった。そこで姉は紙おむつを穿いて出勤し始めた。十二時間働いても服を換える必要がないので、みんなはそうした。時間が経つにつれて、病人が増え、姉はますます忙しくなった。診察するだけでなく、患者の緊張を和らげなければならない。彼らは毎日ネットのニュースを見て、自分が生きていけるかどうか心配だった。最も大変な時、長い間休んでいなかったので、食事中に寝てしまった。

元宵節（旧正月十五日の節句）に、姉とみんなは病院でこの祝日を過ごした。元宵節は春節が終わったという意味だ。姉にとって、最悪の時期も過ぎた。マスクや呼吸器などの医療用品が運ばれてきたし、感染者が続々と退院したし、医者のストレスが少なくなった。

三月六日、最後の二十八人の患者が治った。姉から電話がかかってきて、すぐに家に帰ると言っていた。

叔父と姉を迎えに行った時、家の近くの桜の木を通りかかった。満開の桜を見て，やっと春が来たことに気がついた。姉は幸運で、無事に帰ってきた。私たちもたいへん幸せだ。自宅隔離をして感染しなかった。しかし、私たちは冬を越え、ある人は春が来る前に散ってしまった。病院の医師と看護師とか、物資を運ぶ運転手とか、ずっと働いている警察官とか。

今日は四月四日、清明節の前日。わが国は全国哀悼を行い、この疫病で亡くなった英雄を追悼する。街の車がクラクションを鳴らし、耳障りな音が家族を失った人の悲鳴に似ていた。この戦闘では砲火は見えなかったが、生命の消失が見えた。私たちはこれらの亡くなった人たちを覚えて、彼らの信念を持って、より良い未来を築かなければならない。

お目にかかったことのない英雄たち、ありがとう。

（指導教師　大工原勇人）

★二等賞

本当のヒーロー

テーマ「新型肺炎から得られた教訓や学んだこと」

山西師範大学　銭楽卿

「高おじいさん、私もおじいさんのような人になりたいです」「ハハハ、俺はただの人、あなたと同じだ。何もえらいことは無いよ」

私はいつも、この人を「高おじいさん」と呼んでいます。彼は私と同じ村に住んでいる七十五歳のお年寄りです。彼は独身で、一人みすぼらしい生活を送っています。彼を見るたびに私は、何で世の中にこんなに可哀想な人がいるのか、と思わずにはいられませんでした。でも、私は間違っていました。私は彼の外見しか見ていなかったのです。

メディアの報道によると、国内の新型肺炎が猛威を振るっていた時、高おじいさんは、武漢に援助に向かった医者や看護師たちが野菜不足で、患者を助ける体力が無いということを知りました。すると彼は、自分が大切に育てた野菜を全部収穫して束ね、使い古した貨車に積み込むと、医師たちを助けたいという一心で村を出ました。私たちの村は、都市から離れたところにあり、高おじいさんは、ナビゲーション装置も無い貨車を八時間も走らせ、やっと武漢市内の警察署に着きました。警察署に着いた時、彼の手足はかじかんで、紫色になっていました。警察官が名前を尋ねましたが、彼はただ微笑んで立ち去ったのでした。もしこの報道が無かったら、私も周りの人達も彼のこの行動を知らないままだったでしょう。私はこの話を知って、高おじいさんのところに行き、録画した映像を見せました。

「高おじいさん、なんでこんなことを?」「うん? 別に……」「ねえ、もしあの時警察署に辿り着けなかったら、どうしようか、考えた?」「いいや。俺はどうしても野菜を警察官たちの手に委ねたい、武漢の医者と看護師達に俺の野菜を食べさせたい、という気持ちしかなかった」

高おじいさんの答えに、私はいつの間にか涙がこぼれました。なんでこんなに恵まれない生活をしている人が、自分の命より他人の命を思いやれるのかと、私は心の中で何度も自問自答を繰り返しました。彼は、まるでヒーローです。いや、ヒーローというより、ヒーローの役割を果たした普通の人です。いつか自分も、そんな人になりたいと私は思いました。

「高おじいさん、もし今後、何か手伝えることがあったら、私に言ってね」「はいはい」と、彼は笑って答えました。

それから一週間ほど過ぎたある日、高おじいさんはうきうきしながら走ってきました。

「高おじいさん、何かあったの、急に」「暇、あるか。携帯電話は持ってるか。あるなら手伝って欲しい。今度は、コメを警察署に届けるつもりだ」「本当ですか。もちろん、喜んで。いつ行きますか」「いつでもいいが、うん、午後はどうかな」「いいですよ」

この話を聞いて、私は飛び上がるほど嬉しくなりました。やっと私も他人のために何かをすることができるのです。私は嬉しくて、心の中で大声で叫んでいました。コメを届けたら、警察官はどんな顔をするかな、と想像しながら、準備して、私は、高おじいさんの貨車に乗り込みました。

泥道を四時間ほどかけて走り、貨車はやっと警察署に辿り着きました。

「なんだかじっとしてられなくて、また来たよ」と、高おじいさんは笑顔で呟きました。

「また来てくれたんですか」。警察官はとてもびっくりした顔をしていましたが、まもなくしてその目からは涙がこぼれていました。

高おじいさんの精神に感化された私は、今、平凡なヒーローへの道を歩んでいます。この世の中にテレビや映画で見るヒーローなんていません。また、ヒーローというものは、必ずしも立身出世した人、あるいは衆目を集める人とは限りません。高おじいさんのような人がいるからこそ、我が国は新型肺炎をこんなに短い間に上手くコントロールできたのだと思います。私はずっと彼の精神を受け継いでいきます。今も、これからも、あの時の私の気持ち、私の言葉は絶対に忘れません。

「高おじいさん、私もおじいさんのような人になりたいです」

（指導教師　木内吉幸）

★二等賞

元気を運ぶ笑顔

恵州学院　柯国豪

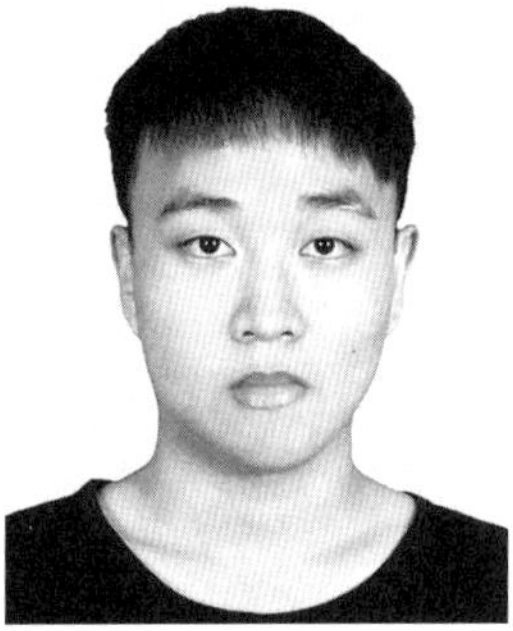

　コロナウイルスによる新型肺炎は、気楽に過ごせるはずだった冬休みを陰鬱なものに変えてしまった。ニュースなどで、感染者数により赤色に染め分けられていく中国地図を見ると、私の気持ちもだんだん沈んでいった。そんな時、元気をくれたのは、まだ幼い私の妹だった。

　妹の謡は、私より十三歳も年下の小学生だ。愛想のない、むっつりした私と違って、今のような厳しい状況下でも彼女は元気に過ごし、いつも笑顔を絶やさない。テレビから学んだのか、小学校で注意されたのか、妹は手洗い、うがいを毎日丁寧にやっている。いつからだろうか。彼女は何か体操のようなものもやり始めた。手足が縺（もつ）れたり、不器用に体を動かしたりしている妹を見るたびに、私たちの母は「謡ちゃんも頑張っているわね」と、にこにこ笑う。だが、私の気持ちは、今日もまた何千人もの感染者が出るのだろう、そう思うほどに沈んでいくのだった。

　自分と違いすぎるからだろうか。私は妹の笑顔にあまりいい思いはしなかった。子供というものは、遊んだりおいしいものを食べたりしさえすれば嬉しくなれるものだ。妹がいつも笑顔を見せるのは、それが理由に違いない。私は彼女の笑顔について勝手にそう解釈していた。

「兄さん一緒に遊ぼうよ」。その日、妹は私の部屋まで来て、そう誘ってきた。ベッドに寝転がっていた私は、彼女にかまわないふりをしていた。すると、妹は少し離れたところで勝手に例の体操を始めた。やかましい音楽に頭に来た私は、真っ赤に染められた中国地図を見せてやった。「見なさい。いつ病気になるかわからないぞ、遊んでいる場合じゃないだろう」。てっきり何か反発するだろうと思っていた妹は、何も言わず、ただ母のスマホを私に渡した。

妹が私に見せたのは、一本の動画だった。「健康体操」というタイトルの動画で、急ピッチで建てられた火神山病院の患者たちが一列に並んで一緒に体操をしていた。多くが年配の方々に見えたが、彼らの顔には目も眩むほどの輝かしい笑顔が咲いていた。肺炎に罹（かか）っているのに、患者たちは全く怯えた様子も見せずに、力強く体を動かしている。「いつか死んでしまうかもしれないが、今、生きているということは、まだ終わっていないという証だ。だから今日もせいぜい頑張って死と闘い、生きることを味わうのだ」。患者たちのその言葉を聞いて、ただただ落ち込んでいた自分のことが恥ずかしくなった。その時の私の顔は、きっとあの中国地図のように真っ赤だったろう。

心理学に、「感情感染」という理論があるという。人間のネガティブな感情は、肺炎のように他の人にうつるという。それならば、ポジティブな感情も同じようにうつすことができるのではないか。「健康体操」の動画を見た私はそう思った。確かに今の状況は厳しい。私のように多くの人が不安を抱え、ストレスを溜め込んでいるだろう。しかし、いつまでもイライラ、ハラハラしている訳にもいかない。それでは、周りの人もネガティブな気持ちにさせてしまうだけだ。逆に、火神山病院の患者たちのように前向きな姿を見せることができれば、それは苦境の中にいる人を励ますことになるだろう。これも新型肺炎との闘い方のひとつだ。小学生の妹は、私にそれを伝えたかったのではないだろうか。そして、妹はそれを実践して見せてくれている。あふれんばかりの笑顔を振りまく妹は、私たちの両親も笑顔にしている。日々、私たち家族に元気を運んでくれていたのだ。

「でも、この人たち楽しそうだもん。兄さんも一緒にやろうよ」。妹はそう言いながら、また例の笑顔を見せてくれた。私もできるだけ大きな笑顔で、「ありがとう」と答えた。

ベッドから下りた私は妹と一緒に踊った「健康体操」を録画して、ウィーチャットのモーメンツに投稿した。心の中で、「元気運び、私にもできたらいいな」、そう秘かに願いながら。

（指導教師　宍倉正也）

★二等賞

今を大事に

テーマ「新型肺炎と闘った中国人たち——苦難をいかに乗り越えたか」

南開大学　劉思琪

前期の試験を終えた一月八日、私は、学校のある天津から、三週間の春節の休みを過ごすため、故郷の黒竜江省へ向かう列車に乗った。念願の大学院に入って初めて迎える春節、初めての故郷。父母や祖父母の顔を思い出しながら、満たされた心で長い列車の旅を楽しんだ。しかし実際は、すでにその時、中国も世界も大きな変化に飲み込まれつつあったとは、想像することもできなかった。

故郷での愉快な日々を過ごして間もなく、新型コロナウイルスが武漢で流行していることを知った。ネットの情報はとぎれとぎれで、どれほど重大なことかは十分には理解できなかったが、ある日、白い防護服の医者が私の住む地区に来て二人の住民を隔離し、私の住む地区も閉鎖された。町中のすべてのレストランは閉まり、マスク着用での外出もままならなくなったが、それでも、これは一時のことだと思っていた。

違うぞ、と気がついたのは、学校から開学を五月に延期するという連絡を受けたときだった。まだ、二月なのに、開学が五月！　重大な事態なのだ！

次々と悪いことが起こり始めた。四月から日本へ留学の予定だった友人の留学が取り消しになった。北京で働いている大学時代の友人は、会社から河北省の実家に帰された。六月に卒業して就職予定だった先輩の内定は取り消された。そして、私の周りの悪いことは増え続けている。

あれから四カ月、私の生活は、不思議なテンションで安定している。週に一度、スーパーで買い物をし、近所に住む祖父母に届ける以外、外出はしない。早くに始まったネット授業を週に五日、受講し、宿題に取り組む。これが生活の全てである。

他にすることと言えば日本語の本を読むこと。最近は、カミュの「ペスト」を読んでいる。単なる物語と思っていたが、現在と瓜二つの中身に驚く。コロナウイルスはまさしく現代のペストだ。流行最盛期に登場人物が話すこんなセリフが心にしみた。「ペストが終ったらこうしよう、ペストが終ったらああしようなんて……。彼らは自分でわざわざ生活を暗くしてるんですよ。黙って平気でいればいいのに」

五月に入って黒竜江省の感染者がまた増加、他の省でも感染者が見つかった。そうした中で開学は九月に延期された。しかし、もう九月の開学を期待して心待ちにしてはいけない、平気でいなければいけないと思うことにした。何もかもが元に戻るわけではない。

祖父母の家に一週間分の食料といっしょに、感染者の増加で手に入りにくくなったマスクを届けた。祖父は私に「マスクはたくさんないんだろ？　私たちはどこにも出かけたいところはないし、この歳になると、マスクはなくてもそう恐くはない」と言って、マスクを持って帰らせた。故郷でこんな祖父母と両親とこんなに長く一緒にいることのできる幸せ。そう、今をこそ惜しんで生きて行かなくてはいけないと気がついた。

私は、外国人に中国語を教えるか、中国人に日本語を教えるか、そのどちらかを専門にする教師になろうと勉強してきたし、そのための道程表も用意していた。だが、大事なことは、何とか道程表を守ろうとすることよりも、今を大切にし、今に感謝し、勉強を続けることなのだ。

五月二十八日、この作文を書いている最中に、私の住む牡丹江は、突然五百人以上が隔離され、駅も道路も全面閉鎖された。まるで聞いていた武漢の再現だ。こわい。今から、どうなるのか、本当にこわい。

しかし、やはり、私は勉強を続けよう。世界が変わり、たとえコロナが収束した後、世界が元に戻らなくても、私が勉強を続けることが役に立つ世界はきっと残るはずだ。いや、きっと来るはずだ。私はじっと家にいるけれど、世界中でコロナと戦っている人たちの声を聞いている。

戦疫家待命　疫病との戦いを、私は家で過ごす
世変心甚驚　世の中の大きな変化が　私を怖がらせる
珍惜時下景　今を大事に生きるほか、方法はない
雲中逐光明　雲はなくならなくても、私はあきらめない

（指導教師　段銀萍）

★二等賞

コロナ時代の友情

寧波工程学院　屠洪超

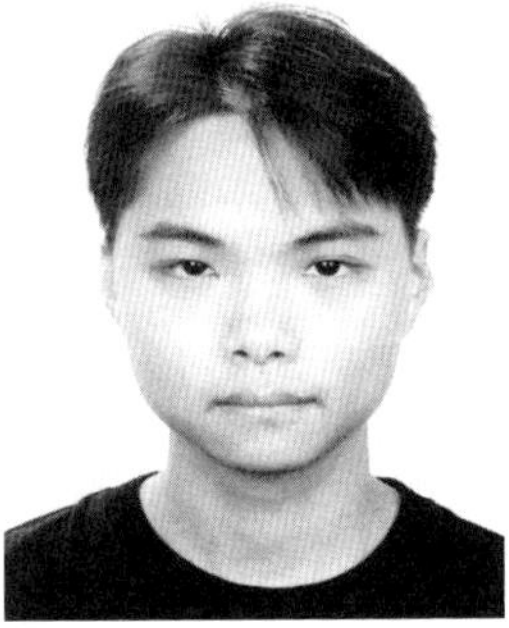

イギリスの詩人ジョン・ドンは「誰も島ではない、すべての人は大陸の一部です」と言った。新型コロナウイルスが広がる前、私はそういうこと考えもしなかった。

私は、友達と遊ぶのはもちろん楽しいが、一人でも寂しくない。逆に「やっと他人の気持ちを考える必要がなくなって、好きなまま生きられる、気楽だ！」と思ったこともある。寝たい時につまらない話を続けなければならない、リラックスしたい時にパーティーに呼ばれた、そんな嫌な経験を誰もがしたことがあるだろう。

外出禁止を聞いても全然残念ではなかった。初めの数日、なかなかいい気持ちがしていた。誰も邪魔しなかった。一日中ずっとベッドで横になっていても、座っていてもいい。ずっと楽しみにしていた小説を一気に読む、この快感は最高だった。その上、いい映画を見て感情が高ぶった時、馬鹿のような踊りを踊ったり、下手なのに歌を歌った。他の人がいたら何より恥ずかしいが、今は全部大丈夫だ。

だから、私は大陸より島のほうが気が合うだろう、と思った。

しかし、時間が経つに連れて変な気持ちが出てきた。この頃、コロナの状況がよく気にかかったので、毎日ウェブを閲覧していた。そして、悪いニュースを見て心配した時、死者の不幸を悲しんだ時、医者たちの戦いに感動した時、感情を誰かと共有したいのに、部屋には自分一人だった。狭い部屋の空気が息苦しくて、外でマスクをしてジョギングをした時も、周りに誰もいなかった。いつも賑やかな町には車の騒音も人々の声もなかった。この世界は、まるで亡くなったように冷たかった。出掛けても籠の鳥みたいだった。

誰かと話したい気持ちがだんだん増した。

ある日、友達一人が電話をかけてきた。何時間も楽しく喋った後、私の性格をよく知っている彼は「あっ、ごめん、遅くなった」と言った。「いやいや、もっと話してもいい、眠くないから」。とても私らしくない言葉が口から飛び出した。友達も私自分もびっくりした。「へえ、じゃ、明日、他の人も呼んでオンラインパーティーをやるってのはどう？」「オンラインパーティーって、何？」「ビデオ電話を何人かでやるんだ。パソコンで同じ映画かアニメかを見ながら話をしたりするんだ。いいだろう」「ええ、面白そう、いいアイデアだね」

そして、次の日、コーラと食べ物を用意して、ベッドの中に入り、友達へメッセージを送信した。スクリーンの中に、久しぶりに友達の顔がはっきりと見えた。私は、ついつい口もとに笑みを浮かべた。結局十五人くらい参加した。その中には、「珍しいね、お前からのメッセージなんて。お前、本物じゃないんじゃない？」と冗談まじりに言った人もいた。

それまでは自分の部屋はまるで島のように外の世界から隔絶されていたが、友達の繋がりが橋になって、人々の小さい部屋が大陸の一部になった、と感じた。私たちは最近の生活と、コロナが終結したらどこへ遊びに行くかについて、ずっと話していた。とうとう、深夜になり映画も終わった。「じゃもう一度、乾杯！」「乾杯！」コーラの缶をパソコンのカメラに当てただけだけど、まるで本物の友達とのパーティーの最高潮のようになった。

この間の寂しさと切ない思いが、一瞬で消えた。寝る前に、「この気持ちは、いったい何だろう？」と自問した。普段、出掛けたい時はすぐ出掛ける、会いたい時はすぐ会う。こんな時、「友情は貴重な宝物」とまで言うのはちょっと大袈裟過ぎるかもしれないが、このみんな一緒に災難と戦うコロナ時代だからこそ、友情の素晴らしさを発見できたのだ。その夜、「人間からの温かさは酸素、水、食べ物と同じ、不可欠なものである」とわかった。

（指導教師　田中信子）

★二等賞

テーマ「ありがとうと伝えたい――日本や世界の支援に対して」

ありがとうと伝えたい

煙台大学　陳　瑶

窓の外、雪は降りやむことを知らずに周りの山を白く染めていました。雪を見たことはありますが、こんな静かで真っ白な雪景色は初めてです。美しすぎて思わず、「まさに雪国なんだなあ」とつぶやきました。私がここにいるのは人生初の海外実習のためです。

「今まで勉強した日本語は活かせるのかな」「今身につけているビジネスマナーで大丈夫なんだろうか」「日本社会は人間関係が希薄になっていると聞くが、実際はどうなんだろう」と、さまざまな不安と疑問を抱えながら、実習のホテルに着きました。

迎えてくれたのはホテルの支配人でした。支配人はあんまり表情を変えることなく、淡々と仕事内容などについて説明してくれました。冷たい気もしましたが、「偉い人なんだから。外国の実習生に自ら説明するだけで十分だ。重要なのは仕事じゃないか。よし、頑張れ！」と自分を励ましながら、実習生活が始まりました。

最初のころは、何もできず、話し相手もいなくて、ただ、フロントの隅に立って、働いている先輩たちを見ながらメモをとるしかなかったです。とても心細く、つらく感じました。そんな私の様子に気づき、時々支配人がいろいろ教えたり、助けてくれました。正直びっくりしました。あんなに偉く、忙しい人が私みたいな実習生を相手にするとは想像もしませんでした。

その後は、仕事にもだんだん慣れて、楽しく毎日を過ごしました。しかし、突然全世界で猛威をふるった新型コロナウイルスの影響で、観光客が激減し、毎日予約キャンセルの電話の対応に追われていました。日々感染状況が厳しくなる中、ホテルの従業員全員が、マスクをつけて仕事をするように言われました。今回の新型肺炎が中国で感染が広がったことで、同じく実習にきた北海道の別のホテルの友達は、職場の従業員に差別的なことを言われたそうです。

そんな厳しい状況の中、運悪く私は熱を出してしまいました。支配人が病院まで付き添ってくれました。その時は何も考える余裕がありませんでしたが、翌日、出勤の時、皆に白い目で見られるんじゃないかととても不安でした。しかし、「おはよう！　体調もう大丈夫ですか。うん、良かった。じゃ、今日もよろしくね。あ、マスクは？　なかったらあそこにあるよ」と支配人がいつも通り優しく話しかけてくれました。あまりにも意外だったので、言葉が出ず、ただ「ありがとうございます」としか答えられませんでしたが、心の中はいつもより温かかったです。その日の夜、支配人と打ち合わせした際に、支配人の使い捨てのマスクが毛羽立ってボロボロになっていることに気がつきました。マスクの入手が困難の中、私を含めて中国からの実習生三人には毎日新しいマスクを配りながら、支配人は一枚のマスクを何回も消毒して使っていたのです。

思い返せば、支配人はいつもそうでした。パソコンに向かって仕事をしている時も、そのほかの場所でばったり会った時も、必ず向こうから先に元気な声で「おはようございます！」と声をかけてくれました。フロントでタバコを買う時にもやさしく「ありがとう」と言ってくれます。いつも同じコートを着ていて、私たちがドラマでよく見る偉そうにいかめしく振る舞う支配人とは全く違います。きっと、初めて外国で仕事をしている心細い私たちを常に気遣ってくれていたのだと思います。その後も、差別されることなく、無事に三カ月の実習を終えることができました。その優しさに、何回「ありがとう」と言っても、感謝の気持ちは伝え切れません。

彼から学んだことは、「大人の社会人としてどう振舞うべきか」「仕事への向き合い方」です。さらに、「本当の国際人とは外国人に対しても相手の立場や気持ちに寄り添い、心配りできる人だということ」に対する気づきです。未曾有の非常事態の中でこそ分かる人間性に、国による違いはないと思います。

（指導教師　金花、磯部誠一）

★二等賞

手紙の働き

テーマ「ありがとうと伝えたい――日本や世界の支援に対して」

河北工業大学　王子璇

感謝の手紙を書く仕事を務めたのは、これまでの人生で初めてのことだった。

新型コロナウイルスで自宅待機しなければいけない私は最初、出勤せざるを得ない人の思いがよく分からなかった。なぜ彼らはいらいらしているのか。なぜ、わざわざ危険を冒してマスクを着けて外出するのか、そういう疑問がいっぱいあった。そんな人の気持ちを少し分かるようになったのは、ある手紙だった。

兄が勤めている会社は、取引先の日本の会社からマスクを受け取った。兄がいる部門の同僚が嬉しくて、自発的に日本の会社に感謝の手紙を書こうとした。「お兄さんの部門は英語で貿易しているから、日本文化や日本語に対して理解がある人が少ないんじゃない」「そう、だから手紙をお前に書いてもらいたいよ」。しまった、やぶ蛇だと思ったときには、書く他に道はなかった。

手紙を書くだけだから、三十分もあれば書けるだろうと思っていた私が馬鹿だった。みんなの言いたいことを聞いていたら、何から書いていいのか分からなかった。皆さんの話はほぼ同じ意味だった。たくさんの話を伝えたいが、私にとっては「ありがとう」という言葉でまとめられてしまう。だから、言いたいことをそれぞれ分けて日本語で表現するレベルに至っていないと気付いた。いや、その前に相手の気持ちをよく理解できていなかったと言えるだろう。

「なぜ手紙なのか。メールのほうが便利なのに」。手紙を書くということはもう少なくなった。どうして今さら時代遅れで、なおかつ時間がかかる方法で書かなければならなのか。そんな疑問をぶつけると、マスクの箱にあった手紙を見せてくれた。それは日本の会社から、達筆な中国語で書かれていたもので、兄がいる部門に送った手紙だった。

受け取ったマスクと手紙は、両社の利益関係を維持するための道具だけでなく、両社の協力は今回の新型コロナウイルスにおいても何も変わらないということを伝えるだけでなく、社員の気持ちを落ち着かせるためのものだった。

昔の人は携帯電話もメールもないので、手紙で交流しなければならなかった。家文でも恋文でも、その時の人々は手紙に対して期待感を持っていた。手紙は昔の人にとって幸せを伝える媒介とも言える。中国の歴史上の詩人たちは、詩で自分の普段の考えを記録する以外に、手紙の内容として自分の家族や友達に送って、自分の思いや懐かしさを表した。今の人から見れば、当時の詩は分かりにくいが、その強い思いは文字から伝わってくる。しかし、近年は時代とともに手紙を書かなくなった。好きな人から恋文を受けたというドキドキ感も、家族の手紙をもらった時の幸せ感も感じられない。

今回、マスクの役割は小さいかもしれないが、日本会社からの手紙は同僚たちにとって安定剤に相当した。その手紙は温かくて、祈りと慰めも含まれていた。今回の疫病は自分の命の不安のみならず、今後の仕事の進め方に不安とか、進行中のプロジェクトが続けられるかどうかという不安、自分は次の感染者になるかどうかという不安、自分の通勤が家族にウイルスを移すという不安、いろいろなものが絡み合っている。なぜ、イライラしているのかも少し理解できた。複雑な心境と相手に対する感謝を少しでも早く伝えたい、そんな重大な任務を担っていることに今さら気づいた。皆さんの本当に言いたいことを文字にしないといけない、手紙を書くだけでは終われない。結局、一週間かけて、この手紙を書き終えた。

今後、人の気持ちを理解する場合は自分の考えだけで物事を見ないで、他人の立場から考えることも大事であると学んだ。将来は好きな人に手紙を書いて告白して、家族には手紙で懐かしさを伝えたいと思う。手紙で幸せを伝えられると信じている。

（指導教師　前川友太、陳建）

★二等賞

新型ウイルスで気づいた父との関係

テーマ「新型肺炎から得られた教訓や学んだこと」

遼寧師範大学　劉力暢

「こっちは授業中だから、静かにして！」

オンライン授業を受けている私は、居間で父が見ているテレビの音が大嫌いだった。新型コロナウイルスが原因で、父はしばらく仕事が休みになり、毎日、家にいることになった。父と長い時間、一緒にいることは嬉しくなかった。「勝手に部屋に入らないで」「授業中だから、私に話しかけないで」。父との付き合いは、本当に苦労した。もともと集中しにくいオンライン授業は、父のせいで、さらに集中できなくなった。「ああ嫌だ。早く学校に戻りたい」。私はずっと悩んでいた。しかし、三月のある日のことである。

「自分で自分の顔は見られない。これが、人間の宿命である。鏡にうつせばそれは見られる」。宿題として、私は、毎晩、日本語のテキストを朗読していた。三十分ほど朗読した後、部屋を出て行くと、突然、父に呼び止められた。「どのテキストでもいいから、ちょっと読んで聞かせてくれないか」。私は迷った。それまで父の前で、日本語を話したことがなかったからだ。父は私に英語科に入学してもらいたかった。そして、私が英語の教師になることを、ずっと期待していた。「ふう」。私の日本語科の入学を知らされた時の父のかすかなため息は、今でも忘れられない。「ちょっとだけだよ」。私は一番簡単なテキストを選んで読み始めた。父の前でテキストを読むのは緊張した。父は静かに聞いていた。「日本語って、なかなかきれいだな」。読み終わると、父はそう言った。「えっ」。父に褒められるとは期待していなかったので、私はびっくりした。

「強烈な台風が、静岡、山梨から関東西部を駆け抜け東日本一帯に被害をもたらしたことがある」。それから、父は毎晩、私がテキストを朗読するのを聞いていた。テレビを消して、私と一緒にオンライン授業を受けることもある。父のおかげで、勉強に集中できるようになった。時々、父は私に日本語に関する質問をする。とは言え、日本語が全然わからない父の質問は、よく私を笑わせた。「日本語って漢字ばかりだな」「でも、読み方は中国語と全然、違うよ」「俺も日本語が読めるよ！　〝你好〟（ニイハオ）って、日本語では〝ここにじわ〟だろう」「〝こにじわ〟じゃなくて、〝こんにちは〟だよ」「パソコンで日本語を打つことができるか」「もちろん。ほら」。私は、今までの記憶と違う、見せたことはない父の一面を見ていた。子供みたいな父、嬉しそうな父、一緒に授業を受けている時の父の姿、努力して日本語を話そうとする父の顔、父と一緒に生活して、私は初めて父の愛をはっきりと感じることができた。「お前がこのままずっと家にいてくれたらいいのにな」。父は笑って言った。もし新型コロナウイルスの流行がなければ、こんな優しい父には気づかなかったかもしれない。「お父さん。ごめんね」。ずっと側にいるのに、父のことを知りたいとは思っていなかったことに気づいて、申し訳ない気持ちになった。

現在、中国の新型コロナウイルスの感染者は、どんどん少なくなっている。私の故郷の遼寧省丹東市にも暖かい春がきた。私と父の関係も春のような新しい段階に入ったと思う。たとえ私が英語の教師になれなくても、父は、いつも私を誇りに思っていることに気がついた。今の私は、父に「愛してる」と素直に言えるようになった。そうすると、それまでうるさいと思っていたテレビの音も、私にとっては新しい意味を持つようになった。「父が隣の部屋にいる」、そう思うと、なんだか安心する。テレビの音が気にならずに、勉強できるようになった。これは私の成長なのかもしれない。新型コロナウイルスは人々からたくさんの大切なものを奪った。しかし、新型コロナウイルスのおかげで、気がついたこともある。私は父のように、これからずっと側にある些細な物事をもっと大切にしたいと思う。そして、もっと素晴らしい自分に成長したいと思う。

（指導教師　野口研）

★二等賞

山川異域　風月同天

テーマ「新型肺炎から得られた教訓や学んだこと」

天津科技大学　馮　雨

「どうして日本語を専攻するの？　他の専攻も選べたのに」

「えっ、日本語を専攻しちゃいけないの？　何を専攻しても私の自由でしょ」

大学の専攻を決める時、私の専攻を知った父はこのように言いました。中国と日本は過去に戦争や領土問題などがあり、私の父は日本に対して悪い印象を持っていたようです。新しい言語を習えば中国とは違う別の国のことがいろいろ分かる、だから日本語を専攻すればきっと楽しく勉強できる、そう思っていた私は父の反応に大きなショックを受けました。しかし、意外なことがきっかけで、父の日本に対する印象は変わっていきました。

私が大学で日本語の勉強を始め、一年半が経った今年の冬休み、中国では大きな問題が発生しました。春節の前に発生した新型ウイルスが武漢で流行し、あっという間に全国に広がっていったのです。春節で帰郷する人の移動にともなって感染者はすごい勢いで増加し、多くの死者が出ました。都市は封鎖され、外出は制限されて中国は緊急事態に陥ったのです。

そんなある日、私が朝食を食べていると、父はスマホのニュースを見ながらこう言いました。

「日本は優しいね」「うん？　どうしたの？」。私は顔を上げて聞いてみました。

「日本が中国にマスクをいっぱい送ってくれたんだよ。その箱には『山川異域　風月同天』と書いてあったんだ。日本人がそんな気持ちで中国を助けてくれるなんて思わなかったなあ」

父はそう話しながら嬉しそうな顔をしていました。

「山川異域　風月同天」という言葉は「山と川に隔てられていても、見上げれば、同じ空の下で一緒に風月を楽しむことができる」という意味です。父はこの言葉に感動し、それ以来、日本に対する印象は変わっていきました。私は父が日本から届いたメッセージを見て日本に好意を持ってくれて本当に嬉しかったです。

後でネットで調べてみると、実はこの言葉は千三百年前の中日友好が関係していることが分かりました。唐の時代、仏教を崇拝した日本の長屋王は「山川異域　風月同天　寄諸仏子　共結来縁」と刺繍された千着の袈裟を唐の高僧に贈って、これから縁を結びたいという気持ちを伝えました。これに感動した鑑真は何度も渡航に失敗し、盲目になりながらも六回目の渡航で日本に辿り着き、日本に仏教を広めたそうです。

私は中国と日本がこんな昔から固い絆で結ばれていたことを知り嬉しくなりました。あれから千三百年の年月が流れた今でも、この言葉は中日友好を象徴する言葉として生き続けています。中国が新型ウイルスの感染で危機に陥った時、日本は自国に感染者がいるにも関わらず、いろいろな援助物資を送って応援してくれました。中国の感染者が少なくなり日本の感染者が急増すると、今度は中国が何倍ものマスクを日本に送ってお返しをしました。そうです、昔も今も中国と日本はこのように切っても切れない絆で結ばれているのです。

私は大学で日本語を専攻して本当に良かったと思っています。そして、このような中日友好がこれからもずっと続いてほしいと願っています。私の父は日本からの援助物資とメッセージを見て日本人の優しさを知りました。他の中国人も日本のことをもっと理解すれば、日本に対する印象は変わっていくと思います。

そう考えた時、私は日本の良さ、日本人の良さを中国人に伝えるのは、日本語を勉強し、日本の知識がある私たち日本語学科の学生の役目だと気づきました。私は三年生になったら日本に留学することが決まっています。私が日本に行ったら、実際に自分の目で日本のいろいろなものを見たり、実際に日本人と交流したりして本当の日本や日本人を知りたいです。そして、それを周りの中国人に伝えていきたいと思います。そうすれば、日本に対して誤解している人たちの印象も変わっていくと思います。

中日友好の歴史がこれから末永く続いていくために、中日両国はもっと相互理解を深めていかなければいけません。

（指導教師　林伯成、井田正道）

★二等賞

私達は日々努力を重ねている

テーマ「新型肺炎と闘った中国人たち——苦難をいかに乗り越えたか」

北京科技大学　張家銘

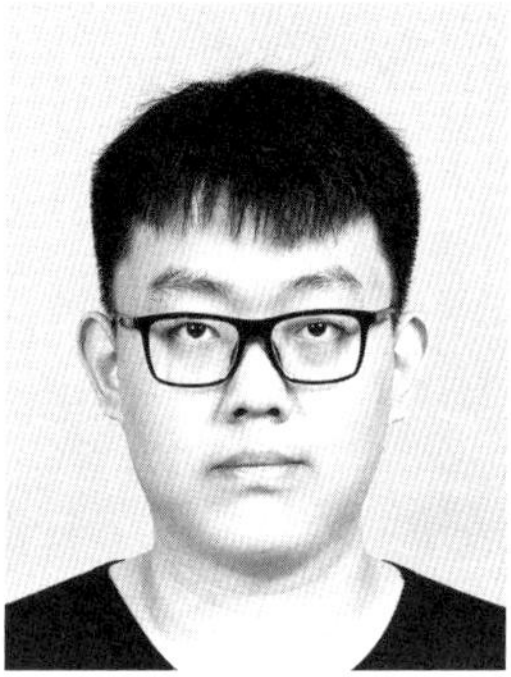

昨年十月中旬のことだった。ある夜、母からの電話で、二歳年上の従兄の温さんが今年のバレンタインデーに結婚すると聞いた。彼はこの二十二年来で、最も親しい友人だ。この知らせを聞いた私は心を弾ませ、お祝いの言葉を言うために彼に電話をかけた。

「よう、温、来年の二月に結婚するんだって？　うらやましいな。おめでとう」「ハハハ、君もいつか結婚するだろ、幸せな生活が待ってるぞ」

どんどん従兄の結婚が近づいてきて、家族のみんなも忙しくなった。レストランの予約や新郎新婦の結婚前の記念写真撮影など、すべては事前に準備しなくてはならない。しかし一月、こっそり広がってきた新型肺炎が準備のペースを乱した。

一月の頃は、一日わずか数人ずつしか感染者が増えていなかったので、多くの人は気に留めていなかったが、思いがけないことに、新型肺炎の感染力は強く、春節が明けると、感染の拡大が勢いを増した。非常に恐ろしかった。

一月末、新型肺炎の拡大防止のため、国から「勝手に外出するべからず」との命令が下されて、今年の春節は河北省滄州市の故郷に戻れず、河北省任丘市の家で過ごした。春節の日に従兄に電話をかけて、「どうだい、結婚式」と聞くと、「計画通りやっても問題ないんだけど、やっぱりね……いろいろ考えたけど、延期することにしたよ、新型肺炎が収まるまでね」。従兄の声のトーンを聞いて、がっかりしていることが痛いほど伝わってきた。

結婚式というのは、人生の一大イベントだ。占い師が男女双方の生年月日と時刻の干支で総合的に最良の日を占い、新郎新婦はその日に式を挙げるのが一般的だ。簡単に日にちをずらすなど、もってのほかだ。ちょうど二人のその日が二月十四日だったのだ。当日が「バレンタイン」だからこそ、一層縁起がいいものになる。しかし、最終的には泣く泣く他の日に変えることになってしまった。

この新型肺炎に直面して、私達はみなできる限りのことをしている。一生にただ一度の結婚式を延期し、ボランティアをすることなどで微力でも新型肺炎と闘っている。また、世界各国の医者が新型肺炎にかかった人を救い、研究者達が特効薬の開発のために寸刻を争って懸命に働き、みな自分のできる範囲で新型肺炎と闘っている。恐ろしい敵に対して、私達人間は恐れずに一致団結して新型肺炎を倒すために頑張っている。四月に入り、中国は全快とは言えないものの、感染者数や死亡者数が下降線を辿るようになり、感染者も死亡者も出ない日が多くなってきた。そんな四月上旬のある日、突然ウィーチャットで従兄からメッセージが届いた。

「半月後に結婚するから、必ず来いよ。俺の介添え役は君だからさ」「もちろん行くよ」

挙式の二日前、家の飾りつけなどの最後の準備を手伝うために、父、母、私の三人は故郷に向かった。結婚式は従兄の家で行われ、出席者二十人未満のこじんまりしたものだったが、当日は、幸せそうな雰囲気が皆を包み込んでいた。従兄が「君と一つの部屋、二人、三食、四季」と新婦さんに言うと、二人とも最も純粋な笑顔になった。「新型肺炎の苦しい時期を乗り越えた二人は、必ず幸せになれるに違いない」と私は思った。

現在、中国の感染者は百数人しかいない。他の国、例えば日本、ドイツなども峠を越してどんどん回復してきている。人々が一丸となって新型肺炎と闘い抜いたからだ。また、今回の災難からは、世界の国々との友好関係の深まりも感じる。日中両国を例にとると、中国で新型肺炎が流行した時、日本は即座に支援物資を中国に送ってくれ、日本で新型ウイルスが拡散した時には、中国も直ちに必要なものを日本に送った。このように、世界の国々が手をつなぎ合って、積極的に助け合えば、私達人間の勝つ日はそう遠くないはずだ。

（指導教師　岩佐和美）

★二等賞

振り返れば皆がいる

テーマ「ありがとうと伝えたい——日本や世界の支援に対して」

西安交通大学　張佳頴

晴れ渡った青空、皆が待ち望んだ春節。

それなのに。

新型コロナウイルスが突然来襲し、十四億の中国人の運命に巨大な打撃を与えた。人々は楽しく春節を過ごすことができなくなり、穏やかな生活から苦難の渦に投げ込まれた。

その頃、私は故郷で家族と一緒だった。窓から外を見ると、春節の赤い飾りはまだ建物に飾ってあり、青白い日光の下で真っ赤に光り、まるで血が滲んでいるようにも見えた。ベランダから見下ろすと、町には誰もいなくなり、普段の楽しげな声がきれいさっぱり消えてしまい、夢の中にいるようだった。

部屋の中にいると、消毒液の臭いが空気のようにどこまでも漂っていた。父が家に入るところ、母が掃除をしたところ、私が二歳の弟と遊ぼうと思っているところ、アルコール消毒をしない限り、何もできなかった。

真っ赤な飾り、静かな町、きつい消毒液の臭い。「日常」が「異常」に浸食されていた。

毎日毎日、私は寂しくて眠れない夜に、新たに増えた感染者の数をじっと見つめ、「未来はどうなるのか」と何度も何度も考え、闇の中を歩く者のように進む方向を見失ってしまった。こんな生活、いつ終わるんだろう。

しかし、転機が来た。ある日、テレビなどを見て時間をつぶしていた私はいくつかの記事を見た。全世界からのマスクや医療設備などの物資が中国に届き、山を成していた。中でも特に目を引くのは、日本が贈ってくれた物質の段ボール箱に「山川異域、風月同天」という詩が書かれていたことだ。

日本の店ではマスクの値段を下げ、脇に貼られた手書きのPOPに「武漢頑張れ」「中国頑張れ」などの応援の言葉が中国語で書かれていた。苦難の泥沼にはまった中国人のため、ある日本人の女の子は赤いチャイナドレスを着ており、寒風の中で何度もお辞儀をしながら義援金を募ってくれた。私は思わず涙をこぼした。

私たち中国人は世界から見捨てられていると思っていた。私たち中国人は孤独に新型コロナウイルスと戦っていると思っていた。けれども、実はそうではなかったのだ。この世界では、誰かが緊迫の眼差しで私たちの状況をしっかりと見て、援助の手をさし伸べてくれるのだ。この世界では、誰かが私たちのことを心配し、我々が一日も早く苦難の泥沼から抜け出せるように祈ってくれるのだ。この世界では、誰かが様々な方法で私たちと一緒に闘い、我々を孤独や絶望から救ってくれるのだ。

振り返れば、皆がいるのだ。

一つ一つの心温まる応援、一つ一つの感動的な行動、まるで明かりが後ろでぱっと灯ったように、道に迷った私に進む方向を導いてくれた。振り返れば、世界中の皆が明るいところに立っていて、胸を開きながら私たち中国人の帰りを待っている。私はもう迷わない。戻りたい、皆の傍に戻りたい。行きたい、皆の所に行きたい。

不思議なことに、その日の夜、久しぶりにいい夢をみた。華やかな東京五輪、世界の人々が一堂に会する所。私は家族と一緒に東京の新国立競技場で試合を観戦している。トラックが太陽の下で活気に満ちた赤い光を放って輝いており、さっそうと疾走する選手たちが健康で元気な赤い頬をしている。競技場内は観衆でいっぱいで、応援と歓声が飛び交っている。優勝が決まった瞬間、雰囲気も最高潮に達した。国籍の如何を問わず、人々は優勝者に盛大な拍手を送っている。試合が終わったら、私は家族と手をつなぎ、たくさんの人にもまれながら、出口へ進んでゆく。新国立競技場を出ると、直ぐに新鮮な空気に包まれる。綺麗な空気を吸いながら、私たちは次の試合を見に行く……。

笑顔のままで目覚め、心もぽかぽかと温かくなった。急いでこの夢を家族に伝えた。私の話を聞き、両親はほんの一瞬あっけにとられたような顔をした。しばらくして、母は久しぶりに微笑みを浮かべた。いつも仏頂面をしている父も表情が緩んだ。「うん、そうだな。生活が元に戻ったら、また一緒に五輪を見に行こう！　東京へ！」

（指導教師　奥野昂人）

★二等賞

露の世ながら、さりながら

福州大学　郭恬媛

「露の世は 露の世ながら さりながら」。これは、私が一番気に入っている、小林一茶の俳句だ。若い娘が病気で亡くなってしまったことから、一茶がその悲しみの極みで詠んだ俳句である。命は儚い。それは分かっているのだが、実際に経験すると、強烈な悲しみが襲ってくる。この俳句からは、「命の儚さは、自分が経験すると、分かっていても悲しみに堪えかねる」という感情が、じわじわと伝わってくるのである。そして、この俳句が私にとって「生涯忘れられない一句」になったのが、新型コロナウイルスによる肺炎の流行だった。

この肺炎で大切な人を失った人は多く、感染者の死亡記事を読むのもつらい。なかでも、家族や友達を失った人の悲しみは私には想像できない。他人に優しかった人。毎日、健やかに生きていた人。何事にも楽観的で笑顔を絶やさなかった人。どんな命であっても、ウイルスは無差別にその人を襲い、死に至らしめる。例えば、水上救援チームを創立した兪関栄は、十年間に十数人以上を救助したが、ウイルスで入院した後、たった一週間でなくなってしまった。武昌病院の院長・劉智明は、仕事中にウイルスに侵され、帰らぬ人となった。亡くなった際にその妻は、去っていく霊柩車の後ろを追いかけながら、泣き叫んだそうだ。ある患者は、自分の命がもう長くないと悟った時、「私の遺体を国家に」と言い残し、国の医療に貢献しようとした。また、死ぬ間際に、「妻はどこ」と書き、会えない奥さんのことを最後まで気にしながら命を終えていった者もいる。

彼らは英雄ではない。ただ平凡な日常を送っていた平凡な人にすぎない。ただ、平凡な人であっても、一人一人の命は、掛け替えのないものである。しかし、その命も、ウイルスによって、まるで一瞬の花火のように消えてしまう。一茶の俳句のように、「命が儚く散っていく無慈悲な世界」。私は、その世界に身を震わせた。

しかし、そんな無慈悲な世界の中でも、感動と勇気を与えた出来事も生まれた。「父親が昨夜肺炎で亡くなったから、病床があるかもしれない」と、他の感染者に呼びかけた人。「希望をもって生きたい」と言い、入院先の病院で楽しく踊って見せた患者たち。美しい夕焼けを一緒に楽しんだ、八十七歳の患者とその付き添いの医師。ロックダウンになり、ひっそりとした武漢の街を、自慢のエレクトーンを弾きながら歩いたおじいさん。夜中の静かな町に響き渡るその音楽は、感染に怯える人々に勇気を与えたことだろう。彼らの行動は、命がふっと消える無慈悲な世界のなかで、深い悲しみに暮れた人々に、生きる希望をもたらしたのだ。

人生は無常だ。まるで露のような世界では、人間の命など何でもないだろう。命は脆いものだ。しかし、数え切れない人々が、そのなかで必死に生きようとしたことは忘れられない。彼らは、愛する者の命が無慈悲に散っていく世界のなかで、「どう生きるか」を懸命に模索したのだ。

「露の世は、露の世ながら、さりながら」。新型コロナウイルスによって、私は世界の無慈悲さを痛感した。この俳句の中で、一つ目の「ながら」は、無慈悲な世界への諦念が感じられる。力を尽くしても、この世界が無常であることは変わらない。しかし、その世界に直面した時、塵のような人間であっても、ただ悲しみに耐えるだけでなく、自分のため、他人のために、愛と勇気をもって必死に生きようとすること。私は、今回の事態から、二つ目の「ながら」のなかに、ふとそんな意味を読み取ってしまった。一つ目の「ながら」があっても、二つ目の「ながら」がなければ意味がない。今ではそう思う。

現在、人々はだんだんいつも通りの生活に戻りつつある。でも私は、この春のことは一生忘れないだろう。命の脆さと美しさを心に刻み、そして一茶の俳句を、心の奥底で響かせながら、これからも精一杯生きようと思っている。

（指導教師　葛茜、黒岡佳柾）

★二等賞

新型肺炎と闘った私の日記

テーマ「新型肺炎と闘った中国人たち——苦難をいかに乗り越えたか」

北京外国語大学　宋佳璇

　十二月三十一日。日本留学もあと一カ月。「武漢市で新型コロナウイルス発見」というニュースに心が騒いだ。周囲から「武漢ってどこ？」「野生動物なんか食べるからだよ」と言われる。「私は武漢出身だけど、野生動物なんてずっと前に禁止されてるし、何かの間違いよ」。少し怒りを抑えて説明した。ところが、母との電話でそれが事実であると知った。二十年暮らしていた故郷のことを何も知らなかった。皆が言っていることは本当なんだ。事実を前に、弁解したくても言い返す言葉がない窮屈な気持ちになった。

　一月二十一日。人から人への感染が確認され、感染が拡大しているという。窮屈な気持ちは不安に変わった。母に電話で「マスクをしてね。外に出ちゃだめだよ」と言うと、母はこれから祖母の家で一緒に夕食を食べるのだと言った。「行っちゃ駄目！　感染したらどうするの！」。私は思わず怒鳴った。母は最後には果物を届けるだけで帰ると言ってくれたが、母に声を荒げてしまったこと、母が自分の親を心配する気持ちを汲めなかったことに後悔。

　一月二十三日。武漢が封鎖されることになり、二月の帰国の飛行機が取り消された。留学が終わっても故郷に帰れない。どこに向けていいのか分からない怒り。

　一月二十五日。大晦日恒例の「春節聯歓晩会」をネットの生中継で見た。例年と違い無観客で、妙な緊張感。新年の午前零時に母に電話をかけ「新年おめでとう」と言うと、母は感染の不安や食料の不足などを話して泣いた。私は無理に明るい声で母を慰めた。とても春節どころじゃない。強くならなくちゃ。

　一月三十日。祖父が発熱したという。祖母は心臓が悪いから、絶対に感染させるわけにはいかない。毎日二回祖母に電話をすることにした。体温を確認し、部屋や食器の使い分け、排水口を塞ぐことなど、細々と注意をした。

何とかして自分の家族を守りたい、一日も早く故郷に戻りたいという気持ちが強まる。しかし、海外にいては何もできず、ただ家族の無事を祈り、最前線で戦う人々を信じることしかできないのだ。疎外感。無力感。

二月一日。春休み開始。孤独や不安と向き合う封鎖の日々を過ごす母に寄り添いたくて、ビデオ通話を繋ぎっぱなしにしてシェアすることにする。昼間は二人とも無言で勉強や仕事に専念し、夜はその日のことを話し合う。気休めだけど。

二月七日。祖父の病状は好転。武漢に全国から医療チームや医療物資が集結している。感染者はまだ増えているが、少し希望が見えてきたように思える。一方で、ネット上では武漢に対するバッシングが強くなっている。武漢の一員として、何かできることはないのかと考え始めた。武漢に対する偏見や差別をなくすには、まずウイルスに勝たなければならない。勝利してこそ、美しい故郷を取り戻し、真の姿を世界に語ることができるのだ。

二月十日。私の高校の同窓生は世界各地に留学している。その活動に参加することにした。ネット上で募金し、各国で医療物資を調達して武漢に送るのだ。

三月十九日。同窓会からの医療物資が病院に届いたそうだ。わずかではあるが、自分も故郷の役に立つことができたのだ。

人生には思いがけない事態に遭うこともあるだろう。しかし、自分を被害者だと思い込み、不安に沈んだり、他人を責めたりすることからは何も生まれない。逆に、自分のアイデンティティに気づき、身近なことから逃げずに行動すれば、力を取り戻すことができる。心理的な苦境から脱出し、今を変えたいなら、まずは行動するしかないのだ。

四月八日。武漢封鎖解除！　急いでチケットを買い故郷の土を踏んだ。中国において感染が最も深刻だったこの都市は、少しずつ活気を取り戻しつつある。今、私は世界に向かって堂々と自分の故郷を語りたい。

武漢封鎖の七十六日間。私にとっても暗くて長いトンネルだった。しかし不安は行動によって克服できることを知った。私はほんの少し強くなれたと思う。

「ただいま、武漢」

（指導教師　高木立子）

★二等賞

差しかけられた傘、そこにある人の心の大切さ

テーマ「新型肺炎から得られた教訓や学んだこと」

大連理工大学　王子尧

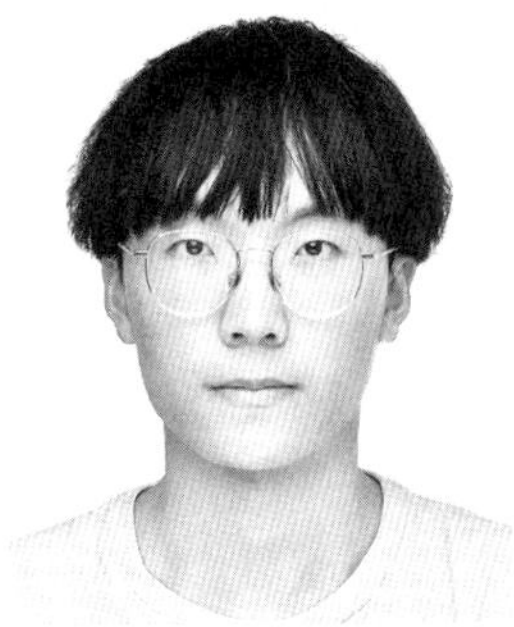

冬休みで大連の大学から故郷に戻っていた僕は一人家路を急いだ。「町は閉鎖、友達と遊びにも行けない、囚人扱いかよ」。ぶつくさ言いつつ家の敷地のゲートに着いた。「許可証を」。寒空の下、門番の声に焦った。コロナ感染防止管理用の許可証がなければ自分のマンションでも入れない。ない！ さーっと血の気が引いた。そんな僕に門番がこう言った。「そっち寒いから中に入りな」。その冬で一番温かく心強い言葉だった気がする。

ところで、僕は冬休み前に日本の大学への交換留学の学内推薦の審査に合格した。推薦される者だけが交換留学の申し込みができるのだ。二月初め申請準備を始めたある日、必要書類の一つ、日本語能力試験N1の合格証がないことに気づいた。しまった！ 大学の寮だ。ここ、無錫からはるか千キロ離れた大連だ。コロナ下で大学は閉鎖、打ちのめされた次の瞬間、「待てよ、以前ネットにアップしたっけ」。あった！ 命拾いした！ コロナで故郷に閉じ込められても、このネット時代、ネットの力で何とかなるのだ。

さて、次のステップは日本の大学の研究室に留学受入れを依頼すること。研究室の教授への依頼には自分の大学の推薦書と成績証明書が必要だ。無ければ依頼そのものができない。大学にいればキャンパス内の至るところに設置の機械を使えば自分で印刷可能だ。が、閉鎖中の大学はコロナ下で混乱していた。書類はなかなか届かなかった。他の国の申請者は早ければ一月末に依頼しただろうに。焦ったが、自分の大学の申請者も同じ条件だし、大丈夫！ つい油断した。

さて、機械工学専攻の僕は前から「ユーザーの感性、使い心地を数値化する」感性工学という斬新な視点を持つ研究室を希望していた。その研究室の教授の論文を丹念に読み込み、留学受け入れ依頼用の書類は万全、日本語の成績はいつもトップクラスだし誰の助けがなくても申請は一人でできる。自信もあった。しかし、三月半ば、大学からようやく推薦書等の書類が届き、依頼の申請が完了した三日後、まさかの断りの連絡が来た。「既に定員に達し引き受けることはできない」。他の国の学生は一月には依頼が済んだろうし、人気のある研究室なら当然か。書類さえ早く届いていたら僕だって早く依頼できたのに！　心底コロナを呪った。その後、第二志望の研究室からは十日間返事もなく放置された。次も断られた。気が付けば締め切りまで残り五日。絶望の中、ダメ元で留学経験のある先輩達にSNSで助けを求めた。

半ば交換留学はもう諦めていたが、五分も経たず、ある日本在住の先輩から連絡があった。

「もう時間ないぞ！　今から電話で作戦会議だ！」

この研究室は生体工学が得意で、高校時代、生物学オリンピックで優勝した君には合ってるよ。この研究室はうちの大学の学生を引き受けた経験がないから、依頼しても放置されるかも。先輩は面識のない僕のため夜十一時から丁寧に説明してくれた。僕は段々大学の各研究室の全体的イメージが掴めてきた。作戦会議が終わったのは日本時間で夜中の一時半過ぎ。更に先輩は僕が申請中の大学の教授に連絡してくれた。その三日後、研究室が決まったのだ。無事、交換留学の申請が終わった直後、この夏目漱石の俳句が僕の頭に浮かんだ。

「春雨や　身をすり寄せて　一つ傘」

大連市から日本に無償提供された二十万枚のマスクが入った箱に添えられていた句。世界中が緊急事態の中、僕は大学に戻れず故郷で孤独だった。しかし僕達が籠っていた住居の安全を守る温かい門番がいた。ピンチを救ってくれた先輩がいた。一人でもネットで何もかもうまくいく、己惚れていた僕は勘違いしていた。僕に傘を差しかけてくれたのはネットではなく人の心だ。ネットは人と人との繋がりを作る手段に過ぎない。誰と繋がるかを決めるのは人だ。今度は僕が誰か困っている人に傘を差しかける番だ。人と繋がる人の心の大切さ、それが、僕が新型肺炎から得られた教訓であり、学んだことなのだ。

（指導教師　飯田美穂子）

★二等賞

手紙

テーマ「新型肺炎と闘った中国人たち――苦難をいかに乗り越えたか」

上海大学　朱雅蘭

ある日、家に帰ったら、今まで仲良くなかった父が自力で立ち上がれないことに気づき、母と一緒に病院へ連れて行った。点滴の音、患者の話し声……いつも色々な音に詰められた病院が、なぜかその日に限って恐ろしいほど静かで、ピー、ピーという機械音と足音だけが廊下に響き、わたしはただ老いた父の皺だらけの手を見て、どういう表情をすればいいかわからなかった。

そのすぐ後だった。新型肺炎による感染が拡大し、一週間しかない旧正月の休みが長引いてしまった。毎日の話題が感染者数や死亡者数を示す右肩上がりの曲線に占められ、防疫期間がどんどん延ばされるにつれ、仕事口もどんどん減り、ついにバイト先からも「残念ながら……」という通知が送られてきた。

でも、大丈夫。収まってからまたバイトを探せばいい。そんなふうに楽観的に考えていたのに、気が付けばあっという間に三カ月が過ぎていた。当初は、父と二人で家にいることに、若干の違和感あるいは息苦しさのようなものを感じていたが、それも時間の経過とともに徐々に薄れ、父の面倒を見ることにも慣れてきた。

しかし、今まで何の迷いもなく抱えていた日本の大学院に進学するという夢を、ここ最近、諦めたほうがいいんじゃないかという葛藤が生まれた。大学院へ進学するには相当なお金が必要となるので、母には相談しづらかった。新型肺炎がこの家にもたらしたのが、経済的な窮屈さだった。病院の警備員である母は感染拡大による人員削減で、防疫期間中でも働けるようなバイトを探し、休みの日でも朝から晩まで働いている。いつしかそのさらさらとした黒髪に何本か白い糸のようなものが生え、それに気づいたわたしは心苦しくなって、喉が詰まったように言葉が出なくなった。

　私って、本当に親孝行できていない娘だね。時々ふとんの中にこもって、ひたすら自分を責めてばかりいた。そんなある日、ベッドの中で寝返りを打った時、何か硬いものが顔に当たった。誰からだろう。瞼をあけてみると、それは一通の手紙だった。眠気を振り払いながら起き上がると、わたしはそれを開けた。


　急にごめんね。最近ずっと忙しくて、話す機会もないから、ママの気持ちを伝えようと思って、この手紙を書くことにした。

　ママはね、ずっとあなたのことを誇りに思っているのよ。学歴も中卒で、出身も田舎、給料も低いわたしは、あなたを小さい頃からずっと一人で留守番させてしまった。

　それでも文句を一つも言わずに頑張ってきて、立派な大学生になり、母の日や誕生日にプレゼントを買ってくれた。このような素晴らしい娘を授かってくれたことを、何度も幸せだと思った。

　あなたの夢、そして悩んでいること、口には出さなかったけど、ママは全部わかっているのよ。ごめんね。裕福な生活を与えられなくて。でもどんなに苦労しても、ママはあなたの夢を応援するから。疲れても頑張ってお金を稼ぐから。それは母として娘にすべきことだから。悩まずに、思う存分、夢を追えばいいのよ。苦難は、いつか絶対乗り越えられるから。

　そして、こんな不器用なわたしにあなたのような娘がいてくれて、本当にありがとう。


　母の筆跡だった。どんなに辛いことがあっても、強く生きている母はいつも明るい顔をしていて、生活のために早くも仕事を始め、そして新型肺炎が蔓延しても、マイナスなことをポジティブに受け入れている。手紙を読んだ日の夜、わたしは父と母に心を打ち明けた。今まで申し訳なく思ったことも、そしてこれからのやりたいことも。父はただ黙って、その皺だらけの手で私の手を握りしめた。父の大きな手からの温もりで、わたしは思わず涙をこぼしてしまった。

　この新型肺炎で外出が自粛されたいま、家族との接し方をもう一度見直し、そしてそのつながりをもっと大事にしようと思った。黙々と優しさを伝えてくれた父、そしていつも前向きでエネルギッシュな母。わたしはこの家に生まれて、本当に良かった。


（指導教師　王頎、林工）

★三等賞　テーマ「ありがとうと伝えたい―日本や世界の支援に対して」

山川異域、風月同天

大連海事大学　潘芸丹

人間はお互いに支え合って生きてゆくものです。一人の力だけで生きていくことは誰もできません。

二〇二〇年、いつもなら笑顔が絶えない春節は一転し、突然の新型コロナウイルスのため、多くの人々が閉じられた窓から誰も歩いていない道路を見たり、携帯電話やインターネットから聞こえてくれる恐ろしいニュースや数字を見て不安と絶望を感じるだけでした。

国内の第一線に立つ医師や警察官たちの日々の努力は多くの感動を与えました。その他、海外の友人は中国への支援を行ったことが目立ちました。隣国の日本は、自国も新型肺炎の影響を受けているにもかかわらず、政府も民間も支援の手を差し伸べました。中でも日本の中国語能力試験HSK事務所から寄贈された物資には、梱包されたダンボール箱の上に、両国の国旗と「頑張れ中国」のほか、「山川異域、風月同天」という小さな文字が添えられていました。

この言葉の意味は大きいです。そして深いです。この言葉は中国唐代の高僧である鑑真和上の伝記「唐大和上東征伝」から来ています。「山川異域、風月同天」とは、「山と川は違っても、同じ風が吹いて同じ月を見る」ということです。つまり「異なる場所にいても、心は互いに通じている」という事を意味します。私たちは異なる国にいるけれども、同じ空の下で暮らしています。共に一致団結して新型肺炎に立ち向かい、苦しみと困難に打ち勝とうという共闘の意の表れです。この詩は短いけれども、多くの国民を感動させ、友好国からの温かさを感じさせてくれました。ちなみに日本から送られたこの詩に鑑真和上は心を動かされ、縁のある国と感じ抱き、日本への渡航を決意したと言われています。そして今再び、この言葉は現在の私たちの心を揺さぶり、温かくしたのです。私は日本語学科に属していますので、喜びと感動もひとしおでした。

支援の輪は世界中に広がっています。韓国は中国に二百万枚のマスクを寄贈しました。イギリスは新型コロナウイルスのワクチン開発に二千万ポンドを投資しました。そして中国へ祈りを届けるために、中国の首都・北京市と友好都市関係にある日本の首都・東京にあるスカイツリーが特殊な赤と青の二色に点灯されました。日本の各界が中国へマスクを寄贈した累計は六百三十三万枚余りに及びます。更には義援金や物資など、援助は留まることがありませんでした。

ウイルスには国境がありません。人種や貧富の差も関係がありません。今こそ私たちには一致団結と協力が必要なのです。人や国を責めるのではなく、ウイルスに対抗しなければなりません。共に努力してこそ、この戦いに勝ち抜くことが出来るのだと思います。

私には何が出来るのでしょうか。私は日本語学科の学生です。日本語を学び始めてまだ月日は長くありませんが、教科書からは学び取れない、相手の人の気持ちを考えたり、他人に迷惑を掛けないという美徳などを知りました。今、多くの大学生はこの新型肺炎の撲滅に対して殆ど何もすることが出来ません。安全第一、健康第一を心掛ける一方で、家で自分が出来ることを真剣に考え、家事手伝いに加えて学生の本分である勉強をしっかりと行うことが、せめてもの親孝行、そして社会貢献ではないかと思うのです。この新型肺炎の現実をしっかりととらえて次世代の未来へと語り継ぐことも大切な役目でしょう。

私は新型肺炎に苦しんでいる人々が早く回復し、感染拡散に対する恐怖が早く解消されることを切に願っています。何でもない日常生活を続けることがこれほどまでに尊い事であったことも実感しています。どこかに困難があれば多くの友人から支援が来ます。困った時に手を差し伸べるのが真の友です。「一致団結ができて、更には協力、助けることもできる」、これがこの暗闇の向こうに見える一筋の希望です。一緒にこの困難を乗り超えましょう。

（指導教師　佐野卓令）

★三等賞　テーマ「新型肺炎と闘った中国人たち――苦難をいかに乗り越えたか」

父親として、夫として、医者としての責任

南京郵電大学　楊彬彬

私の父は医療従事者だ。

私が子供の時から、父はいつも忙しい。他の子供と同じように父の肩車にのったことはあまりなかった。一緒に楽しく過ごせる日は、春節の休みだけだ。大切な休みだったが、今年は新型肺炎の流行で突然呼び止められた。春節の三日目、全ての医療従事者はそれぞれの持ち場に復帰して、新型コロナウイルスと戦えという指示が出て、父にとって一年に一回しかない連休が無くなってしまった。

毎朝マスクと使い捨て手袋などの医療用品が支給される。非常時だったから、医療用品が足りなくても、誰も文句を言わず、一人ひとりが真剣に職務を全うしたそうだ。父は一日中マスクをしていたので、顔に深いしわができた。一日中とても緊張しながら働いていたにもかかわらず、疲れたと言うこともなかった。そして、治療のために疫病の最新情報を常に収集していた。

長い戦いの末、ようやく流行が収まり、学校と会社が再開された。

ある夜、父は電話に出て、早速服を着て出かけようとした。

「お父さん、どこに行くの？」

「近くの高校で集団発熱が発生したそうだ。どうしよう、濃厚接触者になっちゃうかもね。どうか無事でありますように」

窓から父の車が闇を切り裂いて去っていく様子が見えた。やがて闇に消えていった。

夜更け過ぎ、突然ドアが開く音がした。

「気温の激しい変動のせいで、高校生たちはどうやら風邪を引いたようだ。まだはっきり分からないから、結果が出るまでは自主隔離するため居間で寝るよ。さあ、あなたも寝ましょう。心配しないで」。父は母にこう言った。

翌日、嬉しいメッセージが届いた。高校生たちはただの風邪だったのだ。

「感染の有無にかかわらず、患者を診察するのが医者としての私の責任だが、安全が確定されるまでの間、家族を守るのは父として夫としての責任だ」

三月中旬、湖北省へやってきた医療チームは任務を終えて帰還していくというニュースを聞いて、めったに泣かない父の目に涙があふれた。

「国内はそろそろ終息だな。ほかの国も、皆早く回復してほしい。これは全人類の戦いだな。まだ勝ったとは言えない」

父は一人の医者だが、中国での戦いは同じように責任を負った一人ひとりの医者が一体となって必死に戦ったのだろう。

そのため、医者への感謝の気持ちを表す言葉が街中やインターネットなどでよく見られるようになった。それらを見て、医者の家族である私は感銘を受けた。近年患者は医者の指示に従わず病院内で大騒ぎになることもあったが、これを機に患者と医者の関係が良くなることを強く望んでいる。全ての医者は患者の治療に全力を尽くし、退院の日には家族と同じように嬉しくてほっと胸をなでおろすのだから。

父の言うとおり、今回の戦いは全人類共通だ。中国で疫病が発見された時、各国は素早く援助の手を出して必要品を寄贈してくれた。中国の状況が良くなると、中国の医療チームが医療用品を持って疫病が深刻な国へ出発していった。それこそ禍福を共にする人類の運命共同体だ。だから、新型コロナウイルスに直面した今、過去の一切を捨てて肌色が異なる人と、バックグラウンドが違う人と心の絆をつないで互いに助け合うべきだ。苦難があってもきっと光を掴めると固く信じている。

学生である私たちは先輩たちの傘に入って安全に生活することができた。これからは、私たち青年がそれぞれの義務を果たす番だ。インターネットで「苦しい時こそ成長するチャンス」という言葉を見て、しみじみ感動した。疫病に対抗する戦いには貢献できなかったが、先輩たちの勤勉さ、勇気などを深く心に刻んで、将来責任感のある立派な大人になりたいと思う。

「ほら、前を見てごらん。あれがあなたの未来」。勇気を持った人がいてこそ我々は希望を持って未来へ進めるのだ。

ありがとう、お父さん。ありがとう、第一線で戦ってくれた全ての医療従事者たち。


（指導教師　小椋学）

★三等賞　テーマ「新型肺炎と闘った中国人たち―苦難をいかに乗り越えたか」

一番温かい新年

東華理工大学長江学院　尹倩倩

一月二十二日のこと、私は家族と一緒に無錫から祖父母が住む揚州に行き、一家八人は新年を迎える準備を始めた。その時すでに、武漢で発生したウイルスの感染地域が広がり、今いる江蘇省でも感染例が出たことを知ってはいたが、新型コロナウイルスに対する関心はあまり持っていなかった。

一月二十四日、春節聯歓晩会を見ようとしたその夜、突然団地の周辺で停電が起き、みんなが驚くのだが、無意識に携帯の懐中電灯アプリを開き、光源を探し始めた。暗闇に慣れた後、自分の事をやり始めた。幸い一時間後に電気が復活、番組もまだ終わっていなかった。しかし、この停電から私には不吉な予感がしていた。

一月二十八日、予感が的中する。実は、父は今月中旬出張で武漢に行っていたのだ。その報告をすると同時に、自宅で家族全員の隔離生活が始まった。

うちを担当する医者は陳先生だった。彼女は背が低く、白衣を着てマスクをつけていた。ある日突然、激しくドアをノックする音がしたので、ドアを開けると、彼女だった。額から汗が滴り、背を丸め、大きく喘ぎながら、彼女は父の写真を撮った。実は、父は外出していないのに、しているという噂があったのだ。この一件から、私達家族が隔離されている間、彼女は家の近くで見守り、決して不測の事態が起こらないように努めてくれるようになった。「ここまでしてくれるんだ」。医者は本当によく気が付く人だ。医者の仕事は大変に違いないが、その存在は実に偉大だと思った。

ずっと家にいるだけでストレスがたまるのに、ニュースで死亡者数が増え続けるのを見て、家族のイライラも増していき、徐々に家の雰囲気が重くなっていった。陳先生は来るたびに、一日二回体温を測り、平熱であるかどうかを確認し、私達を緊張させないように、世間話をしてくれた。そのおかげで、家族全員ゆっくり落ち着きを取り戻すことができた。

二月四日、陳先生は体温確認後、父を抱きしめながら、解放を喜んで知らせた。彼女が立ち去った後、八本の温度計が残った。その温度計を見ながら、「ありがとうございました」と心の中で先生に感謝した。

二月七日、私はようやく無錫に戻ることができた。やはり無錫でもウイルスの蔓延状況が深刻化していた。政府の要求で団地は閉鎖され、家ごとに外出が制限された。閉じ込められているのに、何だか守られている感じがして、安心感を覚えた。

この今まで経験したことがない緊急事態の状況下、国を中心に、すべての中国国民が自分の能力を尽くし、ウイルスと闘った。統一的な管理を中国全土で行うことで、感染を最小限に抑え込むことができた。また、この感染症のワクチンも急ピッチで開発が進んでいる。私の周りでは、あるクラスメートは防疫ボランティアに行き、親友の一人はマスクを寄付して、自分ができることをやっていた。諸外国も中国に多くの支援物資を送ってくれた。これらの様子から、みんなの共感、助け合い、支え合いの精神が伝わってきて、幾度となく感動して涙が溢れ出た。いつしか、無錫に戻ってからの隔離生活に対する苦しみは消えていた。

三月の初め、隔離から解放された私は散歩に出かけた。外はすっかり春を迎えていた。道行く人たちはマスクをつけて歩きながら、幸せを感じているように見えた。のんびりと体を鍛えている人も少なくなかった。目に映るものすべてが元通りに向かっているので、万物が蘇る感じがした。

今回の新型コロナウイルスは、あの時の停電のようなものだと思う。人々を怖がらせると同時に、人々に闇の中を探り足で光を求め歩かせる。世界では今もなお、ウイルスとの激しい闘いが繰り広げられているが、必ず最後には光が持っている。

ある人は今年の正月は一番寂しい新年だと言うが、果たしてそうだろうか。これまでになく、すべての中国人、さらに世界中の人々はお互いに心を寄せ合っている。これは一番温かい新年ではないのだろうか。


（指導教師　高良和麻、王彦）

★三等賞　テーマ「ありがとうと伝えたい――日本や世界の支援に対して」

ありがとうの気持ちを胸いっぱいに

北京第二外国語学院　王雅捷

春節は中国の最も重要かつ伝統的な祝日として、過去の一年と別れ、新しいスタートを迎えるという意味が含まれる。しかし、今年の春節は中国では、例年のように提灯が飾り付けられたり、賑やかな雰囲気が漂ったりする様子もないし、ひっきりなしに街の中を行ったり来たりする人々の姿も見られないようになった。なぜならば、私たち中国人は新型コロナウイルスと戦っているからである。

高層ビルが林立する武漢といえば、「孤帆遠影碧空尽、唯見長江天際流（孤帆の遠影 碧空に盡き、唯見る長江の 天際に流るるを）」の揚子江流域の都市で、「晴川歴歴漢陽樹、芳草萋萋鸚鵡洲（晴川歴々たり 漢陽の樹、芳草萋たり 鸚鵡洲）」を一望の下に見渡す楼閣もあれば、「一橋飛架南北、天塹変通途（南北に飛ぶがごとき橋をかけ、天然の濠を途と変えん）」のごとく描かれている有名な長江大鉄橋もある。ところが、今日の武漢は、中国人の心配の種となっている。毎年、春節になると、中国人は家族や親友と集まって一緒に過ごすわけであるが、新型コロナウイルスと闘うこの特別な時期に、中国全土でその感染防止・治療の最前線で勇敢に立ち向かっている人々が多々いる。正月返上で、勤務に戻ってこの戦闘を勝ち抜こうと決心する彼らの中には医者と看護師や警察のみならず、平凡な労働者もいる。その英雄たちは武漢へ救援に馳せ、新型コロナウイルスに打ち勝つ防衛線を構築していく。

かといって、中国人は孤立無援で戦っているわけではない。この戦いを前に、中国と一衣帯水の隣国である日本を含む世界各国は中国と共に立ち上がって行動を起こしている。新型コロナウイルスの感染拡大が極めて困難な時期に、感染地区では防疫物資が不足している際に、日本各界から援助の手が差し伸べられ、マスク、防護服、粉末消毒薬などの物資の寄付が集まり、速やかに防疫物資が寄せられてきた。一方、「雪中に炭を送る」のように続々と義援金や防疫物資が届くとともに、日本の国民からの精神的な励ましも中国人の心を動かし、千年以上にも及ぶ交流の中で結ばれた深い友情を端的に示している。

とりわけ、中国人の間で強い共鳴を引き起こしたのは、HSK中国漢語水平考試事務局が中国に寄付した支援物資の箱に記されている「山川異域、風月同天（山川域を異にすれど、風月天を同じくす）」という文言である。千年以上前に、この分りやすい八つの漢字を目にした鑑真和上は感銘を受け、行く手に立ちはだかる幾多の障害にもかかわらず、日本へ渡航して仏教の戒律を伝えようと決心するに至ったのである。千年以上も続いた中日交流の歴史に埋もれているこの八文字は中国武漢の新型コロナウイルス撲滅という特別な時期に、再び十四億もの中国人を感動させ、新たな意味合いを持たせるようになった。何という微笑ましい中日両国間の長い交流の因縁か。どれほど病苦と無力にびくびくする、都市封鎖中の武漢の人々の心を温めてくれたことか。

よく新型コロナウイルスに国境はないと言われている。世界の人々は今回のような硝煙なき戦争を通じ、人類運命共同体の理念に示されているように、心を合わせて協力するならば、如何なる苦難でも乗り越えることができることが明らかに示されていよう。新型コロナウイルスの感染拡大に見舞われていた時期に、新型ウイルスと闘おうと、中国を援助してくれた日本や世界各国の人々にありがたい気持ちを伝えたい。今現在、中国がさまざまな困難を克服し、全力で感染拡大の阻止に当たっていると同時に、事の大小を問わずに国際社会と情報や経験を共有し、思いやりと温もりを分け合うように努めている。これこそ、各国の人々の恩に報いたいという証以外の何物でもない。

世界各国はともに手を携え、ゆるぎない決意でウイルスに勝つことによって、民間の友情と信頼は新たな段階へと進むことだろうと固く信じている。

（指導教師　馬駿）

★三等賞　テーマ「新型肺炎から得られた教訓や学んだこと」

新型肺炎と闘う中での考え

湖南大学　李若凡

不安と恐怖の気持ちを胸にいっぱいにして家で隔離した日がまるで昨日のように感じられる。この二カ月間の隔離期間は私にとって色々考えさせられた時間だった。

新型肺炎がもたらす一つの教訓は、人としてこの世に生きていく以上どうしても守らねばならない責任である。この間、私は毎日肺炎に関する記事を読み、どこか遠くから救急車のサイレンの悲しい音が耳に響き、お医者さんたちが最前線で過酷な勤務を続けて疲れ切った顔を知らず知らずに目の前に思い浮かべていた。ボランティアが世界を救うために身を危険にさらしている力強い姿を見て、「いつまでも静かで平和な生活があるわけではないが、私の代わりに重い責任を背負って前に進む人がいるからだ」と急に意識した。心配する一方で、「私も何か役に立ちたい」という気持ちが強くなっている。昔、自分のことばかり考えていたのに、だんだん他人に対して思い遣りが持てるようになったと思う。この危機を通して、自分のやり方で責任を守り、常に若者としての自覚を持つことを心に誓った。

もう一つ学んだことは一生かかっても学べないような自然を愛することと畏怖する心を教えてもらったことだ。未知のウイルスに直面する時、私は初めて自分がほんの小さな弱い人間だと実感させられる。昔、気に留めなかった「当たり前」がいかに幸せなのか、自然はどれほど貴重なものなのか全然わからなかったことがわかるようになった。コロナはある意味でこれまで自然を考えずに経済の発展を優先させ、好き勝手にやってきた「人間に対する警告」のように感じる。私たちの命は自然の一部で、この自然がもたらした恩恵のおかげで私たちの平和が成り立っている。だから、生き残った人として、これから自然と共生する大切さをよりよく心に刻んでいく。

だけど、新型肺炎は人類に苦痛を与えても、苦しみをもたらしても、命の分かれ目で、生きる希望を失わず肺炎と闘っている人も大勢いる。厳しい危機の中で人々が一生懸命生きる姿にとても感動した。カミュの「ペスト」の中で、「絶望に慣れることは絶望そのものよりさらに悪いのである」という一文が深い印象に残っている。世界的な危機に直面して、われわれは不安に負けずさらに冷静に戦わなければならない。

フィギュアスケート選手の羽生結弦は、「真っ暗闇なトンネルの中で、希望の光を見出すことは難しい。でも、真っ暗だからこそ、見える光があると信じている」と言った。彼の言葉が今私の心に響いている。困っている人に手を指し伸ばす優しさ、辛い時に困難と立ち向かう勇気は何よりの宝だと再認識するようになった。

自然は人間を試すと同時に、人間にチャンスを与えてくれる。どんどん広がっている新型肺炎に負けないように、人々が肌の色、文化、国家の違いという高い壁を越えて、偏見を捨て、助け合うということの不可欠をじみじみと感じる。

「春雨や身をすり寄せて一つ傘」（夏目漱石）。日本と中国がお互いに支え合っている一つ一つの行動は、まさにこの俳句に最も良く表れている。一月、中国で新型肺炎が拡大した後、日本から続々と支援の手が差し伸べられ、いち早く物資が送られた。それとともに届いたのは、「青山も雲雨も共に見る友よ、一緒に困難を乗り越えよう」（王昌齢）といった善意に満ちた温かい言葉だ。また、中国国内でコロナ防止が好転に向かう中、多くの地方が日本にマスクなどの医療物資を送った。愛と希望は、ウイルスよりも速く広がって、この春の最も綺麗な光景を見せてくれる。各国が国という枠を越え、周りと繋がるという国際協力があれば、勝利の夜明けは必ず訪れると信じている。

新型肺炎から得られた教訓や学んだことを、これからの人生において決して忘れないようにしようと思う。無数の人が永遠にこの冬に閉じ込められているが、一人ひとりが勇気の花を咲かせば、きっとコロナの闇が破れ、希望に満ちる春を呼び起こすだろう。

（指導教師　越智優）

★三等賞　テーマ「新型肺炎と闘った中国人たち―苦難をいかに乗り越えたか」

闇の中の光

華中師範大学　呉露露

夜九時になりました。兄と私は家の前に立っています。周りは何も見えないぐらい暗いし、その上雨が降っていました。「最悪な天気、最悪な病気、いいことは一つもない」と思い、どん底の気分でした。

「たぶん今夜は来ないんじゃないかな、黎（れい）先生は」

「うん、時間も遅いしね。今夜はもう来ないだろう」

黎先生はわが村唯一の医者です。村の若者たちは大都市に出稼ぎにいって、残っているのは年寄りと子供だけです。どこかの家で誰かが病気にかかったと知らせを受けたら、黎先生はすぐ駆けつけてきて、みんなの面倒を見てくれています。

毎年、春節の時期は、帰省する人々で村はにぎやかになりますが、黎先生はどんどん忙しくなります。しかし、今年の春節は新型コロナウイルスにより、湖北省はとてつもない災害を受けました。村では肺炎の拡大を防ぐため、武漢から帰ってきた村人計四十四人を細かく観察することになりました。毎日四十四人の家に訪れ、体温を測って記録するという仕事を担当したのは今年七十歳の黎先生でした。

兄と私も武漢で勉強しているので、当然ながら観察対象になりました。家は、村でも一番離れている場所にあり、黎先生が到着する時間はいつも夜でした。今夜は特に遅く、もうすぐ十時になるのに、なかなか黎先生の姿が見えません。あきらめて家に入ろうとしているとき、路の向こうからうっすらと懐中電灯の光が見えました。光がどんどん強くなり、まぶしいほど明るい光の後ろから人影が見えました。

「よしよし、二人とも元気そうで何よりだ。やっぱり若者にはかなわないな」

一日中走り回ったとは思えないほど元気な声、危険をものともしない朗らかな性格。やっぱり黎先生でした。雨の中で傘をさしていましたが、右肩にかけている大きなカバンを守るため、左半身はほとんど濡れていました。またマスクをしていて、表情は見えませんが、目は笑っていました。

「遅くなってごめんね。熱が出る人がいて、バタバタしていたの」

それを聞いて、私は途端に恐怖に襲われ、声すら出ませんでした。「こんなに小さな村だから、誰かが感染したら、すぐ私たちも危なくなるのでは」と思いました。

黎先生は何も言わない私たちから恐怖を読み取ったか、「大丈夫だよ。ウイルスは怖くない、私がいるじゃないか」と力強く励ましてくれました。それを聞いて、私と兄はホッとしました。

いつものように、黎先生は兄と私の体温を測って、記録しました。黎先生は、長い時間雨の中を歩いてきて、寒かったせいか、なかなかうまく文字が書けませんでした。指は腫れていて、皮もひび割れていました。記録が終わって、黎先生は鞄の中からマスクを出して私たちに渡してくれました。「できるだけ、家にいるようにね」と念を押しました。

これで一日の仕事が終わったようです。黎先生は大事そうに医療カバンを持って、帰路につきました。暗闇の中、先生の懐中電灯だけがほのかに周りを照らしていました。

この一カ月、新型コロナウイルスは人々を恐怖という暗闇に突き落としました。もう希望がないと絶望しているとき、黎先生のような普通ですが、非凡な人たちが命がけで公共の福祉に自分の力を尽くします。こうした人々は明かりのように暗闇と闘って周りを照らしてきました。彼らの前向きな態度も、人たちに希望をもたらします。最近のニュースを見ると、どこでも、どの国でも黎先生のような人がいることは明らかです。

人間が数え切れない災難を乗り越えたのも、このような人たちが自分の情熱を燃やしながら、周りを照らしたからではないでしょうか。我々人類はきっと今回の災難を乗り越え、過ちを反省し、未来に向かって努力していくものと、私は強く信じています。

（指導教師　尹仙花）

★三等賞　テーマ「新型肺炎と闘った中国人たち――苦難をいかに乗り越えたか」

札幌から南京へ

東南大学　栾　霏

「マスク全品　品切れ中」。ドラッグストアなどの商店で、そういった告示を見かけることが実に多かった。不安そうな顔をしながらマスクの棚のあたりを一周し、結局何も買えずに出て行った人もいる。そんな姿を見ながら街路に出ると、革靴の下で雪がぎゅうぎゅうと鳴り、舞い散る雪が時々いたずらっ子のようにマフラーの隙間に吹き込んでくる。離日する前の札幌の街の様子だ。

それは二月頃のことだった。北海道大学文学部の特別聴講学生として、私は半年間にわたって授業を受けていた。国の両親や友人からの情報を通して、新型コロナウイルスとの戦いに関する中国国内の情勢を把握し、ネットでの応援を続けて、日常の防疫措置をきちんとするようにと毎日呼び掛けている医者の中に伯父さんの姿もあり、日本にいる私も勇気づけられた。

その少し前、私はさっぽろ雪まつりのボランティア活動に携わり、地元の人々と一緒に大雪像の制作に取り組んだ。例年なら、我が国から多くの観光客が訪れるが、今の国の感染症防止の対策に応じて、市民は外出を自粛し、家で冬休みを過ごすことにした。思えば、あの時の一人一人の努力の積み重ねがあったからこそ、感染拡大防止措置の緩和ができたのだろう。

北大で授業を受けている時にある日本人学生と友達になった。自分の故郷である南京市から、新型肺炎の発生後湖北省武漢市へ支援に駆けつけた「最も美しい逆走者」や火神山と雷神山の臨時医療施設の迅速な建設など最近の事まで、私は誇りの気持ちを抱いて紹介し、彼女と「みんなが再び日常を取り戻した日に私は案内役として彼女を南京に招待する」という約束もした。

帰国の途は紆余曲折の連続だったが、空港や駅などでしっかりと検温などの防疫責任を果たし、熱心に働く人々を見ると、心から感動が込み上げてきた。南京に着いた時はすでに夜の十時ぐらいだった。しかし、駅のスタッフやボランティアたちは依然として持ち場を守り、笑顔で私を迎え、「お帰りなさい」と言ってくれた。

家に帰った後、両親と私は十四日間の自宅隔離を始めた。所属するコミュニティーは直ちにサービスグループを立ち上げ、愛を込めて私の状況を継続的に観察してくれた。健康状態の把握にとどまらず、心理カウンセリングも積極的に行われ、また、食物の買い入れや郵便物の受け取りなども手伝ってくれたおかげで、隔離生活を無事に乗り越えられた。

「家にこもったら何をすればいいのか」といった議論がネット上で盛んになっていた時期だ。自宅待機を一種の修行と捉えたならば、家が非日常の空間と化し、そこでネガティブな考え方を切り捨てると同時に将来を見据えて是非を見分ける力を身につけることができるはずだ。私はそうなるように努力したつもりだ。デマを飛ばして世間を惑わせる人もあれば、真相を追究し正義を守り抜く人もいる。最前線で奮闘する人々に感謝の意を持ちながら、自分なりに困難に立ち向かおうとする姿勢が大切だと思う。

帰国してからしばらくして、南京の鶏鳴寺の桜が咲き始めた。毎年見物人で賑わう桜花の咲き誇る道は今年はさぞ寂しいことだろう。今春の風物詩といえば、全身全霊をかけて新型コロナと戦う人々の姿が目の前に浮かび上がってくる。医療従事者たちだけでなく、愛する人々と我が国のために、各界の人はそれぞれの専門分野で黙々と頑張ってきた。「君のそばにいる」と歌手の林俊傑が人々を励ますために作った歌のように、私たちは同じ目標をめがけて、違う場所にいても、精神的に重なり合い、共に歩んできた。防疫戦が映し出すのは、隔たりなくお互いに繋がろうとする中国人の絆そのものだと思う。

オンライン授業が続いている今、先生たちからの「もっと討論したいところもあろうかと思いますが、いずれ、お会いする日が来たらと考えます」というメッセージ。そういう日が近づいてくると信じている。

その時には、あの北大の彼女と並んで南京の街を歩きたい。

（指導教師　内田恵子）

★三等賞

テーマ「新型肺炎から得られた教訓や学んだこと」

知識は免疫力なり

――新型肺炎から学んだこと

大連外国語大学　王華瑩

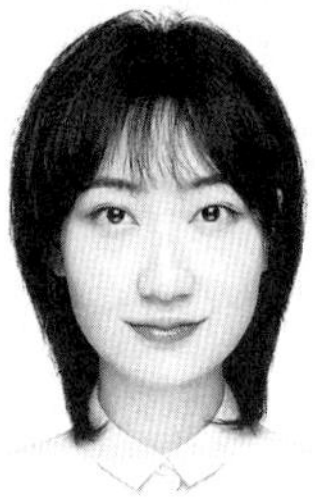

「大丈夫だよ、そんなものをつけなくても。嬉しい春節なんだから」。焦って新型肺炎の怖さを何度も訴えた私を無視して、八十歳の祖父はマスクもつけずに家を出た。赤提燈が飾られる通りに消え去った祖父の後ろ姿を見ながら、無力感が心に湧いてきた。

今年の春節、何の防護措置もしないで外出したのは、うちの祖父だけではなかった。友達に聞くと、ヒトへの感染が確認された初期、どの家族も色々な理由をつけてマスクをつけるのをいやがったそうだ。普段から早寝早起きを厳守し、油も控えて健康に気を配る長老たちが、コロナにこんないい加減な態度をとるとは想像できなかった。「何を言っても聞いてもらえない！　無知はウイルスより怖い！」と、電話で友達がさんざん文句を言っていたが、この一言に私は考え込んでしまった。

新型肺炎の感染が拡大するなか、勧告を聞かない「無法者」は本当にお年寄りだけなのか？「お酒でコロナを予防」などというデマが拡散されたり、動画サイトで「万が一のためティッシュを買おう」と呼びかけたりする若者も少なくない。彼らはインターネットはうまく使えるが、情報が正しいかどうかを見分ける能力は持っていない。その結果、自分が間違った情報を信じてしまうだけでなく、社会にも害悪を与えている。誤った知識をそのまま受け入れるということは、「何も知らない」より一層悪い無知だと思う。

新型肺炎では、防疫知識の「無知」のほかに、私はもう一つの「無知」を見た。田舎にある実家から戻る途中、高速道路のサービスエリアで、武漢のナンバープレートを付けた車を見た。「あれ！　武漢人の車だ！」と、周りの人がひそひそ話をはじめた。「不吉だな、こんなところにまでいる」「あいつらは、何でちゃんと家にいないんだ」。車に戻って、ニュースのアプリを見ると、こんなニュースが目に入った。日本から中国へのフライトで、中国人の乗客同士が大喧嘩をして五時間も離陸が遅延したという。原因は、同乗する予定の上海人らが武漢人と同じ飛行機には乗りたくないとごねて衝突が起こったからだという。「それでも同胞なのか？　ショックでどうにかなったんじゃないか」というコメントに対して、「自分からほかの人たちとの接触を避けるのが同胞のすべきことではないか」というリプライに、何百もの「いいね」が付いていた。

このニュースの行間から、もう一つの「無知」が見える。それは他人の苦境を思いやることができないという想像力の欠如だ。一見すれば「公衆の利益」を求めているように見えるが、実はそれを名目にして自分の安全しか考えていない。もし必要な知識の無知が疫病の広がりを生み出したとすれば、想像力の欠如は疫病のように広がった偏見の温床だ。社会的な地位や個人の識見にかかわらず、誰でもこのような利己的で冷たい考え方を持ちうる。これこそがもうひとつの「無知」、想像力の欠如の恐ろしさだと思う。

「無知はウイルスより怖い！」という友達の話は今も私の耳に響いている。目に見えないコロナウイルスより怖いのは、私たちが気づいていない社会の病だ。この病は時には「噂」、時には「差別」の形で世間に蔓延しているが、結局私たちの心の中に潜む「恐怖」という獣の餌となり、人々の間にある信頼を確実に壊す。新型肺炎だけでなく、この恐怖という敵を食い止めるには、ウイルスの正体を正しく知り、正しく恐れるしか手がない。

「知識は力なり」と言われるが、この特別な状況において、私は「知識は免疫力なり」と主張したい。誰でもわかる有効な防疫知識をしっかり身につけ、また、誰にもまだわからないことはそのまま受け入れ、悪意で人を非難しないようにする。それは社会にとって最も効く薬ではないかと私は思う。

（指導教師　植村高久）

★三等賞　テーマ「新型肺炎と闘った中国人たち―苦難をいかに乗り越えたか」

私の手料理で凱旋した母を癒そう

西安電子科技大学　田欣易

大晦日の午後、私たちの区に武漢から八人が帰ってきた。彼らを検査し、隔離するための医療職員が必要だった。母は病院の主任として、積極的に今回の感染防止活動に参加した。大晦日だったのに、母は家族と一緒に食事をすることもできなかった。その後、ウイルスの感染拡大で母はさらに忙しくなり、その上困ったことに、父も出張で不在だったので、私は独りぼっちになってしまった。

このことが私に最も大きな影響を与えたのは食事の問題だった。最初の数日間は出前を注文していたが、感染の拡大で出前のできるところも少なくなってきた。私は料理の経験がなかったので、キュウリやニンジンといった生の食材で空腹を満たすしかなかった。そのように一週間食べ続けたある日、入浴中に私は突然ひどいめまいがして、倒れてしまった。幸いにも間もなく意識が戻った。

仕方なく料理の練習を始めることにした。大好きなジャガイモの千切り炒めから始めてみた。最初にジャガイモを細く切るのが難しかった。一生懸命頑張ったのに、できたのは不揃いのジャガイモの塊だけで、母の作った綺麗なジャガイモの千切りとはずいぶん違った。ここで挫折してはいけないと思い、私は繰り返し練習をしたが、何度も指先を切ってしまい、痛くて涙を流した。その度に、心の中で、母のせいで私はこんなひどい目に遭わされているんだと愚痴をこぼした。でもいくら文句を言っても何も始まらないから、現実的な問題として自炊を続けるしかなかった。二週間後、私は料理がやっとできるようになった。

こうして母のいない暮らしに少しずつ慣れてきたものの、母の仕事には依然として多くの疑問を抱いていた。ある日母から、忘れた資料を病院に届けてほしいと電話があった。病院に着いたら、母にここまで来たからには、一日私の仕事に付き合ってほしいと言われた。それを聞いて、私は母の仕事に対する好奇心に掻き立てられた。

そこで母について隔離された団地に行って検査の仕事を始めた。「ありがとうございます。ご苦労様です」と隔離された人が親切に私たちを家に招き入れてくれた。母は彼の体温を測り、正常であることを確認した後、武漢での暮らしぶりや体調を詳しく記録した。「正直私も感染が怖いですが、来ていただいたおかげで安心しました」と彼は感謝を込めて言ってくれた。

しかしすべての隔離者が母の仕事を理解できるわけではない。私たちが訪ねた四軒目の主人は態度が悪く、真っ平御免という様子で、こんなことをしても無駄だとまで言った。にもかかわらず、母は彼に感染防止における在宅医学観察の重要性を辛抱強く説明し、彼の体温、メンタル状況、日常生活などの情報を入念に聞いていた。その時、私はこの簡単そうだが、実は大事な仕事と母の責任感に対して感動が湧きあがってきた。

それ以来、母のことをよく理解でき、母の仕事に関心を持つようになった。感染拡大のため、母の病院には問い合わせ専用線が設置されている。私は専門知識がないが、数値や症状を記録する手伝いはできる。また、持病を持っている在宅隔離中の人たちのために、私は休み時間を利用して、彼らがメールで送ってきたショッピングリスト通りに薬や生活必需品を購入し、届けてあげるようにしている。配送が終わると、毎回必ず相手から感謝のメッセージが届く。そうしているうちに、自分も感染防止のために微力ながら何かの役に立てているような気がしてきた。

日に日に疑似患者数と確認患者数が減ってきているのを見て、私はとてもうれしい。ずっと奮闘している母のような医療関係者たちのおかげだと思っている。そして、この特別な時期に私を自立した生活ができ、人を助けられるように成長させてくれた母に感謝したい。ウイルス感染が終息した日には、数カ月間にわたって感染拡大対応に苦労してきた母を、自分の手料理で癒そうと思っている。

（指導教師　盧磊、秋元文江）

★三等賞　テーマ「新型肺炎と闘った中国人たち—苦難をいかに乗り越えたか」

桜のように咲く

長安大学　朱玲璇

武漢の学校を卒業し、地元のある病院に看護婦として働いている友達がいる。桜が好きな私たちはネットで知り合った。あの時、彼女はふるさとでは桜をほとんど見られない私に誇らしげにこのように言った。

「中国の桜といえば、もちろん武漢だよ。今度武漢に来たら、一緒に花見に行こうよ」

「じゃ、今年の清明節はどう。少し遅いかな」

「ううん、遅くないよ。日差しをいっぱいに浴びた満開の桜は見事で、やはり散るときが最高だよ。風が吹くと、桜はハラハラと落ちて、まるで空中でダンスしているようだよ。絶景と言えるわ」

そこで、早速日程などを決めて、準備もすっかり出来て、清明節を待つばかりになっていた。しかし、一月のある朝、目が覚めて携帯を開けたら、武漢が新型コロナウイルスに襲われたニュースばかりを目にした。医療技術が高度に発達した今の時代、少し時間がかかるがすぐ治るだろうと思っていたのだが、病気で亡くなった人は日毎に増えていき、感染者の数も驚くべきスピードでますます増加していった。十数日しか過ぎていなかったが、武漢は桜や美食で全国に名を知られる都市から、人々に恐れられる「疫病の街」になった。ちょうど春節で、心機一転新たなスタートのはずなのに、息苦しい雰囲気に包まれた中国人はみんな鬱々としていた。

この前例もない規模の疫病の発生は、誰にも予想できなかった。武漢の各病院は、しばらくして物質不足や人手不足など深刻な問題に直面した。全国各地からの医療チームが次々と武漢に向かい、武漢に援助の手を差し伸べた。その間、テレビやネットでの医療従事者たちの姿はまるで立派な景色のように、全国の人々にウイルスとの戦いに勝つ勇気を与えてくれた。彼らは昼夜を問わず寝るのも惜しんで奮闘し、死神の手から一つ一つの命を奪い取るために必死に努力していた。だが、新型ウイルスの感染力があまりに強くて、彼らの中にも多くの人が感染して倒れてしまったというニュースを耳にした。

看護婦の彼女は今きっとすごく辛いだろうと思って、私はある日の夕方、友達に電話をかけた。電話が繋がったが、向こうはしばらく沈黙が続いたあと、突然泣き声を出した。

「何故こんなまずいことが起きたのか。同僚は何人も倒れて、疲れているのか感染しているのか分からず、すごく怖い。いずれ自分も倒れると思うと、涙をこぼさないではいられない。ねえ、どうしよう、もう続けたくない」

友達を慰めようとしたが、彼女が経験した苦しみの前に、どのような慰めの言葉も無力に見えた。結局「なんとかなるよ」としか言わなかった。幸いなことに、悲しみが涙とともに流れて、彼女は次第に落ち着きを取り戻した。

「やはり頑張らなきゃ。医者ではないから、治療はできないけど、注射など簡単な仕事なら私でもできるから、諦める理由がないよね。力を尽くして患者さんを看護する。患者さんのために頑張るね。だって私、看護婦なんだから。今日はつまらないことをいっぱい聞かせて、ごめんね」

いいえ、こちらこそありがとうを言わなければならいのではないか、中国人として。私はそのように思った。

それから三月末になった。全国の努力のおかげで、新型コロナウイルスの蔓延はついに抑えられた。しかし残念ながら、私は結局武漢に花見に行けなかった。そして、友達はわざわざ武漢大学の桜の写真をとって、私に送ってくれた。今年の桜は意外に散るのが早い。まだ四月に入っていないが、空には「桜の雨」が降り始めた。綺麗といえば綺麗だが、なんだか悲しい気がした。早く散る桜は実は生育条件の悪い土地に育った木だといわれる。しかし、心配する必要はない。落ちた花びらは土に溶け、木が成長するための栄養を補給してくれる。来年はきっと見事な花見が迎えられるのではないかと思う。

（指導教師　岩下伸）

★三等賞

テーマ「新型肺炎から得られた教訓や学んだこと」

マスクから学んだこと

江西農業大学南昌商学院　熊小嬌

「小熊ちゃん、今回の期末試験が終わったら、一緒に武漢へ遊びに行こうよ」

「武漢？　変な病気があるらしいけど大丈夫かな。まあいいか」

二〇一九年暮れの私とあるクラスメートとの会話だ。二〇二〇年の新年を迎える頃、武漢発の未知の病の流行は中国全土に広まり、あっという間に感染者数がピークに達した。新型コロナウイルスの感染爆発である。医者や中国の首脳は、国民全員に家に籠り、外出してはいけないと命じた。外出による感染を防ぐためだ。それは自分の健康のためであり、他人の健康のためでもある。私は素直にずっと家にいた。最初、私はこの病気に対して皆が協力すれば、直ぐ無くなるだろうと思っていた。しかし、この病気の難点はウイルスの毒性の強さではなく、絶ち難い人から人への感染経路だということに気付いた。

高明な医者や国家指導者は外出を控えるよう言っているにもかかわらず、私の周りでは毎日多くの大人達が隠れて集まって賭博をしたり、娯楽を楽しんでいる姿を目にした。こんな特別な時に、彼らはなんて自分勝手なんだと私は呆れた。恥ずかしいことに私の父もその中の一人だ。最初、私は父に外に出ないよう訴えたが、父は「俺は丈夫だから大丈夫」と私の言葉に耳を貸さなった。結局「せめてマスクをつけて行ってよ。これならウイルスを持ち帰る確率が下がるから」と私が粘ったので、父は渋々マスクを付けて外出していくのだった。父を含め大人達はウイルスに感染することが怖くないのか、自分が感染することによって家族にも感染することに気付いていないのか、と疑問に感じた。幸い私も父もこの病気になることなく、中国ではこの病気は収束していった。

一方、日本に目をやると、この病気は収束していないが、明らかに日本の流行速度は中国や欧米諸国のよりもゆっくりで、比較的穏やかだ思う。どうして？　私は疑問を持った。そして、日本で生活している中国人が投稿した動画や学校の先生達の話によると、日本でも感染が進んでいるが、日本人は他人に迷惑をかけないよう努力しているため、マスクをつけて出かけることを心掛けているということを知った。また多くの人と一緒に遊行することを自主的に控えているので、ウイルスの感染が抑えられているということも知った。

そういえば、大学一年生の頃、初めて日本人の先生に会った時、私は彼が変な習慣を持っていることに気づいた。彼は公共の場ではよくマクスをつけていたからだ。ある日、私は不思議に思い、彼に「先生、どうしていつもマスクをしているのですか。誰かが先生にウイルスを感染すことを恐れているのですか?」と聞いたことがある。先生は「私は風邪をひきやすいです。日頃から予防しています。また、知らないうちに風邪をひいてしまい、自分の風邪を他人に伝染(うつ)してしまうことを防いでいます。マスクをしていれば、お互いに風邪をひくことを予防できるでしょう」と答えてくれた。その時、その先生の答えの意味は分かったが、中国人である私には依然としてその行為は腑に落ちなかった。しかし、現在の新型コロナウイルスの流行と彼らの自主的にマスクをつける行動を結びつけてみると、先生の言葉をようやく理解することができた。

マスクをつけるのは些細なことだが、これは日本人が日常から、他人に迷惑をかけないという精神を示しているのだろう。それは自分だけではなく、他人も尊重することにもなる。

私達の生活における行動をよく考えてみると、人との摩擦の多くは、実は他人を尊重する精神の欠如によって生じているのではないかと思う。何かをする前に、自分の快適さだけを求めるのではなく、自分の行動によって周りの人にどのように影響するのかを考えてみると、人と人との関係が更に良くなるに違いない。もし今回の新型コロナウイルスで皆が、その日本人の先生のように、早くからマスクを自覚してつけていたなら、そんなに深刻になることはなかっただろう。

(指導教師　森本卓也)

★三等賞　テーマ「ありがとうと伝えたい―日本や世界の支援に対して」

その日の温かさ ―ありがとうと伝えたい―

中国人民大学　彭楚鈺

気づけば、二〇二〇年はもうかなり過ぎ去った。増える感染者数、亡くなった命、そればかり見ていて心が折れてしまった日々には必ず、暗闇の中に暖かい火を灯してくれるようなその日のことを思い出す。

新型コロナウイルス感染症が中国で流行しはじめたというニュースを見たのは二〇二〇年一月下旬のことだった。その時、私はまだ日本で交換留学をしていた。国の家族や友達のことも心配だし、飲食店の中国人立ち入り拒否の看板をＳＮＳで見てしまったため、一層不安になった。電車に乗る時にも、買い物をする時にも、息を潜め、中国人であることがばれないようにしていた。窮屈な思いをしながら孤独な日々を過ごしていた。

そのような状況の中、一つの出会いが私を救ってくれた。

中国の大学の先生の紹介を通し、横浜北日中友好交流会の方々と会うことになった。家に誘ってもらい、「お邪魔します」と小さい声で言いながら家に上がった。親切に話しかけてくれている間、私は少しリラックスすることができた。自ら新型コロナウイルスの話題に触れなかったが、「中国の状況は厳しいでしょう。今何が必要なの？」と心配そうに聞いてくれた。本当に言っていいかなと迷いながら、私は「マスクが……必要です」と答えた。「やっぱりマスクね」と言い、携帯で何かを探しはじめた。「ネット通販ではもう品切れになっちゃったな」「家の近くの店で売ってるよ。在庫足りるかな……今日帰るとき見てみるわ」「じゃあ中国大使館の人にも連絡しておこう」「どうやって大使館まで運ぶの？　このぐらいの量で結構重いでしょう」等々、友好交流会の三人が急に相談や連絡を始め、忙しくなってきた。その時、私は口を挟む暇がなく、何を言えばいいかもわからず、ただ黙っていて、その熱心な姿を目に焼き付けた。

帰宅の際、駅まで送ってくれた。冬の雨風は冷たかったが、全く寒く感じていなかった。友好交流会の方々の言葉や行動に温かさを感じたからだ。さよならと言った後の道は孤独ではなかった。私は一人ではなく、中国も孤立無援ではないと知ったからだ。

今回、新型コロナウイルスのせいで数え切れないほどの人の日常生活が影響を受けた。その上、ウイルスへの恐怖が特定の人種や国への攻撃になってしまい、マスコミやSNSでの憎悪を煽る心ない言葉が人を傷つけ、不安にさせている。しかし、私は貴重な出会いのおかげで、中国を助けようとするやさしい人がいることを知った。大分市、HSK事務局をはじめとする友好都市や関係団体からの医療用品、それに添えた「山川異域　風月同天」などの応援メッセージを受け取った中国人も日本のやさしさを感じた。気持ちのこもった全ての支援物資や励ましの言葉に、私たちは何回も救われ、感謝の気持ちでいっぱいである。この煙のない戦に、敵はただ一つ。それはウイルスだ。国を問わず、全人類は共にウイルスと闘う友であるべきだ。このような特殊な時期だからこそ、手を握りしめ合い、お互いに助け合わなければならないと強く思っている。

中国において新型コロナウイルス感染症は収束に向かいつつあるが、世界のほかの地域の状況はまだ厳しい。中国に戻った私はお世話になった横浜北日中友好交流会の方々にこんなメールを送った。

「ご無沙汰しております。お元気ですか。先日、マスクを調達していただき、心から感謝しております。大変な状況の中、くれぐれもお体にお気をつけください。日常が一日も早く戻ることを祈っております」

航空機が飛ばず、国際郵便が停止している状況で私にできることは多くない。しかし、その日に私が感じた温かさを皆さんにも感じてほしいと願っている。

世界の国々からの支援への感謝や恩返しの気持ちを込め、中国は現在、各国へ支援物資を送り始めた。ありがとう、そして、大変な状況を一緒に乗り越えましょう。

（指導教師　大工原勇人）

★三等賞

テーマ「新型肺炎から得られた教訓や学んだこと」

感染拡大防止のために考えたこと

上海外国語大学　郭凡辰

中国だけでなく、今では全世界で感染が広がっている新型コロナウイルス。自粛要請、在宅勤務、時差出勤などと、様々な感染防止対策に取り組んでいる世界各地の自治体。毎日このようなニュースを目にするが、ニュースに流れてくるのは大体政府による感染拡大防止対策である。

しかし、政府命令がなくても、私たち一般人にもきっと何かできることがあるはずだ。そこで、私はコロナウイルス感染拡大防止のために、我々にもできることについて考えてみた。その結果、私が注目したのは、家庭内の食事である。

ＷＨＯの調査報告書によると、新型コロナウイルスの感染は主に「家族」間で発生している。広東省および四川省での調査では、七八～八五％のクラスターが家庭内だと報告されている。

なぜこのような現象が起きるのだろうか。

様々な理由が挙げられるが、一番の理由はやはり食文化にあると思う。中国は「食」を重んじる国である。中国での食事は日本と違い、大きなお皿を複数の人が囲み、一緒に食べるのが一般的である。しかも食べるときは大体和気藹々と世間話をしながら食べている。

しかし、コロナ感染者の飛沫から放出されたウイルスを他者が吸い込んだ場合、感染してしまう可能性は非常に高い。食事中は咀嚼しながら話すので細かい唾液が飛び散ってしまう。ゆえに、通常の会話よりも、食事中のほうが飛沫感染するリスクが高いのである。

通常の家庭では、毎日家族揃って夕飯を食べるようにしているだろう。しかも、夕飯は三食の中でも比較的食事時間が長いので、夕飯時というのは最も危険なときだと言えよう。

そこで、我々にできることについて考えてみた。その結果、様々な方法に辿り着いた。ここで、その中の三つを重点的に取り上げて、述べたいと思う。

一つ目は、時間差をつけ、同じ時間帯に食べないこと。これはご飯を一緒に食べるということ自体を避け、感染してしまう可能性を最低限に下げることが出来る方法である。その場合、家族での時間は減ってしまうが、それもコロナ感染防止対策のため、仕方のないことである。

二つ目の方法は、食事を小皿に盛り付けることである。大人数が一つの大皿を囲み、一緒に食べるという中国風の食習慣は、にぎやかで楽しいと言われてきた。その上、それは何千年にも渡る中国の大事な食文化である。捨てがたいかもしれないが、今の時期ではできるだけそれを避け、食事を小皿に盛り付け、定食風にすることをお勧めする。定食風だと、一人一人が自分のものを食べているので、箸や料理を通しての感染を防ぐことができる。

三つ目は、食事中の会話をできるだけ控えること。中国人は食事中の会話が非常に好きである。特に春節など、一家団欒して食事する場合は、食べ終わった後でも、会話が延々と何時間も続くことがある。しかし、先ほども述べたように、通常の会話よりも、食事中の会話のほうが飛沫感染するリスクが高いのである。しかも、通常の会話の場合は、マスクをつけることによって感染を防ぐことができるが、食事中の場合、マスクをつけることもできないので、非常に危険である。ゆえに、この時期においては食事中の会話をできるだけ控えたほうが良いだろう。

以上が私が考えた、一般人にもできる感染拡大防止対策である。一見普通のことに見えるが、このような些細なことから、大事な家族の命にかかわることもある。いざその時になったら、後悔しても取り返しがつかなくなる。だからこそ、普段からしっかりと注意を払い、このような一般人にもできる家庭内の対策を心がけておくべきである。

一人一人の力は細やかなものでしかないかもしれない。しかし、みんなで力を合わせれば、その細やかだった力もやがて大きな力へと変わり、いまの状況を改善できると信じている。コロナウイルスが一日も早く終息することを心から祈っている。

（指導教師　高田麻由）

★三等賞

テーマ「新型肺炎から得られた教訓や学んだこと」

人類運命共同体

蘇州大学　王瑋綺

「そうして、あなたが望まれようと望まれまいと、われわれは一緒になって、それを忍び、それと戦っているんです」。かつて欧州を横行したペストには一緒に戦わないといけない。カミュの『ペスト』に書かれたその言葉は今のコロナにおいても正しい。過去のペストと現在のコロナとの違いはただ、過去のペストが交通不便で欧州のみに蔓延したのに対し、現在のコロナが全世界を脅かしているという差だ。

しかし、それを分からない人もいるようだ。

こんどのパンデミックが爆発した一月、私は交換留学で東京に滞在していた。国内の状況を不安に思っていると、武漢閉鎖の後、各国から不協和音が聞こえてきた。デンマークのある日刊紙は中国の国旗をコロナに変えた絵を載せたり、コロナを中国ウイルス、武漢ウイルスと呼んだりした。武漢で初めて発見されたウイルスなので、そう名付けても特に非難することはないかなとそう思った。しかし、それから生じた連鎖反応は予想できなかった。各国で中国人あるいは中国人に間違えられたアジア人は罵られ、暴力を振るわれた。「中国人出ていけ」「ウイルスを持って帰れ」等々。今は私たち中国人にとって一番つらい時期ではないか。なぜそれがかえって憎しみの種となったのか。その時私は同じ在外中国人を心配せずにいられなかった。

幸い、それはしょせん少数者の考えで、メディアの報道と違って、日本にいた私はしみじみと身近な人々から好意を感じた。印象に残ったことが一つある。二月五日に茨城県へ旅行し、ホテルに泊まった時、フロントで出身地を聞かれた。ちょっとためらった後に、中国と答えた。日本でマスクをつけたところで中国人だと気付かれないが、国をはっきり告げたら、向こうの反応はどうだろうと不安だったが、向こうが「そうですか。今中国はとても大変ですね」と敬遠せず、顔色も変えず極普通に接し、微笑んでくれた。当時、ダイヤモンドクルーズ船の患者数も結構あり、拡散の可能性は否めない。テレビをつければ、大体コロナ状況の紹介や分析だ。中国からコロナが日本に来たことを知らないはずはないだろう。それでも好意的な態度で接してくれたことに私はほっと安心した。

さらに、三日後、帰国し家に閉じこもっていても依然として人々からの助け合いの心を感じた。日々患者数をチェックするついでに、ニュースを見ると、各省が武漢に医療チーム、医療用品を送ったり、日本の大分県が武漢市にマスク、お金を寄付したりといった記事がたくさんある。武漢一カ所、中国一国が戦っているわけではないとつくづく実感した。終息のめどがまだまだつかないとしても、心細い気持ちは全くなかった。

そして、やっと中国の状況が穏やかになってきた今、中国も恩返しとして、マスクや検査キットを他国に送っている。身近なところを見れば、うちの学部の先生や学生もこの前お世話になった日本人の友人にマスクを送り、さらに先生達が学生チームを率いて、コロナの情報を多言語に訳し、チャットグループで外国人の質問に答え、多くの外国人が見られるようにサイトまで作っていた。

今度のパンデミックで分かったのは全人類が一つの運命共同体だということである。コロナウイルスは人種、国を問わず、誰にでも感染する人類の敵だ。だからこそ、互いに助け合い、ウイルスに勝ち抜かなければならない。対岸の火事だと思っているうちに、自分の家にまでやってこないとは限らない。

グローバル化が進んでいる今、国々の運命はいやおうなしにもある程度繋がっている。コロナや金融危機などいずれも一国から世界を揺がした。ここで、ジョン・ダンの詩「誰がために鐘は鳴る」が思い出される。「人は離れ小島ではない　一人で独立してはいない　人は皆大陸の一部　誰かが死ぬのもこれに似て　我が身を削られるのも同じ　なぜなら自らも人類の一部」

（指導教師　於穎、太田敦雄）

★三等賞　テーマ「ありがとうと伝えたい――日本や世界の支援に対して」

「ありがとう」は何度も言わせて

北京師範大学　尚楚岳

「自分が凹んじゃう時、友達と相談したら、ちょっと気持ちよくなれるんじゃないかと思います。部屋に閉じこもることだけではなく、同じ寮にいる友達と一緒にしゃべったり、ゲームやったり、ご飯作ったりしたらどうですか？　皆さんの国のこと、いろいろ話し合ったらどうですか？　外に出られなくても、友達と一緒にいるなら、絶対嬉しくなると思います……」。私は先輩として、今大阪大学に交換留学している学生たちにこのようなメッセージを伝えました。今のような「絶望的」とも言える時期こそ、私たちは友達とお互いに支え合って前に進んでいくのだと思います。

二〇二〇年一月下旬、私の世界は崩れ去りました。六月に卒業する予定なのに大学に戻れず、サッカーチームのみんなと一緒に汗を流すことも、寝る前にと空を眺めながらしゃべることもできなくなりました。さらに、旅行マニアである私は、卒業旅行の計画をすべてキャンセルすることになりました。まだ心の整理はできていませんが、私は何もなすすべなく卒業することになりました。

ネット上の様々な記事を見て、より悲しくなりました。「中国人の留学生が海外で差別され、いじめられている」というような記事は非常に多く、話題にもなりました。「私はウイルスではない」という声を上げても、何が変えられるのかと、消極的な思いが心に浮かんでしまいました。

そのあと、中国人に対する入国規制がだんだん厳しくなり、中国と中国人を侮辱する国も現れました。私は悲しく思う一方で、少し怒りも感じましたが、できることは何一つなかったです。しかし二月、中国の近隣の友人、日本からの支援物資と「山川異域、風月同天」や「豈曰無衣、与子同裳」といったメッセージは、私の心を温めてくれました。そして、窓に「中国頑張れ、武漢頑張れ」の紙を貼られているお店と、「差別ではなく、正しい人権意識を育もう」と主張する学校に関する記事を見て、日本のおかげで自分の悲しみと怒りは消えていき、感謝の気持ちに変わりました。

言葉の力はなんと強いのでしょう。支援物資と一緒に届いた励ましの言葉と日本の人々の気持ちは私たちを勇気づけ、深く私たちの心に刻まれています。そのあと、世界の国々から多くの支援をいただいた中国も、苦難の中でだんだん笑顔が見えてきました。

「元気?」と、外国の友達から多くのメッセージが届きました。彼らと話し合い、大阪大学に交換留学していた時の思い出をしゃべっていた私は、消極的で不愉快な感情が全部なくなりました。久々に高笑いする時が来ました。

日本におられる先生方にメールをお送りし、「ショウさんのメールを見て本当に嬉しかったです」と、先生の返信をいただいた時、私も非常に嬉しく、少し周りの人の力になれたと思い、自分の価値も感じました。人々は支え合いながら進んでいると、私はそう実感しました。だからこそ様々な災難を乗り越えられるのではないかと、私はそう思います。

「ありがとう」は何度も言わせて。日本のボーカルグループ、GReeeeN(グリーン)が歌ったように、人の命を救っている方々に、世界中の友達に、支援物資や励ましの言葉を送ってくださった日本とほかの国々に、私は何度も何度も「ありがとう」と言いたいです。

時々私はこう思います。今回の災難を乗り越えた後、世界はよくなるのですか? たぶんならないでしょう。ほかのウイルスがいつか姿を現すかもしれません。ほかの災難がいつか人々の命を奪うかもしれません。しかし、戦争も差別もなくなり、世界の国々が力を合わせ、それらの災難と一緒に戦う日が来ると、私は信じます。遠い未来かもしれませんが、私はそう信じたいです。

四月のある日、「今交換留学している後輩たちを勇気づけてあげてもらえませんか」と、大阪大学で非常にお世話になった先生からのメールが届きました。そして私はパソコンをつけて、感謝の気持ちを込めて、このメッセージを書きました。

(指導教師　渡辺志津夫)

★三等賞　テーマ「新型肺炎から得られた教訓や学んだこと」

初心を忘れず

上海外国語大学賢達経済人文学院　万暁婕

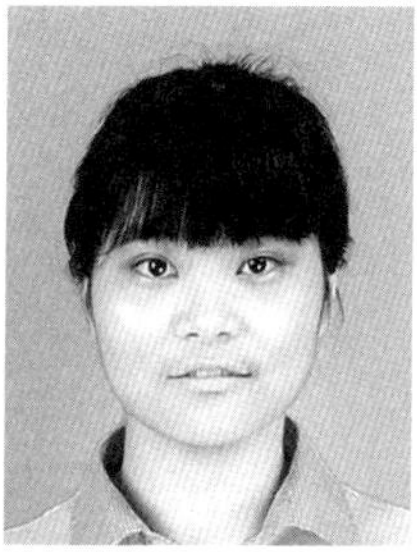

二〇二〇年の初め、神様がこの世界に悪いジョークをもたらしたかのように突然の疫病——新型肺炎は、賑やかな新年の街を歩くはずだった私たちを、家の中に籠もらせた。今回の疫病の影響で、国中の学生は家でオンライン授業を受けるしかない。

最初は豚のように幸せな生活ができてよかったなあと思った。それまでに、それはどんな生活であるか思っても見なかった。朝本を読むとか、ジョギングするとかの必要がない。先生の黒板の前の姿は、パソコンから聞こえてくる声に変わった。先生は私を見られない。やっとやりたいことができると思った。授業が始まると、生放送を聞いてお菓子を食べながらスマホをいじる。授業がない日に、出前を注文し、満腹になったらベットに横になってスマホをいじる。そのような毎日を繰り返している。最初は、つまらないとちっとも思わなかった。今までにない楽しみを味わった。

日々そのようなことが重なると、だんだん飽きてきた。やる気がなくなり、自分の世界はまるで白黒の映画のようになって、生活がもとの耀きを失った。私は何もしないでそのまま暮らしていた。が、ある日、一筋の光が心に入って、私の世界を照らしてくれた。

それはごく普通な一日だった。小雨が降っていた。いつものように出前を注文した後、スマホをいじっていた。「疫病の現場で闘っている人々」というテレビの番組を何気なく見た。現場で闘っていて、家族と団欒できない坊主頭の医者の姿がテレビに映った。毎日医者と一般市民のために、生活用品や薬品を買ってあげて、退院した見知らぬお年寄りを家にまで送ってあげた若者の姿も。突然少し胸に痛みを感じた。その人たちは最も目立たない仕事をしているように見えるが、疫病の期間に命がけで、昼夜を問わず人々のために尽くしている。その番組を見て胸がいっぱいになった。

そのとき、私の出前が届いたという知らせが来た。傘をさしてそれを取りにいったら、黄色の制服を着て雨にびしょ濡れの出前の若い配達員が外で私を待っていた。彼は私を見ると大きなカバンから出前を取り出して慎重に手渡してくれた。どこかの訛りで「これらの食器は消毒されています。安心して食べてください」といった。私は胸が熱くなってきて、彼に微笑んだ。彼も私に微笑んだ。晴れ始めた空。厚い雲の隙から漏れた日光。その日光は傘の上にも私の心にも差した。

自分自身を反省し始めた。疫病の間に家でしっかりと勉強すべきだ。もし以前のように生き続けたら、結局何もできない。現場で闘っている人たちが一生懸命働いているおかげで私たちは今安心して家でオンライン授業を受けることができるのだ。命がけで働いている人々のためにもいままでのように生きてはいけない。いつも感謝の気持ちで、勉強しなければならない。もっと生甲斐のある人生を歩かなければならない。がんばって生きれば、私たちを守る勇士たちの血と命で築いた平和で幸せな道を意気揚々と歩ける。

その後、私は変わった。朝起きて美味しいコーヒーをいれて、疫病に関するニュースに耳を立てる。授業を一心不乱に聞く。授業後、いろいろなことをする。毎日ヨガをして、体を鍛える。本を読んだり、お菓子を作ったり、絵を描いたりして心身ともに楽しんで有意義な生活をしている。外に出られない退屈な毎日、学校にいたころと違った楽しみを見つけた。その日常の暮らしで幸せに生きられることを初めて感じた。

今回の疫病は災いだが、私にとって人生の見直しの契機でもある。ここで大学生として、心の声を伝えたい。「疫病は今までの生活を一変させたが、私たちにとっては意志力と自制力の試練でもある。これからも初心を忘れずに、互いに励まし合いながら前へ進もう。きっと輝いた将来が私たちを待っている」

（指導教師　張彩虹）

★三等賞

テーマ「新型肺炎から得られた教訓や学んだこと」

新しい絆のマスク

嘉興学院　梁楽玄

これはまだ日本に留学をしていた頃の話だった。

シェアハウスの窓を押すと、二月最初の日光が部屋に差し込んできた。駅に向かう途中、イヤホンから中国での新型コロナウイルスに関する最新情報が流れてきた。普段乗っているJR山手線では、マスクをつけた人がじわじわと増えてきたように感じた。電車で同級生から、レストランで中国語で話しあったら、隣の人が席替えまでしたと聞いて、不安の種が心に発芽し始めていた。

この時から煙のない戦争がすでに始まった。それがマスク争奪戦だった。

なぜ僕が朝早く上野に来たのか？　それは家族のためにマスクを買うためだったのだ。前日、母からの電話で、中国では今マスク不足なので、日本から二百枚送ってくれないかと言われた。だが、当時日本でもマスクがたやすく手に入れられなかった。

上野の街はいつものように朝から人混みで、小さな店を何軒か通り抜けて、ようやく薬局に辿り着いた。入り口には長蛇の列ができていて、パチンコ屋と誤解されるほどの列だった。

待ちに待った店員さんがマスクを出し、長い列を案内し始めた。「一日二つまででお願いします」との呼び声の中、行列はゆっくり進んで、やっと三十枚入りのを二パック購入できた。会計を終えて外に出ると、当日のマスクはすでに売り切れてしまった。

普段どこにでもあるマスクがまさか今回命を救える宝物になるなんて。これは二カ月前なら考えられない話だった。「いつになったら良くなるんだろう」と自分に言い聞かせながら、悲しい気持ちが襲ってきた。コロナを前に、年齢や国籍に関係なく、全員無事にこの危機を乗り切ってほしい。

しかし、二百枚の目標にはまだ程遠い。僕は日本人の友人の柳さんに苦情を言うつもりで、いつものカフェに誘った。「これは流石にまずいね。もし俺が助けになれればいいなぁ……」と慰められた。日本人の社交辞令と思って、僕もただ聞き役に回っただけで、あまり期待していなかった。

翌日、何軒もの薬局に立ち寄ったが、マスクが全然見つからなかった。また次の日も品切れだった。お手上げの僕は諦めようと思った矢先に柳さんから電話一本。

「サプライズ！　マスクの件だが、ネットで買ったよ。早く本八幡駅に来て、ここで待ってるから」

駅を出ると、すぐに道端で自転車に乗っている彼の姿を見つけた。「こっちだよ！」。彼は笑顔で、大きく手を振っていた。マスクを手に取ったその瞬間、胸がじーんと熱くなり、思わず涙が出てきそうだった。感謝の気持ちが泉のように湧き出してきたが、不器用な僕は一筋に「ありがとう」としか言えなかった。この特殊な時期にこの特別なマスク！　彼を僕の恩人と呼んでもおかしくないだろう。

早速郵便局に行ったが、中国への郵便物の量が多すぎるので、空路でも二十日以上かかりそうだと言われた。周りの人をよく見ると、年齢も格好も違うが、全力を尽くして中国を応援したい気持ちは皆同じだった。

数日後、僕もマスクをしていて、帰国の飛行機に乗った。一年間の留学生活は白駒の隙を過ぐるが如し。最後にマスクを探す体験はとても貴重で印象的な思い出になった。帰国の途につく空港で柳さんに詰め込まれたメモを取り出した。

汚い字だが、中国語で「君と出会えてよかった」と書いてあった。

飛行機の外の太陽がとても眩しくて暖かかった。こんなに優しい人と知り合った僕がどれだけ幸運だったのか。

現在、コロナが世界中で猛威を振るっている。日本も緊急事態宣言を出した。僕は急いでマスクを買って日本人の友達に送った。「我に投ずるに桃を以ってすれば、これに報ゆるに李を以ってす」。最も大変な時に日本が中国に援助の手を差し伸べてくれたから、日本も助けが必要とする今こそ、僕らは全力で一衣帯水の隣国を援助すべきだと思う。どんなに高い壁があっても、中国と日本は共に手を携えていけば、必ずそれを乗り越え、素晴らしい未来を迎えると僕は信じている。

（指導教師　方江燕、張艶琴）

★三等賞　テーマ「新型肺炎と闘った中国人たち―苦難をいかに乗り越えたか」

新型肺炎の体験

南京信息工程大学　李浩哲

二〇二〇年年初から、武漢からの新型肺炎が全国を席巻した。人々はパニックに陥っていた。大学生の私は自宅で冬休みを過ごしていて、毎日全国各地から新型肺炎のニュースを見ていた。

新型肺炎の流行が始まったばかりの時、多くの人はそれほど深刻なこととは思わず、あまり心配しなかった。私もこのウイルスは怖くないと思った。期末試験が終わった後、上海に旅行に行った。その頃には新型肺炎が流行し始め、毎日の患者数は目に見えて増えてきた。しかし大部分は武漢市に集中し、全国への拡散は始まっていなかった。私は毎日地下鉄やバスに乗って、いろいろな観光地に行ったり、デパートで買い物をしたりしていた。行ったところはどこも人がいっぱいだった。

家に帰って、ニュースを見た私はパニックになった。ニュースでウイルスの極めて高い感染率といろいろな症状が報告されていた。そして、毎日新たに増加した症例も報告されていた。上海では毎日、公共交通機関を使い、公共の場所で多くの人と接触した。上海で遊んだ時撮った写真に人がいっぱいいる様子を見て、私の心の中の恐ろしさはますます大きくなってきた。毎日、症状が出ることを恐れていた。もし感染したらどうなるか想像した。そこで、家に帰ってから、私はどこにも行く勇気がなくなった。コンビニにさえ行かなかった。毎朝起きた時自分の体調をチェックし、咳や発熱などの症状がないかを確認した。幸いなことに何の症状も出なかった。新型肺炎の影響で生活のあらゆる面で不便を感じた。例えば、一家は二日に一度、一人で必要な物を買いに行くことしかできない。それから、団地の門を入るには体温を計らなければならず、どこに行くにもマスクをつけなければならなかった。

私の母は集中治療室の医者だ。母親の病院には新型肺炎の患者はいなかったが、正月の少し後、患者が新型肺炎に感染するリスクを減らすため、外部との接触を減らすことになった。そのため母と同僚は病院に十四日間、隔離された。病院の寮に住んでいても、そこに帰ってはいけない。彼らは病室に泊まるしかなかった。病院で隔離されているため、感染のリスクが少なかった。しかし、一部分の医者しか隔離されていないので、作業量はいつもの二倍と大変だ。私と父は毎日母を心配していた。母は長い間、これほどの作業量の仕事をしていなかったからだ。私たちは母が疲れてしまうことを心配していたが、母親は無事に仕事を終えて十四日後に解放された。その日、父と車で病院に母を迎えに行った。まるで戦場から凱旋する兵士を迎えるようだ。しかし、もっと尊敬できる人がいる。母の三人の同僚は、春節の前日の夜、家族団欒を放棄して、湖北省に支援に行った。被災地から脱出した者とは逆に、被災地に赴いて一生懸命に支援したので、こうした人は人々から「逆行者」と呼ばれた。彼らは大きな危険を冒して被災地に行った。母より直接的に危険なウイルスと闘っている人だから、もっと尊敬に値するべきだ。彼らはこの戦争の中の英雄だった。

そして四カ月以上が経った。全国民の努力と団結協力によって、新型肺炎の拡散は徐々に抑制された。生活が正常化し、工場は操業を開始し、学校も開校した。私達の大学は一番早く開校した大学の一つだ。学校は私たちの安全を保障するために、いろいろな措置を取っていた。例えば、初めて学校に帰る時は体温を測っておかなければならなかった。食堂など公共の場所に行く時はマスクをつけなければならない、先生の許可なしに外出できないなど、不便なことが多かった。接触を減らすために、人数の多い授業はほとんど中止された。今、生活はだんだん正常になってきた。最初、肺炎が流行り始めたとき、自然の前では人間がちっぽけに見えたが、災難の前で中国人の団結を見た。この体験は一生忘れない。今は、校門を出られる日を楽しみにしている。

（指導教師　山田雪枝）

★三等賞　テーマ「新型肺炎と闘った中国人たち――苦難をいかに乗り越えたか」

コロナウイルスに直面した姉

電子科技大学　胡琳烯

「武漢に行きたい」。二月十五日、姉ははっきりとそう言った。

中国で新型コロナウイルスが大流行したのは一月二十日頃からだ。その頃、疫病の発生状況についての報道は、主に中国のウェイボーやウィーチャットに集中していた。しかし、こうしたメディアの大部分のユーザーは十代二十代の若者で、中高年向けの宣伝が行き届かなかったため、ほとんどの中高年は新型コロナウイルスによる肺炎のことをよく知らず、その深刻さを認識しておらず、マスクをつけたり手洗いを徹底したりして予防する方法も知らなかった。しかし、中高年の免疫力は平均的に若者より弱いので、感染したり肺炎で死亡したりする可能性が更に高いのだ。

肺炎拡大の初期、つまり一月二十日から二月十日の間に、宣伝も感染予防の対応も不十分であることなどから、感染者は急激に増加した。

春節は中国人にとって重要な意義がある。春節の時、家族は幸せでにぎやかな雰囲気の中で新しい年を迎えることができるからである。しかし、今年は、旧年を送り新年を迎えるための爆竹を鳴らすこともできなくなり、親戚や友人が揃って「春節聯歓晩会」という春節祭りのテレビ番組を楽しむこともできなくなった。私の家庭は大多数の中国の家庭と同じように、ずっと家にいて、疫病の状況に関心を持って何の活動もなしに春節を過ごした。

姉は看護師で、ある総合病院の伝染病課で五年間くらい働いている。毎年大晦日の夜、姉は家族に魚の煮込みを作ってくれる。またお年玉をくれる。でも、今年は姉の作った美味しい料理を食べられなかった。疫病の状況が悪くなりつつあったからだ。姉は家に帰らず、防護服を着て、防護メガネをかけて、感染者や疑い例の患者を看護するために病院に行った。

「ここでの疫病は武漢より軽いのでそんなに辛くないよ。だから、心配しないで」とか、「いつも防護服を着ているから、心配しないで」とか、姉は家族を安心させるために、毎日電話でそういう話をしてくれるが、この間、医師や看護師が感染して死亡したというニュースや、またある病院で医療物質が不足しているせいで医療スタッフの生活が苦しい、などのニュースを読んで、すごく気がもめていた。

姉は、報道されたニュースは必ずしも本当とは限らず、状況を混乱させるだけのデマが多いのだと言っている。真実をそのまま伝えることは、メディアの最大の責任ではないかと私は考えている。

二月八日は小正月で、その日の夜、姉から写真が送られてきた。彼女は隔離病室で、すでに確定されたが重症化していない感染者と一緒に音楽に合わせて踊っていた。姉の顔はゴーグルと防護マスクで覆われて見えないが、マスクだけをしている患者はとても楽しそうに見える。写真を見て、母の目から涙が急に落ちた。

一月二十一日から二月十五日までの間、姉はずっと病院で働き、一度も家に帰らなかった。

「最近病院は武漢を支援するボランティアを募集している。武漢に行きたい」。二月十五日、姉はそう言った。この言葉に、父もこっそり涙を流した。父の涙には心配の気持ちもあれば、姉の勇敢さや善心に対する誇りの気持ちもある。

姉には中国人が一致団結して困難を乗り越えるのだという決心と勇気が見える。中国には、姉のように自分の力で新型コロナウイルスと戦う人がたくさんいる。大量のマスクを買って、こっそりと病院の入り口に置いて去った人、武漢を支援しようと寄付金を募る歌手、農産物を無料で武漢に送った農民、コミュニティーで住民一人一人に体温検査をするスタッフ、そして人から人へ感染しないように自宅で働く人々……みんなは一生懸命、共に危機に直面して前向きに立ち向かおうとしている。

「何とかなるよ。私、武漢でも頑張ります」。姉はこのメッセージを送って武漢に出発した。皆が努力すれば、私達には病気の流行をコントロールし、最終的に打ち勝つ能力があると、私は信じている。

（指導教師　池田健太郎）

★三等賞　テーマ「新型肺炎と闘った中国人たち―苦難をいかに乗り越えたか」

支援と感謝

――新型肺炎期間中の物語と感想

厦門大学　肖嘉梁

　友人の実家は湖北省の十堰市にある。新型肺炎が発生した後、武漢市から四百五十キロも離れた十堰市にもその被害は免れず、感染者数は数百人にも上っていた。医療条件が省都の武漢市には遥かに及ばない十堰市では、突発的な感染症により、地元の病院の医療物資は急速に消耗され、医療関係者は危険にさらされていた。

　友人の母は地元の病院の看護師長で、父は保健局の職員である。そのため、彼女は地元の医療物資不足の状況がどれほど深刻であったかをよく知っていた。一月二十五日、中国政府が全国各地の医療物資を集めて武漢に送った時、彼女は微信で支援を求めるメッセージを伝えはじめた。十堰市の病院では、N95マスクや医療防護服などの物資不足が深刻であり、助けてくださいと。この至急のメッセージを見て、私は迷わず百元を寄付した。百元ではN95マスク四、五個しか買えないが、多くの水滴が海になるのと同様、みんなが手を貸すと、必ず医療物資不足の問題が解決できると信じていた。

　数日後、私は「物資がまだ足りないのか、大学の同窓会を通して更に広い範囲での援助を求める必要はあるのか」と、彼女に尋ねた。ありがたいことに、彼女の友人はその援助を求めるメッセージを転送し、素早く某大学医学部の先生にもそのメッセージが届けられた。その先生は知人から二千個のN95マスクを募集し、すでに彼女の母の病院に送っていた。更にその先生は知人の工場に連絡して医療防護服を注文していた。一方、湖北省赤十字会が配布した医療物資も届けられた。それに、一週間も経たないうちに、彼女の母の病院には十万元余りの寄付金が集まった。この寄付金は速やかに病院の医療物資不足の焦眉の急は救いにくいが、医薬品を購入することに使われ、患者らに大きな助けとなったという。

「母は毎日病院に行かなければならないので、医療物資不足の事情を聞いた時、すごく心配して落ち着かなかった。幸い、みんなの助けのおかげで、医療関係者の安全が保障された。本当にありがとう」と彼女は言う。

一方には困難があれば、四方八方からの支援が来る。これはまさに中国人の精神である。病院にお金や医療物資などを寄付する人たちは、この精神を貫いていた。中国の古書『国語』には、「衆心成城、衆口鑠金」（団結すれば、城を造ることができ、金を溶かすこともできる）という名言があり、団結の強大な力を示している。中国中央テレビ新型肺炎特別番組のタイトルは「共同戦疫」（一緒に新型肺炎と闘う）であるが、その「共同」は、十四億の中国人が湖北省を支援し、協力して恐ろしい病魔と闘う姿を映している。中国人の団結がなければ、新型肺炎はそれほど早く収束しないはずである。

団結に加え、もう一つの精神にも私は感動した。それは感謝の精神である。中国には「滴水之恩、当涌泉相報」（犬は三日飼えば三年恩を忘れぬ）という言葉があり、感謝することを教えている。一月二十七日、武漢「封鎖」の五日目、野菜の供給が足りなくなったことを知った武漢のある農家は電動三輪車に乗り、上海からの医療隊の滞在するホテルに二十四箱もの新鮮な野菜を届けたと報道された。彼はホテルの位置を知らなかったため、四十キロも遠回りして、頬と両手は凍えて真っ赤になったという。「同郷の人に野菜を買いに行ったが、医療隊に贈るものだと知り、その人は無料で譲ってくれた。医療隊に新鮮な野菜を食べてほしい。彼らは武漢の恩人だからね」と、彼は取材に答えた。これは感動的な物語である。人々は支援のことを知っているだけではなく、感謝のこともよく理解している。その支援と感謝の間における良性の循環こそ、我々に苦しみを克服する自信と力を与えたのである。

新型肺炎は私たちに大きな傷をつけたが、十四億の中国人の団結力をかえって強めている。団結と感謝の精神が変わらない限り、どんな苦難をも乗り越えることができよう。

（指導教師　任星）

★三等賞　テーマ「ありがとうと伝えたい―日本や世界の支援に対して」

春が来ないところはない

山東財経大学　程　瑞

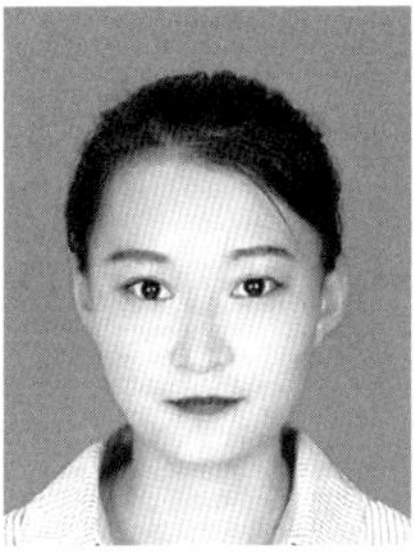

新型コロナウイルス感染症が中国を席巻した時、すべての人がこれに対して準備していたわけではなかった。全国各地の医療物資が緊迫した。私の家にはマスクが数枚しかなかった。感染拡大に伴い、家族は呼びかけに応じ、外出を控え、家に引きこもっていた。

「転科試験の準備はどうなった？」と母が私に聞いてくれた。

実は、大学を受験する時、私は日本語の専門に調整された。母はこのために悩んでいた。しかし、私は日本語を勉強するうちに日本語がだんだん好きになった。一衣帯水の隣国日本に対し、好奇心を持つようになった。しかし、母は私の考えを理解するどころか支持さえしてくれず、ずっと私に他の専門を勉強させたいと考えている。

「お母さん、どうして私の選択を受け入れられないの？日本はとてもいい国だよ」と私が言った。

「私は小さいころから抗日ドラマを見て育ち、ドラマの中の日本人はとても優しくなくて、中国に対しても非友好的だ」と母が言った。

「お母さん、耳学問では本当のこととは言えない。先入観を捨てて本当の日本人を知るべきだよ」。そこで私は大学の日本語コーナーで知り合った日本人の友達と日本人の先生からもらった挨拶メッセージを母に見せた。

彼らからのメールに、中国語で書いた「すべてが良くなるよ」「ご健康を願います！」などという温かい言葉があった。それを見て、「でも、彼らはあなたの友達だね。ほとんどの日本人はそんなに友好的ではないでしょう。とにかく、急いで転科試験を準備しなさい」と母が言った。実は平日に家で私がよく母と大学での日本語の勉強のことや日本の様々な面白いことなどを話しているが、母は私の言ったことを真に受けていなかった。

事件の転機は新型コロナウイルス感染症の発生後のある一日だった。

その日、母といつものようにテレビで疫病のニュースを見ていた。それは、日本政府が中国に九トンの医療物資を寄付したというニュースだった。そのニュースを見て、母はびっくりした。「面積が小さい日本がなぜ中国にこんなにたくさんのものを寄付して来たの？」

その後の数日間、日本に関する報道が相次いだ。日本人の女の子がチャイナドレスを着た写真が各種メディアで報道された。日本の街で、彼女が寒風の中で募金箱を抱え、人々に中国への寄付を呼びかけていた。母はこの女の子を見て、表情がだんだん柔らかくなって、目にも涙があふれた。これを見ると母の心の中の氷がようやく解け始めたことが分かった。

数日後の朝、私は「お母さんは日本から湖北に寄贈された物資箱に何が書いてあったか知っている？ 文の後半は忘れちゃったけど」と言った。母は「山川域を異にすれども、風月天を同じうす」と言った。母がこの言葉を言った時、心の中の偏見と隔たりはもうなくなったと分かった。

今は、中国の疫病は随分コントロールされた。私達の生活も正常に戻った。春はすでに静かにやってきた。しかし、今、日本の感染者は増え続け、疫病はますます深刻になっている。

ある日、町で、日本に寄付を呼びかけている人を見ると、母はポケットから斬新なマスクを取り出し、「人は恩を知るべきだよ。これを寄付しましょう」と言ってくれた。

私は母からもらったそのマスクをスタッフに渡した。「私の家には今マスクが二枚しかないが、この一枚を日本に寄付して、日本も一日でも早く良くなるようにお祈りいたします」。スタッフが私の話を聞いて、丁寧にそのマスクを受け取り、ありがとうと言ってくれた。

家に帰る途中、道端に綺麗に咲いている桜の木を見て、私の気持ちも晴れていた。「お母さん、私はこれから日本語をしっかり勉強して、お母さんを連れて桜の国に桜を見に行く」と言った。母は私の話を聞き、微笑んで「はい、期待しているよ」と言った。

桜の花が一輪も咲かない春はなく、春が来ないところはない。

桜が咲き続ける限り、中日友好交流の春も続く。

（指導教師　姚暁陽、保坂多巳良）

★三等賞　テーマ「新型肺炎と闘った中国人たち――苦難をいかに乗り越えたか」

蛍火の灯火

南開大学　何倩頴

新型コロナウイルスという未曽有の感染症が、世界の人々を恐怖のどん底に陥れたまま、今なお終息のめどは立っていない。二〇〇三年当時、まだ四歳だった私は、世間を騒がせたSARSについて何一つ記憶になく、感染症拡大の恐ろしさというものに免疫がないものだから、今回の出来事をニュースで見るたびに恐ろしくて涙が出てくるのである。

上海に住む二十四歳の梁さんは、ある日、生理用ナプキンを買おうとした時にふと、医療現場の看護師さんたちがナプキン不足で困っているのでは？　と頭をよぎり、早速インターネット上で疑問を投げかけてみた。現場では防護服を節約するため、八時間もの長時間トイレに行けない上に、やはりナプキンが足りず、生理周期に当たっている女性は血で汚れてしまったままの服を着て仕事を続けるしかないことがわかり、そこで梁さんは何とか力になりたいとの思いから同じ考えを持つ人たちと協力し、〝現場の最前線で戦っている看護師さんたちにナプキンを送ろう！〟と決心した。

ところが、実際に行動を起こしてみると思いがけない困難の壁にぶち当たった。一軒一軒の病院に電話をかけて尋ねるものの、「日用品は必要としておりません」と断られる始末で、それに、個人による募金活動が許されていないため、団体としての形をとらねばならないこともわかった。そこで梁さんは「シスターズキャンペーン」と名付けたボランティア団体を発足させて様々な宣伝を行った。その結果、なんと、わずか十三時間にして約二百三十五万元の寄付金が集まったのである。

その一方で、ネット上での非難の声が心をえぐった。「命のほうが大切でしょ。そんなどうでもいいこと、放っておけばいいのに」「詐欺まがいじゃないの？　ナプキンメーカーのコマーシャル？」。それでも梁さんは挫けなかった。約十日後には、四十四施設の病院にナプキンを届けた。この時には、進んで手伝いを申し出てくれる男性のボランティアメンバーも現れた。梁さんが以前から抱いていた夢、それは五十歳になったら女性の権利を守るNGOを立ち上げようというものだったのだが、二十四歳の二〇二〇年に思いも寄らない形で達成できた。と同時に、新しい課題も見えてきた。梁さん曰く「同じ〝血〟なのにどうして女性の月経を人々は忌むのか。今回の感染症との戦いに勝ったら、生理はもう女性の恥ではなくなることを期待しています」

当初コロナウイルスを怖がっていた私を「シスターズキャンペーン」が暗闇の中から救い上げてくれた。私の故郷は安徽省の小さい町で旧習深いせいか、子どもの頃から祖母は兄を可愛がった。女の子の私を生んだ母にも不満だったようだ。幸い、両親はいつも私を大事にしてくれたのだが……。東アジアの女性が男性と同じ権利を手にするのは容易ではない。二〇一九年には、貧困による経済的理由で学業を断念せざるを得なかった女子児童を支援するはずの〝春芽計画〟が、男子児童に援助金を支給したとの内容で公開されたが、ここからも女性への軽視をうかがい知ることができる。

そんな中にあって「シスターズキャンペーン」が展開するボランティア活動は、私に希望の光を灯してくれた。彼らはコロナウイルスと戦い、女性の権利を守ろうと立ち上がった無名の戦士たちである。魯迅は中国の青年にこう叫んだ。「青年よ、冷淡な空気の中から抜け出して、顔を上げて前を向け。自暴自棄になった諦め気分の者の話などに耳を傾けるな。今できることをしよう。声を上げよう。少しの情熱が希望の光に変わるのだ。それが蛍火のようなかすかな灯火であったとしても、暗闇の中では周囲を照らす一筋の光となる。蝋燭の明かりが灯されるのを待つ必要はない。我が光となって皆を照らそう」

私も懸命に努力し、いつか蛍火になって誰かを灯せる人になりたい。

（指導教師　森田なおみ）

★三等賞

テーマ「新型肺炎から得られた教訓や学んだこと」

一期一会

上海師範大学　劉　通

「一期一会」は、日本茶道の考え方である。初めてこの言葉を知ったのは、大学生の時に受けた「日本概況」という授業であった。茶会に臨む際には、「その相手と出会う機会を一生に一度のもの」と考えて、主客ともに互いに誠意を尽くそうという考え方である。当時の私は、ただそんなものかと思っただけで、この言葉に込められている意味を深く考えようとはしなかった。そんな私に、この言葉を深く考える機会を与えてくれたのが、今回の新型コロナウイルスのパンデミックであった。

私には、Rという友人がいる。高校時代から仲が良くて、違う大学へ進学した後も連絡を欠かさずにいる。しかし、高校の卒業式以来会うことはないまま、五年が過ぎようとしている。私は大学院へ進学した後にRと会おうと計画していたのだが、学費を稼ぐためのアルバイトや実習で忙しかったこともあり、ついつい先延ばしにしていた。少しやましい気持ちになっていたが、「大丈夫だ。会う機会なんていくらでもあるし、春になって暖かくなったら、また時間を作れば良いだけだ」と自分に言い聞かせていた。

しかし、年が明けてから、新型コロナウイルスのパンデミックが始まり、この計画は全て水泡に帰した。Rに会うために公共交通機関に乗ることはおろか、自分の家の外にすら自由に出ることが出来ない日々は、私に「一期一会」という言葉を考える時間を与えたのである。

いつかは、新型コロナウイルスの流行も収まり、再び日常生活に戻ることも可能だろう。しかし、そのために失った時間は返ってこないし、失われた人命も決して戻ることはない。現在中国国内で新型コロナウイルスにより亡くなった人は四千人を超え、世界では三十万人以上の人々が命を奪われている（二〇二〇年五月時点）。病院で隔離され、家族にも会えないままこの世を去っていくことは、どれほど辛いことであろうか。死の間際に会いたい人と会えないまま死んでいくことは、どれほどの不安と恐怖を感じることであろうか。もし、仮に新型肺炎で余命いくばくもないことを宣告された時に、会いたい人に会えるとすれば、自分は何を話そうとするだろうか。

このような様々なことを考える中で、私は「一期一会」という言葉の重さを理解できたような気がしたのである。

現実は非情であり、人の命は儚い。いつ、どんなきっかけで二度と会えなくなるかも分からない。だからこそ、人との出会いと交流は、大切にしなければならないのだ。まだ見知らぬ人と出会う機会は、この先どれだけあるのか分からない。だからこそ、見知らぬ人と初めて出会った時、誠意を尽くして相手を理解しようとする必要がある。友人ならば、いつでも会えるなどと思いがちだが、実はそうではない。たとえ会っていたとしても、そこに心を込めた交流がなかったのならば、意味はない。ましてや、今回のコロナウイルスのように、外出すらままならない状況では、会うことも出来なくなるのである。

そして、人は常に変わっていく。仏教で「諸行無常」と言われるように、この世界の存在するもので変わらないものはなく、日々変化し続けている。昔の友人は、昔のままではない。同じように自分自身もまた、昔の自分自身ではない。友人との再会は、ある意味で新しい出会いなのである。

「一期一会」という言葉の持つ「その相手と出会う機会を一生に一度のもの」とする意味は、人が日々変化していく存在であることを認め、出会う人が常に異なる存在であることを前提にした考え方なのではないだろうか。そうである以上、その出会いに対して誠意を込め、しっかりとコミュニケーションをしていかなければならない。それは、言語というコミュニケーション手段を学ぶ者として、最も重要な態度なのではないだろうか。

（指導教師　劉峰、鳥羽厚郎）

★三等賞　テーマ「新型肺炎から得られた教訓や学んだこと」

大切なもの、それは「家族の絆」

大連東軟信息学院　張　斉

二〇一九年十二月の初め、武漢で初めて新型肺炎の感染者が報告され、その一カ月後に三十人が感染したことがわかりました。その時の私は、まだゲームをしたり、普通に寝起きしたりして、ただのインフルエンザだろうと、のんびり冬休みを楽しんでいました。

しかし、新型コロナウイルスが発見された一カ月後に武漢市が封鎖され、感染者が千人ほどに増え続けているというニュースを見た私は、ようやくその恐ろしさに気が付きました。状況の厳しさと感染のスピードを理解したからです。でも、もう手遅れでした。マスクは売り切れ、食料品も買い占められていました。外出は制限されていましたが、私はマスクを持っていないので、買い物にすら行くことができません。こんな状況になるのとは予想すらしなかったのです。迂闊でした。もっと早く注意をしていたらと考えても後の祭りです。私はどうすることもできず引きこもるしかありませんでした。ところが、家にこもっている間、今まで気づかなかったことに気がつきました。それは家族の大切さです。

父と母はとても無口な人です。「口を動かすより体を動かせ」は我が家の家訓のようなものです。その影響で私も余計なことを話さないようになりました。とは言っても、別に家族と一切口をきかないわけではありません。世間話くらいはちゃんとしています。しかし、お互いに自分のことをほとんど話したことがないのです。だから、本当に父と母は私のことを考えてくれているのかなと疑問でした。小さい頃から、何かを尋ねてくれたのは指で数えられるほどで、会話の内容もシンプルそのものです。「学校はどう、体調は、お腹は空いてないの」のような退屈な話を、この大学生になるまでずっと繰り返してきたのです。でも私はちゃんと分かっています。会話のない原因の一つはみんなが仕事や家事に追われていて忙しいということです。ですから、私も父と母に迷惑をかけないように真面目にそのつまらない質問に答えてきました。だから、あの頃はなんとなく嫌われているのかなと思っていました。

大学の寮で暮らしている間、家族のことを思い出すこともなく、かえって楽になった気がしました。そんな時期に、新型コロナの影響でまた家にいなければいけない状況に陥りました。そして、また毎日そのつまらない質問に答える羽目になりました。しかし、以前とちょっと違うのは、家族と一緒にいる時間が増えたことです。私はかなりの時間ネット授業を受けています。父は以前より早く帰ってきますが、家にいても物静かそのものです。母はいつもどおりに家事や料理をしています。でも、授業が終わるといつも、きれいにむいたリンゴを持ってきてくれるのです。ちょっとした感動でした。でも感謝の気持ちは、恥ずかしくて言葉に出せません。

そんなある日、授業がテストで長引いたので、終わりの時間が少し遅れました。でもなぜかいつものように母が部屋に入ってきません。居間にも姿が見えません。母の部屋をのぞいてみると、母はベッドで横になっています。私はすぐに「お母さんどうしたの」と聞きました。側にいた父が「熱だ」と答えました。「どうして言ってくれなかったの」と言おうとした瞬間、知っていたかのように母は目を覚ましました。「私は大丈夫、リンゴは食べたの。まだ授業みたいだったから、外に置いといたよ。ちゃんと食べてね、体にいいから」と優しく言ってくれました。私は思わず涙が溢れました。でも、悲しい涙ではありませんでした。私はうれしかったのです。

毎日早起きして仕事を頑張っている父と、毎日家事をして、おいしい料理を作ってくれる母。本当にお疲れ様でした。そして、ありがとうございました。お父さんとお母さんの息子として生まれたのは本当に幸せだと思っています。新型肺炎が落ち着いたら、ぜひ一度父と母と旅行に行きたいです。

（指導教師　馬木浩二）

★三等賞　テーマ「新型肺炎と闘った中国人たち―苦難をいかに乗り越えたか」

来ない春はない

西安財経大学　馮　静

空はずっと晴れているわけではなく、時には風雨に見舞われることもある。歳月はずっと物静かに過ぎていくわけではなく、時には災難が舞い込んでくることもある。

旧年を送り新年を迎えた鼠年、新年は喜びの日のはずなのに、人類は「新型コロナウイルス」という疫魔と初めて出会った。そして、もともと静かなはずの生活があっさりと破られてしまった。中国人にとって一番大事な祝日「春節」が黒い淵に呑み込まれ、毎日たくさんの人命が奪われてしまった。

今日は家族と一緒に家で過ごす二十一日目の日だ。高校に入ってから、こんなに長い間、両親と一緒に過ごしたことがないから、私はとっても嬉しい。私は全ての子供たちが私と同じように幸せだと思っていた。実は、隣の張叔母さんの十歳の息子、聡ちゃんは私ほど幸せではなかったのだ。聡ちゃんは彼のお母さんともう長い間、会っていなかった。叔母さんは春節の「年夜飯」（年越し料理）に間に合うように急いで帰省して、家族と一緒に食事をとっていた。食事が終わったところに、「緊急事態です。さっそくですが、すぐ病院に戻りなさい」という電話が病院からかかって来た。楽しいはずの日が冷酷な知らせに壊されてしまった。叔母さんは職場に向かうため、急いで家を離れた。それは、多くの人たちが彼女を必要としているからだ。

私は張叔母さんのことを怖い人だと思っていた。それは、子供の時、両親に連れられて叔母さんの勤める病院にいつも注射を打ちに行っていたからだ。叔母さんはいつも白衣を着ていて、時には恐ろしいほど厳しかった。私が両親の言うことを聞かないとき、「張叔母さんに注射されるよ」と母に言われたものだった。しかし、年を取るにつれて、私はお医者さんの偉大さがわかるようになった。お医者さんの仕事は、いささかも中途半端なことは許されないのだ。

聡ちゃんはたまに私の家に遊びに来た。私たち家族は聡ちゃんの心の傷に触れないように、できるだけ聡ちゃんに聡ちゃんのお母さんのことは話さなかった。ある日ウルトラマンシリーズのテレビドラマを見ている聡ちゃんが突然こんなことを言った。「中国で多くの人が病気になって死んでしまうかもしれないよ。でもさ、僕のお母さんは彼らを救うために、ずっと彼らのそばにいるんだ。僕のお母さんはウルトラマンだよ。たくさんの人の命を救っているんだ。とってもとっても偉いんだよ」。その真面目な顔を見て、私はつらくて、聡ちゃんをぎゅっと抱きしめた。「彼は将来、叔母さんと同じ優秀なお医者さんになるかもしれない」と私は思った。

叔母さんが病気になるかどうかは私にはわからない。だが、彼女はきっと自分の家族のために自分を守ると信じている。ずいぶん長い時間が経って、やっと叔母さんに関するニュースが入ってきた。「新型コロナウイルスに感染して、治療を受けています」とのことだった。

そんなことが自分の身のまわりに起こるとは思わなかった。毎日、起きたらすぐに、真っ先に新型コロナウイルスに関する最新情報を見た。毎日新たに確認された感染者数が増加し、亡くなった人も増加していることが私には怖かった。叔母さんのことを何回も思い出した。そして、とうとう、悪い知らせがやって来てしまった……。戸締まりをした隣の家の雨戸の中の悲しみをどうやって消せばよいのだろうか。

中国には、叔母さんのように自分の家族を離れて、人のために自分の命を度外視して治療にあたった、神聖かつ高潔な人がたくさんいる。「私の原動力は疾病による命の脅威である」。医学的権威である鐘南山院長の一言が中国の医師たちの無限の潜在力を引き出した。新型コロナウイルスは言わば「秋の後のバッタ、何日も飛べはしない」というものだ。

「春の歩みは止まっているのではない。遅くなっているだけだ」と私は信じている。

お医者さんのみなさま、本当にありがとう。

（指導教師　杜麗娜、城田潤一）

★三等賞　テーマ「新型肺炎と闘った中国人たち―苦難をいかに乗り越えたか」

一本の電話線でつながる防疫戦場

南京理工大学　謝雨晗

「はい、こちらは新型肺炎防疫センターです。何かお手伝いできますか？」。二十日余りの連続勤務で、私は声が少しハスキーになっていたが、この言葉はもうとっくに心に刻まれていた。

ちょうど中国の旧正月で、一家団らんの折だった。だが、「硝煙なき戦争」がひっそりとやってきた――新型コロナウイルスによる肺炎が世界中に感染を拡大したのだ。私の父も母も医者であり、早くから肺炎との戦いの最前線に赴いた。私も、この防疫戦争の中で少しでも自分の力を捧げたいと思い、コミュニティーのボランティアに申し込んだ。その後、私は電話交換手に配属された。

最初は、電話を受けるのは楽な仕事で、人と話をすればいいだけだと思っていた。しかし、肺炎の広がりに伴い、確診と疑似病例が急に多くなり、人々のパニックも次第に激しくなった。仕事量は想像をはるかに超え、毎日電話がひっきりなしに鳴り続けていた。

「うちの子は熱が出て、新型肺炎なのかどうかわからなくて、今慌てているんですけど、どうしよう……」。最初にかかってきた電話だった。お母さんがかなり早口で、呼吸も荒く言った。「熱があっても新型肺炎とは限らないので、まずは少し落ち着いてください。こちらから病院に連絡して差し上げますよ」と私は慰めながら言った。

「今日、団地でマスクをつけていない人を見ました！公徳心がまったくありません！」と激しい言葉で電話で告発する人もいた。

「××会社の代表です。マスクと消毒液が必要な地域に寄付したいです」と物資を支援した人もいた。

一本の電話で様々な問題を聞かれた。電話を受けた後に、私は迅速にその内容を記録し、疾病予防管理センターと連絡を取って悉く打ち合わせして、皆の問題をできるだけ解決するようにした。

「ネットでの授業が始まったが、スマホが古くて使いにくいばかりか、通話料さえ払えなくなりそうです」と、女子中学生が泣ながら言ってきた。幼い頃から豊かな生活に恵まれた私は、こういうことが自分の周りに起こっているとは信じられなかった。嗚咽する声で彼女の困難を知り、速やかに専門チームに報告し、スタッフを派遣して状況を確認させ、一刻も早く解決しようと力を尽くした。

感染状況が最もひどい数日間、次から次へと電話がかかってきた。もしかしたら電話をとり逃してしまうかもしれないと思って、水を一口も飲まず、トイレすら行かなかった。「いつも冷静で落ち着いた状態でいてください。相手は電話をかけてきたとき、パニックに陥ったり怒っていたり迷っていたりしているかもしれません。君が話した一つ一つの言葉が、彼らの気持ちに影響を及ぼす可能性があります」。まだ着任したばかりの頃、先輩がそう教えてくれた。「常に準備しておく」ことは、このボランティアに対する最高の敬意だと思う。

仕事内容は単調で細かいように見え、最初私も戸惑った。このように電話に出ただけで、本当に防疫に役に立っているかと疑問を覚えた。しかしその後、このような平凡だが不断の努力を続ける日々こそ、疫病に立ち向かう強い壁を築けることに気づきはじめた。私みたいに、たった一本の電話によって多くの家庭をつなぎ、新型肺炎対策の最前線の現場をつないだ人が少なくなかった。

「芝生の上に座って食事をしているカップルが、ときおり顔を見合わせて笑った。グラウンドには誰かが横になって、きらきら輝く星空を見ていた。誰かが静かに、一周二周と走っていた」。これは、十七年前のＳＡＲＳが終息した後に、ある大学の学生が日記に書いたキャンパスライフだ。ＳＡＲＳに勝ったように、私たちはいつか新型肺炎にも打ち勝てる。私たちの平凡な努力は、これからの平凡で素敵な生活のためにある。その時になったら、今の非常時の努力と献身から得られた精神の力と深い反省は、私たちを輝かしい未来に導くに違いない。

（指導教師　中西亮、李慧）

★三等賞　テーマ「新型肺炎と闘った中国人たち―苦難をいかに乗り越えたか」

僕は犬である

四川大学　蒋　霜

僕は犬である。名前はモモで、武漢生まれである。僕のアイドルは夏目漱石の筆下のあの有名な猫である。

僕の主人の職業は医者で、細君は教師だそうだ。それに、大学生の息子がいる。

僕は犬ながら時々考える事がある。この数カ月、家は大変なことを経験していた。

普段主人は病院から帰ると、いつも僕を散歩に連れていく。その時、僕は恋人の桜ちゃんと会える。それは僕にとって一日の中で、一番幸せな瞬間であるのだ。しかるにいつからかよく記憶していないが、このような平穏な日々が変わった。主人は滅多に僕と顔を合わせることがなくなった。深夜になってからやっと家に帰ることが多く、しかも、精も根も尽き果てた様子であった。だから、僕の頭をなでることさえせずに、ベッドに横になって寝てしまうのだ。時によると、一晩中帰ってこなかったこともある。もしかすると外で僕よりも可愛い犬ができたのだろうかと僕は不満を抱いた。あとで聞くと、主人は病院で新型ウイルスというウイルスの中で非常に獰悪なものと戦うらしい。なるほど、主人を誤解してしまったと僕は疚しさを感じていた。そして、その時は、新型ウイルスというものがよくわからなかったが、つくづくいやになった。

それから二カ月ほどの間、散歩に出かけることは一度もなかった。そんな長時間の引きこもりは犬にとって、どれほど辛いかわかるだろうか。桜ちゃんとも会えなくなり、彼女は僕のことを忘れてしまったのではないだろうか。その間、イライラしてソファーなどを噛んでしまい、細君に非常に怒られることもよくあった。実は僕だけでなく、細君と息子も同様であった。細君はずっと学校に通わず、家でネットを通して授業を行っていた。息子も家で論文を書いたり、ゲームで遊んだり、時によっては彼女と電話したりしていた。この子も僕と同じ思いの苦しみを味わっていたのだろう。

ある朝、細君は電話に出たあと、急に泣き出した。のみならず、息子も非常に落ち込んだ様子であった。その日は深夜になっても主人は帰ってこなかった。そして、翌朝まで帰ってこなかった。もしかすると、新型ウイルスという敵に負けたのではないかと僕は心配した。それから、一週間、二週間、一カ月、主人は依然として帰ってこなかった。細君によると、主人はその新型ウイルスとの戦闘中に、病床に倒れたのだそうだ。新型ウイルスというものはそんなに強いのだろうか、隣の喧嘩プロの黒君よりも恐ろしいのだろうかと僕は大いに心配した。その気持ちを察したように、「モモ、心配はいらないよ。主人は今も諦めず、必ず帰るよ」とか、「主人は医者だよ。医者とは、白いユニフォームを着た戦士なんだよ」とその頃、細君はよく僕の頭を撫でながら優しく言ってくれた。ああ、悔しい、もし人間として生まれたらどうしても医者になって、主人を助けに行くのに……。主人さま、その新型悪魔に負けないで！

その時期から、よくテレビでニュースを見るようになった。それで、中国では主人のような戦士が千人も万人もいることがわかった。彼らがたゆまずに新型悪魔と戦った姿を見ると、いくら悪魔だって、そういつまでも栄える事もあるまいと涙ながらに思った。人間が美しい生活をするにはあの新型悪魔と戦ってそれを剿滅しなければならないのだ。僕は人間と同居して彼らを観察すればするほど、彼らは勇敢であると断言せざるを得なくなった。

それから、夕焼けのとてもきれいな、ある夕暮れ、主人がついに帰ってきた。僕はあまりにも嬉しくて尻尾を切れそうに振った。親しげに僕の頭を撫でてくれた主人はずいぶん痩せたが、その目つきは以前よりもいっそうしっかりとしていた。

僕の主人は新型悪魔に勝ったヒーローだから、僕もヒーローの犬なのである。

今日、久しぶりに散歩に出かけようとして、桜の木の下で桜ちゃんとデートしたいと思った。ヒーローの犬としてね。

天気、いいな。

（指導教師　陳暁琴）

★三等賞　テーマ「新型肺炎と闘った中国人たち――苦難をいかに乗り越えたか」

忘れがたい、平凡な英雄たち

嶺南師範学院　周潔儀

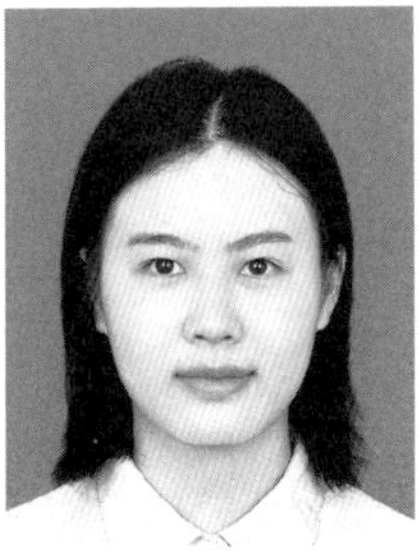

忘れがたい、その光景。

三カ月前のある朝七時半、あの日はとても寒かった。ピーポーピーポーと騒がしいので目が覚め、輾転と寝返りをうって再び眠れなかったから、起きたくなくても起きなければならなかった。

「うるさいなあ」とつぶやいた。

顔を洗うところで、外から帰ったばかりの母を見た。

「母さん、外で何があった?」「うちのマンションに新型コロナウイルスの患者がいるんだって」「へー、怖い」。びっくりした私はベランダから外を眺めると、白ずくめの三人とマスクをつけた男がうちの集合マンションの一棟から出掛け、救急車に乗って離れるところだった。

忘れがたい、その目差し。向こうから歩いてくる人の目の中に、不安と恐ろしさがあった。向こうの人もきっと私の目から、それを感じただろう。

この件の後、賑やかな街は空くことになった。ただ、あの黒い姿はいつものように、いつもの場所に立っていた。そう、うちの集合マンションの警備員さんだ。初めて彼らに気づいた。

彼らは、毎日、雨天決行して、集合マンションの入り口で、入ったり出たりする人を丁寧に検査し、健康情報を登録していた。そして、朝八時から九時まで、マンションを回りながら、「外出するとき、マスクをつけてください!」「手をちゃんと洗ってください!」「室内の通風に注意してください!」などという注意事項をラウドスピーカーで住民に話しかけていた。

ある大雨の日だった。用事があったから、外出しなければならなかった。私を検査する警備員さんは四十代の太ったおじさんだった。ごま塩の短く刈った頭と髭が頰やあごに目立って、一見して、なめてはいけない人のようだ。

「身分証明書を出してください。何棟の何階に住んでいるんだい？」。ピーと電子体温計で私の体温を測ってから、私の情報を登録した。寒すぎるせいか、あかぎれの手がこきざみに震えていたようで、字をぞんざいに書いた。

「はい、オーケー。なあ、小娘さん、気をつけよう、新型コロナウイルスが流行ってるし」とほほ笑んで言った。「は……はい！　分かりました」。その厳しい顔にそんな親切な笑顔が出るのは想像さえできない私は、一時的にどう答えればいいか分からなかった。この笑顔で、いつの間にか心が温かくなった。「ありがとう、おじさん、ご苦労様」と思った。

それから、家にこもったまま、三カ月が経った。

ようやく春がやってきた。見るともなしに窓の外を眺めていたら、盛んに咲いている木綿（キワタ）の花が見えた。なんときれいなことか。まるで火のような赤色が、日に照らされていて、さらに目を奪うばかりにあでやかだった。新型コロナウイルスの状況もいい方向に進んでいる。空いている街も平常の様子に戻り、よく子どもたちが遊んでいる声が聞こえた。

マンションの入り口で立っている黒い姿がいつものように忙しそうだ。何故かわからないが、この姿を見ると、木綿の花が頭の中に浮かんできた。私が育った地域の人々にとって、木綿の花は英雄の花と言われる。

彼らのおかげで、私たちは新型コロナウイルスが作った息苦しい雰囲気の中から救われ、安心感を感じている。

新型コロナウイルスと闘ううちに、ウイルスと直面して医療の前線で精一杯働くお医者さんが手柄を立てることは言うまでもないが、私たちを守るために黙々と働いて、黙々と身をささげている人たちの姿も忘れられない。風雨にも負けず検査を行う警備員さん、無料でマスクを配る店長さん、無料で生活用品を家まで配送するボランティアなどの協力がないとすると、苦難を乗り越えることができないではないか。ウイルスについての専門知識がない平凡な人たちだが、私たちの国を守るために自分なりのやり方で力を尽くすようにする。これは英雄でなくてなんだろう？

一番忘れがたいのは、私たちの平凡な英雄たちだ！

（指導教師　王珏鈺）

★三等賞　テーマ「ありがとうと伝えたい―日本や世界の支援に対して」

世界に光を灯す

大連外国語大学　眭　晴

　二〇二〇年、世界中が東京オリンピックに期待している時、未曾有の事態が発生しました。新型コロナウイルスが中国で勃発し、世界の視線は中国、武漢に集まりました。新型コロナウイルスは思わぬスピードで拡大し、中国各地で感染者が現れ、中国は危険的な状況になりました。中国政府は急いで手配しましたが、それでも多くの感染者に対して、どうしても物資を瞬時に集めることができませんでした。そんな時、日本や世界中の国々から支援物資が届けられました。遥か遠く海や山を越えて、美しい詩句が書かれた段ボールが送られました。物資は命を救い、詩句は心を温めました。多くの中国人が感動し、より戦いに対して勇気が湧いてきました。

　しかし中国でコロナウイルスが爆発的に発生して以来、助けてもらったと同時に、世界から色んな非難の声があがり、中国はこの事態を謝るべきだという声もありました。その声はどんどんエスカレートし人種差別にまで発展しました。中国が災厄と向き合うのと同時に、世界からの悪意も中国に向けられていました。

　「本来『被害者』であるはずの感染者は、いつのまにか『加害者』へと見られ方を変え窮屈な想いをしながら日々を生活しています」。この言葉はRADWIMPSが世界中のコロナウイルスのせいで苦しんでいる人たちの支援のために『Light The Light』と言う歌を作り、その時ヴォーカルの野田洋次郎さんが書いた言葉です。自粛中、ネットのニュースや報道を見て、気持ちが落ち込んでいる時、よくこの歌を聞きました。曲名の通り、暗い世界に光を放つような歌で、胸に勇気が湧くような感じがしました。洋次郎さんは優しい歌声で、「こんな事になったのはあなたのせいではない、辛かったでしょう」と語りかけてくれました。その歌を聞くと涙がポロポロと落ち、感謝の気持ちが溢れて、心の穴が愛で埋まりました。国も違い、言葉も通じないかもしれませんが、感じたものは同じです。

この災厄を乗り越えるためには医師や看護師の努力はもちろん不可欠です。しかしそれだけでは不完全です。感染を防ぐためには一人ひとりの責任ある行動が大切になります。中国の民衆もコロナウイルスの感染拡大を防ぐために自粛を徹底的に守りました。この戦いにおいてはみんながヒーローです。コロナウイルスの感染拡大が始まった時は中国の旧正月の時期でした。元々は親戚が集まって、同窓会が開かれる時期でしたが、そのような活動を全て諦め、できる限り家から出ないようにしました。毎年SNSに家族団欒の写真を載せて、喜びを分かち合うのが私の恒例でしたが、今年はそれができなかったのでとても寂しかったです。しかし、私の行動が少しでもコロナウイルスの終息の役に立つと思えば乗り越えることが出来ます。

このような災厄を前にすると、国の概念は曖昧になるような気がします。人類はこの困難に共に立ち向かうべきです。世界各国の助けがあるからこそ、中国は災厄を乗り越えることが出来ます。そして、実際に新型コロナウイルスは中国だけではなく、世界中にも爆発的に感染しました。中国は自国の事情が少しよくなってから、今度は世界中の被害にあった国を助けに行きました。人類運命共同体、人類の運命は繋がっています。一国が栄えれば全体も栄え、一国が落ちぶれれば全体も落ちぶれます。どの国であっても現在の国際状況から抜け出すことができません。こんな時こそ、私たちは国という定義から外れて、人類として共に運命に立ち向かわなければなりません。私たちの行動でコロナウイルスで苦しんでいる世界に一つの小さな光を灯しましょう。そしてその光を集め、世界をもっと明るくしましょう。新型コロナウイルスは今でも世界中に感染拡大していますが、これからも、お互いに助け合って、みんながマスクしなくてよく、自由に光を浴びれる日が来ることを願っています。

（指導教師　マジャロペス明香里）

★三等賞　テーマ「新型肺炎と闘った中国人たち―苦難をいかに乗り越えたか」

姉とのケンカ

四川大学　潘　燕

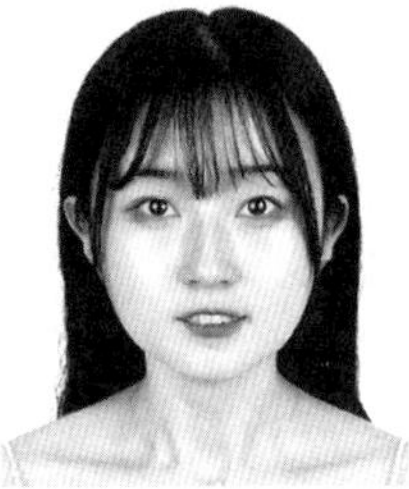

「いよいよ二〇二〇年、よいお年を、乾杯！」

二〇一九年の年末、クラスの忘年会に参加して、盛り上がった雰囲気の中、来年への期待を込めて楽しんでいた。

そして、「また来学期」と言いながら帰りの列車に乗った。春節も近いので、列車の中は喜びで溢れているが、かつてない伝染力の強いウィルスは人々の知らないうちに全国に拡散した。

新型肺炎のことを知ったのはもう二週間後のことである。以前にもＨ１Ｎ１亜型のウィルスを経験しているので、最初は軽い気持ちでマスクでもつけて正月映画を見に行くつもりだった。しかし、一月二十三日、武漢市は都市封鎖を宣告し、チベットまで感染者が発見されたことで、全国で一級緊急事態が宣言された。

これらのニュースで、はじめて今回の新型肺炎の怖さを実感した。火鍋料理屋やマージャン館が営業停止するどころか、買い物ですら一世帯で一人だけの外出が許されるという厳しい自粛生活が始まった。さらに、マスクなどはどこでも完売しているので、自分はパニック状態のようになってしまった。しかも関連ニュースを見ると、怒りや悲しみに襲われるので、徹夜してゲームをしたりアニメを見たりして、現実から逃げようとする昼夜逆転の毎日を送っていた。

しかし、団地の防疫ボランティアになった姉は、夜がしらじらと白み初めた時分に家を出て、月がとうに空に出る時間まで家に帰れないほど忙しく働いていた。

ある夜、寝不足でぼんやりした私は家に帰ってきたばかりの姉とケンカした。

しょんぼりした彼女を見つめて、「何かあったの、とても疲れたような顔をしているよ」と聞いた。

「今日は一人の感染者を発見して病院へ送ることになったが、なかなか協力してくれないから、結構もめたんだ。警察まで来たよ。まあ、夜食でも……」と危ないことを気軽な様子で言ったが、黙っていて機嫌が悪そうな私を見て、姉は話すのをやめた。

「ボランティアの仕事なんて意味ないじゃない。特効薬もないし、感染者の免疫力次第だから、さっさとやめたほうがいいよ」と、姉のことを心配するあまり、ついひどい事を言ってしまった。姉は力を抜いて無言のまま部屋に戻って、パタンとドアを締めた。その音は私の心を打つようにずっと響いていた。姉とはいつも仲が良くて、ケンカしたこともなかったので、その時は大好きな家族を失ったような悲しみと自分への嫌悪感が絶えず湧いてきて、震えも止まらなかった。

姉は二歳年上で、背も小さいか弱い女の子で、来年には防疫の前線で戦っている軍人の彼氏と結婚するつもりである。また、彼女は医療関係者ではなく、ただの小学校の教師である。それなのに、防疫用具が足りないため、厚いコートにプラスチックのレインコート、そして使い捨てのマスクを何回も使用し続けるという苦しい環境で頑張っている。

暫く経ってから、私も部屋に戻った。気が咎めてなかなか眠れないが、姉に謝るのも少し恥ずかしいので、空虚に携帯を弄っていた。そしてうっかりと一つのビデオを再生した。

まず最初に長い大橋から眺める静まり返った空虚な町が映り、灰色の色合いが町の寂寥感を一層深めた。そして、一人の男の声が聞こえた。「武漢、私の愛する家、早く健康に戻れ」と叫んだ泣き声だった。またもう一人はマスク一箱を警察に寄付し、「お名前は」と聞かれたら、「中国人と呼んで」と微笑んで答えた……。

これは新型肺炎における中国人の姿である。重い現実を背負って、悲しみの中にも絶えない健気と勇気に溢れる楽天的な姿だった。そして、彼らの姿は見た目はか弱いが力強く困難に立ち向かう姉の姿と段々重なってきた。

彼らが頑張ってくれるからこそ、こんな私も家で現実から逃避できるのだと悟った。姉のやっていることは決して無意味ではない。一人一人の小さな力を集めてこそ、新型肺炎という強い敵に打ち勝つ可能性があるのである。

私も元気を出して何かをするべきであろう。例えば、明日姉に温かい朝ご飯を作ってあげるとか。

（指導教師　張平、高倉健一）

★三等賞

テーマ「新型肺炎から得られた教訓や学んだこと」

「普通の人」としての私の見解

恵州学院　丘嘉源

すべてが突然すぎて、誰もがこのような春になるとは予想していませんでした。

私は、前線でウイルスと闘っている、偉大な医療関係者ではありません。各地で公益活動に参加しているボランティアでもありません。ただの普通の大学生です。この文章は、「普通の人」としての私の見解です。

疫病が発生して以来、私はほとんど外出しませんでした。そんな家にいる機会を利用して、観察と思考を繰り返し三つの道理をまとめてみました。恋人や夫婦、家族にとって一番大切なのは「交流」「信頼」、そして「相互理解と思いやり」だということです。

私には一年以上付き合っている彼女がいます。今回の疫病のため、彼女とは三カ月以上会えませんでした。それでも、チャットやビデオメッセージを通して、いつも連絡を取り合っていました。毎日、お互いに自分の生活でおもしろかったことや楽しかったことを伝えていました。私たちはそれぞれ目標があり、自分の夢をつかむため、毎日お互いに頑張り、また励ましあっています。もちろん、私たちは些細なことでよく喧嘩もします。それでも、できるだけ早く問題を解決するようお互いに努力します。離れていても、私たちの気持ちが変わらないのは、緊密な「交流」を保っているからだと思います。

私はまだ、結婚については考えていませんが、夫婦の関係はまた少し違うようです。先日、疫病の発生によって離婚が増えているというニュースを見ました。興味を持って調べてみると、離婚が増加している理由は、「信頼」の欠如と思われます。新型肺炎による経済的な圧力、落ち込む気持ち、物資の欠乏などが夫婦間の「信頼」を失わせているようです。

そもそも、お互いが一緒に暮した方が幸せになるということを信じているから、結婚するのだと思います。私の父と母を見ていると、二人の間には「信頼」があり、大きな感情のすれ違いなどはないように思えます。一緒にいるところをみると、とても仲の良い友達のような感じがします。互いに尊重し、助け合い、家族みんなが一緒により良く生活できるよう努力しているように見えます。これは、お互いを「信頼」しているからでしょう。私は本当に両親が羨ましいです。

私の家族は皆、仲良しです。しかし、最近、私と祖母の間に不愉快なことがありました。祖母はとても敬虔なキリスト教信者で、毎週日曜日の午前中は教会に行き、みんなで歌を歌ったり、聖書を学んだりして過ごしていました。しかし、疫病が発生してからは、祖母は日曜日でも家で過ごしていました。

三月も終わりに近づいたある土曜日、祖母はそっと私に「明日教会に行く」と言いました。びっくりした私は、「今は疫病がまだ終わっていません！　行ってはいけません！」と強く言ってしまいました。すると祖母は、びっくりしたような、怒ったような表情を私に見せました。私は祖母の表情を見て、自分が大声を出して、口調も強かったことに気づきました。

その後、反省した私は優しく伝えました。「疫病はまだ終わっていません。大勢の人が集まることもまだ許されていません。ですから教会はまだ閉まっているはずですよ。電話して確認してみてはどうでしょう」。祖母は私の説明に納得したようで、表情も柔らかくなりました。

祖母は、あまりに長く教会に行けないので、ただ寂しく思い、友達と交流したかっただけなのだと思います。それは理解してあげるべきです。そして、祖母を心配する私の気持ちも、祖母は理解してくれました。家族、友人、そして世界の人々にとって、「相互理解と思いやり」はとても大切だと思います。

この新型肺炎との闘いの中で、皆さんがもし恋人や家族、友人などとうまくいっていないのなら、そこに「交流」「信頼」、そして「相互理解と思いやり」があるか考えてみてください。私たちの敵はウイルスだけです。すべてがうまくいく！

（指導教師　宍倉正也）

★三等賞　テーマ「新型肺炎と闘った中国人たち——苦難をいかに乗り越えたか」

家族写真を撮れる喜び

清華大学　高宇萱

武漢が新型コロナウイルスの影響で封鎖状態に入ってから七日目のことである。両親は何日間も続けて高熱があり、その一月三十一日は肺炎の症状も出ていたので、どうしても病院に行かなければならなかった。両親が病院に入院すると、昔の温かい家庭が失われたというよりも、何もかもがなくなってしまった。一週間前に父が「春節のときに少し豪華な家族写真を撮りに行こう」と言っていたのに、今はその願いすら実現できなかった。また、それは私の家だけではなく、いつもにぎやかな街からも人の往来が一切なくなってしまった。せっかくの春節なのに、武漢市はまるで時計が止まった世界にいるようだった。

感染の可能性があるかもしれないので、私も十四日間の隔離を受けなければならなかった。隔離中にいつもお世話になった看護師と友達になった。私と両親の話を聞いた彼女は、「家族写真を撮るために元気出して」と言い、気分が落ち込んだ私を慰めてくれた。彼女の手伝いのもとで、両親と連絡を取った。携帯の画面を通して、呼吸マスクをしている母がベッドに横たわっていて、父は少し話すとすぐ苦しそうに喘いでいた。父は私に何度も「心配するな、すぐ帰るから」と言ったが、私はあふれる涙を抑えられなくなりつつあった。しかし、その時の私は泣いてはならないことも強く自覚していた。私が父と母、さらには家を支える責任を持たなければならず、涙は一人で流そうと決心した。新型肺炎と闘うためには私が自立して強くなるしかないのである。

感染が最も厳しい時期なので、周囲にも患者がたくさんおり、医療物資も不足し、大きな不安と恐怖を毎日のように感じていた。医療関係者は朝から夜まで忙しく、食事や休憩の時間も惜しんでいたが、疲労の果てに何人もの人が防護服を着たまま床で寝ていた。それでも彼らは文句も言わず、一人でも多くの患者を治すことだけを自らの唯一の使命にしていた。その時に新型肺炎との闘いが私一人での闘いではないと深く感じてきた。

また、新型コロナウイルスの感染が拡大する中、中国人だけでなく、世界各地からの支援者も武漢に集まり、医薬品や食料品などの多数の物資を送ってくれた。最も印象に残ったのは、中国滞在の日本人ボランティアが病院で武漢名産の乾麺を用意してくれたことだった。彼は阪神大震災の際に中国からのボランティアにたこ焼きを提供してもらったらしい。運命のように武漢に滞在していた彼は、「小さなことかもしれないが、励ましと勇気を伝えられれば価値がある」と語ってくれた。

私のような武漢市民にとって、温かい乾麺は昔から生活の一部である。だが、感染防止を目的にレストランがどこも休業になり、大好きな乾麺を食べたくても食べられなかった。その一杯の乾麺は、真っ暗に陥っている私たちにしてみれば、どのような贅沢な料理よりおいしいと言っても過言ではない。苦難中にこのような国境を越える人間の温かさを私は心から感じた。新型肺炎との闘いは一人での闘いでないだけではなく、むしろ一国の闘いでもないのだ。新型コロナウイルスの対応に当たっている人々に敬意と感謝の気持ちを心より表したい。

現在、中国では新型コロナウイルスが下火になったが、海外では感染の状況が悪化している国も多い。幸いなことは、心を合わせて一緒に新型肺炎と闘い始める国が増えつつあることである。「一国での闘いではない」という共通認識が全世界で少しずつ定着しつつある。一日も早く世界の新型コロナウイルスが終息するのを祈るばかりだ。

両親の入院からもう三カ月が経った。今は父も母も退院し、昔の温かい家もようやく戻りつつある。私はようやく「一緒に写真を撮りに行きましょう」と両親に笑って言えるようになった。

（指導教師　日下部龍太）

★三等賞　テーマ「新型肺炎と闘った中国人たち―苦難をいかに乗り越えたか」

愛　～217号室の奇跡～

寧波工程学院　余子岩

正直言って、この旧正月は大変だった。

二月からの新型コロナウイルスの感染が一番酷かった時期。医師の両親は二カ月間自宅に戻らず、病院で働いていた。両親のことが本当に心配だったので、その間ずっとテレビとインターネットで現地の状況を確認していた。症例報告で両親の名前を見つけるのを恐れていた。ある日私はテレビで母を見つけた。防護服の後ろ姿には見覚えがあり、よく見るとはやり母の名前が書かれていた。後ろ姿だけだが、母がどれほど苦労しているかを知ることができた。一日中防護服を着て、感染するリスクを冒して病人の世話をしていると思うと、涙が止まらなかった。その時、私は一瞬の間にとても利己的なってしまい、「両親に傍にいてほしい。家にいてくれれば、少なくとも両親は安全だ」と思った。

このことを書いただけで、私はまたちょっと怖い顔と手を思い出してしまった。常にマスクとゴーグルを着用していたので、両親の顔には締め付けられた深い跡があった。毎日アルコールで何度も洗わなければならないので、手の皮膚はアカギレで血が出ていた。家に戻って来た父と母を出迎えた時、そんな姿が最初に目に入った。両親が家に帰って来るまでは「普段なら僕が病院に行けば、簡単に会えるのに。そんな取るに足らないことが、今たまらなくやりたい」と本気で思っていた。働く姿をこの目で見なかったことを後悔した。悲しさで胸が一杯になった。一番やりたいことは、突進して行って、懐かしい二人を抱き締めて「愛しています」と言うことだった。

両親は今私の隣に座っている。元に戻った顔を見て、肩が軽くなった。安心している証拠だ。ある日、この作文のための素材探しで、「あのう、病院で何か患者に関することで記憶に残っていることがある？」と父に聞いた。意外なことに、父は、「たくさんあるよ」と答えた。「217病室だな、よく覚えているのは」「えっ、どうして?」。父によると217号室は奇跡的だった。二人の女性は病院に運ばれた時既に重症だったので、当初から医者たちは「春を迎えられないかもしれない」と悲観していた。しかし、結局、二人は全快した。医者たちとは全く違い、二人は楽観的だった。話ができるほど回復すると、病室で退院後の旅行先を話し合っていたほどだ。当然だが、楽観主義だけでは病気を治すことができない。ある日、一人が急に重症になり、病室の雰囲気はすぐ暗くなった。集中治療室に入られた翌朝、もう一人は点滴をしている父の腕をいきなり掴んで、「彼女は大丈夫なんですか」と聞いた。「どう答えたらいいのか分からない……」と言うと、彼女はゆっくりと横を向いた。目はその空いたベッドを見つめていた。「昔は見知らぬ人だったけど、今は実の姉妹と同じなんだから、もう失うことはできないの」。そう言った。

その女性を思い出すと、涙が父の頬を滑り落ちた。父の涙を見た途端、病室の女性がいかに他人である同室の女性を心配していたのかが分かった。私が両親を心配しているように、彼女も偶然同室になった血のつながらない姉妹を心配していたのだ。お互いが相手の心の支えだという強い気持ちが、家族のように互いに向ける愛情が、彼女たちを元気になり退院させるまで支えていた。

母は私の頭をなでて、笑って私に尋ねた。「一人で私たちを思い出していたの?」と。私は少しきまり悪くうなずいて、「子岩、あなたは知っている? 私たちの心にはいつも家族がいたの。だから無事に家に帰るために、ウイルスには本当に、本当に気を付けていたのよ」。全ては愛だ。人と人の間には愛がある。家族への愛、他人への愛。偶然同室になっただけの人との団欒のためにも、精いっぱい尽くせるのが愛だと思う。217号室の二人は、なぜ退院できたのか、私の両親はなぜ無事に家に帰って来ることができたのか。言うまでもなく、互いを愛することが勝利へと導いたのだ。

（指導教師　田中信子）

★三等賞　テーマ「ありがとうと伝えたい―日本や世界の支援に対して」

私たちの感謝の気持ち、届いてほしい

ハルビン工業大学　張元昊

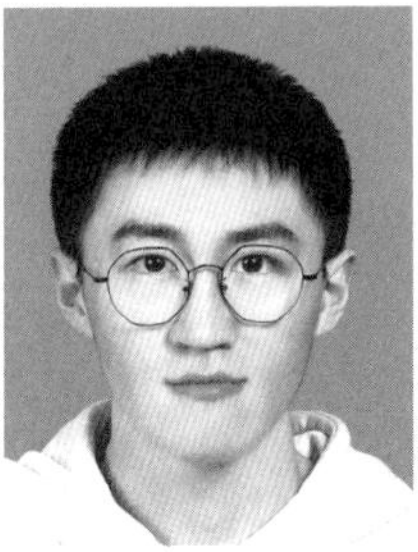

日本の友だちよ、あなたたちからの援助は届いた。

私たちは感謝している。その声はあなたたちに届いただろうか。

今年の冬休み、日本の友人から日本で桜を見る誘いを受けた。私はそれをとても楽しみにしていた。しかし、一月に中国で新型コロナウイルスの疫病が発生して、この計画もうまくいかなくなった。

日本語を勉強し始めたのは四年前だ。私は最初は日本のアニメなどへの興味から日本語の勉強を始めたが、勉強するにつれて、だんだん日本の文化にも興味を持つようになった。それからずっと、日本へ旅行に行きたいと思っていた。長い間期待していたことがようやく実現できるところで、今は諦めなければならなくなった。これは仕方のないことだと分っていても、やはり多少は失望した。ちょうどその時、日本から「山川異域、風月同天」というメッセージが書かれた武漢への援助物資を受け取ったというニュースを見た。このニュースを見た瞬間、心がとんでもなく温かく感じた。まるで「あなたの悲しみを私も一緒に分かち合う」と言われているように、氷が砕けるような力を感じた。その次に、「日本自民党の国会議員全員が中国に寄付した」ことや、「兵庫県は広東、海南に百万枚のマスクを寄付した」などのニュースも相次いで報道された。あなたたちが支援してくれて本当にありがとう。このように一緒に困難を乗り越えている中国と日本を見ると本当に嬉しい気持ちになった。

しかし、私の温かい気持ちが一つのニュースにつぶされた。「長江日報」で「詩より、私達は〝頑張れ武漢〟(という声)を聞きたい」という文章が発表された。これを見て私はすごく不快だった。しかし、調べてみると、ほかのメディアでも「日本がマスクを送るのは下心がある」というような日本の支援を貶める文章が掲載されていた。内容に悪意があふれているので、ここで記述さえもしたくない。実に寂しい。実に悲しい。ほとんどが感謝の気持ちを伝えている文章の中、このような文章は実に目障りに見える。好意を踏みにじって悪意で返すのは、どれだけの卑劣な行為だろうか。このようなことをする人の心はどれだけ黒いのだろうか。こういう文章を書いた人の個人の暗い思想は、わが国に恥をかかせた。

これらの粗悪な、無責任な文章を見て、私は本気で怒った。しかし、真剣に考えた後、私は一つのことに気付いた。この悪意ある文章はメディアのものだ。メディアは事実を民間に報道するだけではなく、一部の悪質メディアは視聴率や購読数のためにニュースを作っている。現在でも、中日関係をよい目で見ず、理性と判断力に乏しい人の数は少なくない。彼らにとって、日本が悪いという傾向のニュースのほうが認めやすい。そういう心理に迎合するため、一部の悪質メディアは無責任にコメントしたり、勝手に解読したり、事実を曲げて報道する。作り出した悪質なニュースは判断力に乏しい人に影響して悪循環になる。恐らく、日本にもこういう悪質メディアがあるだろう。

歴史的関係で中日関係の基盤がよくないが、近年、両国国民の共同の努力で、中日関係が良い方向に進んでいる。中国と日本は隣国として、ずっとお互いに助け合っている。今回も四川省汶川の大地震の時も、日本が私達に多くの援助をしてくれた。そして今回も東日本大震災の時も、中国も日本を全力で支援した。しかし、進むスピードが遅く、両国にお互いを認め合わない人も多くいる。このような行為に、一部のブラックメディアが続き、さらに相手の行為を悪意で解釈し、民間に悪い影響を与える原因の一つではないだろうか。

日本は現在疫病に困っている。中国は、全力で日本を支援したい。実際の行動を通じて感謝の気持ちを表したい。私たちの感謝の気持ちは、あなたたちに届くと信じている。

（指導教師　加藤靖代）

★三等賞　　テーマ「新型肺炎から得られた教訓や学んだこと」

友よ、一緒に乗り越えよう

ハルビン工業大学　雷　韜

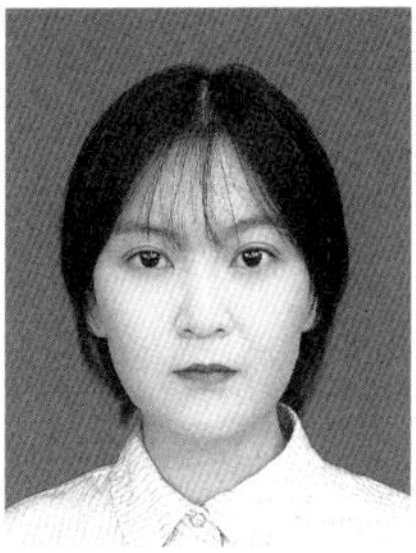

二〇二〇年初頭に——ある無形の戦いが始まった。中国武漢で最初に発生した新型コロナウイルスは、凄まじいスピードで瞬く間に全世界で拡大し、未曽有の惨事になっていた。

新型コロナウイルスが中国で流行し始めた頃、私は、ちょうど日本で留学生活を送っていた。家族の健康や国の安危を心配したり、異国での生活に不安を抱いたりし、私の心はまさに満身創痍の状態だった。だが、医療関係者の一生懸命な姿や各国からの応援を見て、何度も心が温められた。

しかし、新型コロナウイルスがひどくなるにつれて、海外での中国人差別のニュースもだんだん多くなった。ついに、私も差別待遇を受けることになった。

それは日本留学中の二月のある日、中国人の先輩と一緒にスーパーに行く途中で、後ろからある男性の話が耳に入ってきた。

「中国人来るな！　日本から出て行け！」

その時、私と先輩二人だけが中国語で話していたので、その話は、間違えなく私たちに向けられていた。そして、その男性が私たちとすれ違ったとき、私たち見ることなく、またこう言った。

「コロナウイルス、出て行け！」

この言葉を聞いて、私は、不安な気持ちと共に、心が苦渋に満ちた。

「私のせいじゃないのに、なんでそんなひどいことを言うの？」

「中国は今最善を尽くしているのに、どうして理解してくれないの？」

私は中国の努力の日々を彼に説明しようとしても、その男の勢いに怯え、結局何も言えなかった。

そのがっかりした出来事の二、三日後、私はやっと落ち着いて、その男の行為をほんの少しだけ理解できるようになった。未知な出来事にあった時、人間はみんな同じようにまずは不安や恐れを感じ、そして敵対の気持ちを持つ。これはどんな人でも避けられないことである。しかし、人が高等動物と呼ばれる理由の一つは、社会性を持っているということだ。つまり、人間がお互いに理解しあうことでこそ、絆が作られ、より良い世界が築かれるのだ。

差別待遇があれば、必ず差別待遇と戦う力がある。

こういう記事を読んだ。日本のある小学校は、新型コロナウイルスに関連した人権問題への配慮について親たちにお知らせをした。このお知らせの中には、特に中国や武漢市に関わりのある人々への謂れなき差別発言等が懸念されることが書かれていた。

「ご家庭におかれましては、お子さんとの語らいの中で、正しい人権意識が育つようご配慮願います」

この記事を見て、私は心が温められ、思わず微笑んだ。今回この未曾有の惨事の前に、差別ではなく包容、敵意ではなく援助の手を差し伸べる。日本の学校が子供たちにこのような考え方を教えることは、この暗い気持ちの中の私にとって最大の励ましとなった。

それだけではない。繁華街で武漢に寄付を募る日本の女子高校生も、「山川異域、風月同天」と書かれた中国への医療支援物資も、この全ては差別意識を乗り越えることで発した行動だ。これらの行為を見た私は、まさにみんなが国を問わず同じ気持ちで、共に今回の危機を脱したいのだと強く感じたのである。

私は、以前からずっと「一心同体」という言葉が好きだ。それは、複数の人間が心も体も一つになるほど強く結びつくという意味で、中国語の「万衆一心」という熟語によく似ている。差別意識を克服してこそ、「万衆一心」の真心が持てる。さらに、今の世界は国と国、人と人が密接に繋がっているので、このような災害に遭ったら、誰も逃れることができない。今回の災難に対し、「人類運命共同体」のもと、我々は果たして「万衆一心」を実現できるのか。また、コロナを例にして、全世界の人が将来再び大災害に遭ったとき、差別意識を持つのではなく、どうやって一緒に困難を乗り越えるか、人と人の間はどうすればお互いにより一層理解できるのか、これは今回の災難が私たちに残した課題ではなかろうか。

「相知に遠近なく、万里なお隣たり」。友よ、一緒に困難を乗り越えよう！

（指導教師　加藤靖代）

★三等賞　テーマ「新型肺炎から得られた教訓や学んだこと」

地方による偏見から学んだこと

河北工業大学　張九九

「その酒粕を食べるな」と父に厳しく言われた。

「どうして、いつも私と一緒に楽しんで食べていたのに」。私はがっかりして、大声で問い詰めた。

「それはどこの製造か知らないの。湖北省なんだよ」と父は少し焦った顔をして、返事した。

父の新型肺炎に対する偏見を意識したのはこれが初めてだ。他人と同じように湖北省に対して偏見を持っていた。私はがっくりして、いろいろ考えてから、ただ「分かった」と答えるしかなかった。

新型肺炎のせいで、人々はほとんど毎日のように家にこもり、食料の備蓄はこの非常時で最も大事なことになった。商店に行って、人々は慌ただしく買い物をしていた。それにしても、彼らは「武漢」や「湖北」などの字に対して、特に敏感だ。食品の包装紙にそんな字がある限り、買う意欲はまったくない。すぐに離れていって、振り返ることもしない。かつて人気を呼んでいた「武漢熱乾麺」さえ店員は棚の隅に置き、誰も尋ねないといった状況だ。

私は「武漢熱乾麺」の味が大好きで、今、「武漢熱乾麺」はかわいそうに棚の隅に置かれて、買いたいと思ったら、「すみません。もう賞味期限を過ぎていました。取り除きます」と店員が言い、さっと回収した。「新しいのがありますか」と聞くと、「ありません。あなたも面白いね、今、湖北省からの食品は誰も買わないけど」と店員は不思議な顔をして答えた。

これがいわゆる「偏見」なのだろう。今、武漢市ないし湖北省は一部の人に色眼鏡をかけて見られ、さらに湖北省出身の人は疫病神のように扱われている。それは湖北省が新型肺炎の最悪の被災地だからだ。

このような「偏見」は私の高校時代にもあった。それは、理系から文系に変えた私がほかのクラスメートに偏見をもって見られたことだ。

高校に入って、私は物理と数学のことを徐々に理解できなくなっていった。ただ他の学科のおかげで、総合成績はクラスで中間というところだった。高校一年生の終わり、私は理系から文系に変更することにした。

両親は私の決定を尊重したが、先生たちはびっくりした。「どうして文系に進みたいの」とか「文系に進むと、良い将来はない」などの言葉を浴びせられた。それでも文系の先輩が背中を押してくれたので、私は迷わなかった。クラスメートからは「理系の内容が簡単なら、文系を選ぶものか」「理系から文系に進む学生はおろかなやつだ」と言われた。

心細さを抱きながら、文系の授業を受けた。みんなの言葉通りにはならず、私は学べば学ぶほど、文系の授業の面白さを見つけた。私の成績も向上し、奨学金も受けることができた。最終的に、文系に進んだ選択は正解だと私は思った。

大学入試後は、アニメの影響もあり日本語を専攻しようと思っていた。両親や親友は反対し、法律専攻をすすめた。彼らの「偏見」によると、外国語を専攻にすると、ストレスがたまりやすいそうだ。そして、外国語を学ぶことは国を愛さない表現の一つだとさえ言ってきた。グローバル化は著しく発展しているとともに、国を越えた関係構築が不可欠になっている。二十一世紀になり、この流れを積極的に進めていくのが私の役割だと信じている。したがって、彼らの意見に反対し、沈黙を守り自分の信念を貫いて日本語学科を選んだ。大学二年生の私から見れば、高校の時と同じく、日本語を選択したことに後悔は一切ない。

このように振り返ってみると、知らないうちに私たちは偏見に取り囲まれている。言うまでもなく、とらえ方は自由だ。「偏見」に屈することなく、「激励」と捉えてはどうだろうか。人は考えている限り、偏見がなくなることはない。したがって、私はこれからあらゆる「偏見」を自分の力にして、自分の信念を貫いていきたい。

こう考えた瞬間には、大好きな「酒粕」と「武漢熱乾麺」を購入していた。好きなものに対して止められる人は誰もいない。私は、満面の笑みでこの「偏見」に立ち向かうことにする。


（指導教師　前川友太、陳建）

★三等賞　テーマ「ありがとうと伝えたい―日本や世界の支援に対して」

感謝の気持ち、繋がる気持ち

四川外国語大学　沈子新

新型コロナウイルスが中国で蔓延し始めたとき、日本をはじめ世界各国から次々と支援の手が差し伸べられたことは、私をはじめ多くの人々の心を打った。私は自粛生活の最中に毎日様々なニュースに触れ、世界中の皆の気持ちが繋がっているのを感じるとともに、様々な思いが頭に浮かんだ。

中国で最初に爆発的感染が発生した際、政府や地方自治体レベルで、続々と支援物資が中国に送られてきた。私自身も入手困難だったマスクを日本人の友人から送ってもらったり、心温まるメッセージを受け取ったりした。また中国が暗闇の中を手探りで彷徨っていた時、救いの手を差し伸べてくれた日本に対して、中国のSNS上では感謝の声が溢れていた。

「武漢は孤独ではない、日本も応援しているよ」と感じさせてくれた恩を、中国人はきっと忘れないだろう。もちろん世界各国から多くの支援を受けたが、中でも日本は特に注目されていたように思う。「漢詩付きの支援物資」や「中国出身の人たちが日本で恩返しにマスクを配る」といった人情味あふれるエピソードは日本でも報道されたと思う。

それはさておき、私は違う視点にも注目している。最近ある日本人の先生とチャットをしていて、少し気になる事があった。先生は中国のために色々な応援をしてくれたのだが、中国のドラマを見たことがないと言っているのを聞いて、私は少し不思議に思った。もちろん日本人の中国に対する理解度がそれほど高くないことは知っている。それでも熱心に応援してくれるのは、人道支援の気持ちが働いているからだろうか。今回の日本人支援者の中には、私たち中国人についてほとんど知らないという人が少なくないかもしれないが、それこそが世界中の人々の気持ちが繋がっている証拠で、その気持ちだけでも充分ありがたいと思う。そして、私には感謝の気持ちとともに、それをきっかけにもっと交流が増え、相互理解が深まってほしいという期待もあるのだ。

日本において中国に関する報道では、先程のような心温まる記事も大いに報じられたが、それ以外の多くは感染状況に関するものばかりだと感じた。できれば中国の日常や生活事情、また今回の危機が起こる前から中国人がウイルスと戦っていた様子なども一緒に報道してもらえればよかったと思う。互いをより深く知ることこそが、相互理解の第一歩となるはずであり、メディアには今後も私達との懸け橋のような役割を担ってくれることを願う。

一方で、最近海外のネットニュースを見ていると中国人に対する偏見や差別的コメントをよく目にする。そうした発言が発端となって中国人が売り言葉に買い言葉で反論し、結局大喧嘩になってしまったこともある。昨今の貿易戦争が原因で、中米関係はここ数十年で最低の水準まで冷え込んでいる。今年の一月に中米両国はやっと第一段階の合意に達し、両国関係が好転するかに思えたが、新型コロナウイルスをめぐる言動がそれに水を掛ける結果となってしまった。日本や世界からの支援に感謝する半面、一部の人々の罵詈雑言に屈辱を覚えて、複雑かつ矛盾した気持ちを抱える中国人もいる。中国語には「どこの家にも困ることはあるものだ」という意味の諺があるが、どの国も困難にぶつかる時があるだろう。他国の人はそれを対岸の火事にするのではなく、助け合うことこそが世界平和の正しい道だと思う。

今回の危機を通じ、世界が負った傷はあまりにも深い。一方で今まで隠れていた問題点が浮き彫りになったことにより、それらの問題に向き合う機会ができたという面もある。この騒動が落ち着いたら、一人一人が自分自身の心と対話してほしいと思う。それぞれ考え方が違っていても、私達の心は間違いなく繋がっている。私自身もこの繋がりがより強固なものになるための架け橋となりたい。それが私なりの感謝の気持ちだ。そして、いつの日か本当の相互理解が実現できる日がやってくることを私は信じている。

（指導教師　張瑞潔）

★三等賞　テーマ「ありがとうと伝えたい―日本や世界の支援に対して」

「空気」に感謝したい

天津理工大学　李潤淇

二〇二〇年の早春、人の往来が盛んで、賑やかなアメリカ・ニューヨークのタイムズスクエアに、マスクとゴーグルをつけていて、「ウイルス」のラベルだらけの少年が街頭に立っていた。「私はウイルスではありません。ラベルを剥がしてくれませんか」と書いた看板が彼の足元に置いてある。最初は、あまり見ないで通り過ぎてしまう人が多かったが、次第に足を止めて、看板をじっくり見たり、ラベルを剥がしてあげてハグしたりする人も出た。

パフォーマンスアートのようなものであるが、それが出たのはそれなりの背景があると思う。つまり、新型コロナウイルスの感染拡大に伴って、世界中に、「心理的なウイルス」として、新たな人種差別主義の兆しが現れていたのである。

新型肺炎が世界中に広がっていた後、一人の中国人の留学生がベルリンで二人の女性に暴行を加えられた。それに、これは唯一の事件ではない。海外に住んでいる中国人がよくこのような目に遭っているという。実は、中国人だけでなく、同じ色の肌をしているアジア人全体が差別されているそうである。

一体どうしてこのような状況になってしまったのだろう。

新型コロナウイルスは中国から発生したものであるということももちろん関係があるが、悪意や偏見を持っているマスコミは、このような差別を助長したと思う。二〇二〇年一月二十六日、フランスの地方紙『Le Courrier Picard』（クーリエ・ピカール）は新型コロナウイルスを人種と結びつけた最初の新聞紙となって、「黄禍」をテーマにした記事を発表した。その後、中国の国旗と新型コロナウイルスを組み合わせた漫画のような下品な趣味、人種差別主義を持った報道が相次いで出てきた。大きな影響力を無視した不謹慎なマスコミが公然と人種差別の言論を展開し、民族矛盾を煽る。言論の自由を口実に平和を脅かす発言を宣伝するのは悲しいことだ。「心理的なウイルス」は紙媒体だけではなく、インターネットでも広まっている。

しかし、影がある所には必ず光がある。マスコミほどの影響力はないかもしれないが、自分なりの方法で真実を伝えようとする人もいる。平等を求めている多くの人達は、Youtube（ユーチューブ）やTwitter（ツイッター）などのメディアに解説動画を投稿し、この新たな人種差別と闘おうとしている。

彼らはもちろん世界を変える力を持っているとは言い難く、直接にウイルスに影響を与えることも難しいが、名前も人々に知られずに新型肺炎と戦っている。もしかすると、彼らは私達と擦れ違った人、或いは極普通のサラリーマンかもしれない。私達は彼らが誰だか知らなく、彼らも私達が誰だかを問わない。彼らはただ無知な差別や偏見を減らそうとそっと手を伸ばして、私達の協力を求めているだけである。このようにやるのはどれぐらいの力があるのか構わない。自分が自分のやるべきことをやり、このようにすることで、より多くの人が動き出したら力が出ると思っているだけである。この人達は空気のようにどこにでも存在し、そして、この社会の進展にとっては欠かせない存在であろう。

先日、人気声優の谷山紀章さんは「俺正直、ブカンカゼ、ちょろいって思ってる」という内容のツイートをしてしまった直後、多くのユーザーにその発言の不謹慎さを指摘された。日本人の皆さんも私達と一緒に亡くなった命を悼んでいて、世界の損失を悲しんでいるのを直観的に感じる。世界の皆さんは私達と共に悲しみを胸に刻みながら苦難を乗り越えていく姿を見たら、涙が出てくる。中国語検定試験「ＨＳＫ」の日本事務局が湖北省の大学などに送った支援物資の箱に記されていた「山川異域、風月同天」と同じように、このような国や民族を超えた感動は世界の宝物だと思っている。だからこそ、空気のように欠かせない人々に真心を込めて感謝したい。世界中肺炎の感染が拡大している今は、私も「空気」になりたい、何か手伝えることをやりたい。

桜の花びらが舞い散ったけれども、この世は依然として美しい。

（指導教師　孟会君）

★三等賞

小さな力

テーマ「新型肺炎から得られた教訓や学んだこと」

華東師範大学　宋子璇

新型コロナウイルスが猛威を振るっている冬休み。家で、開いた参考書に向かってしかめっ面をしている私。

感染者数が急激に増加しつつあるなどのニュースが流れ、団地からの外出が厳しく制限され、様々な試験が仕様がなく一時中止になり、待ちに待った日本留学も、うまくいくかどうかさえ分からなくなってしまった。すべてがまるで深い淵に陥ったようで希望がないように見え、私も毎日あれやこれやで心配し、だらだらして過ごした。

友達も色々な問題に直面していたそうだ。ある日、友達のAさんとおしゃべりしているうち、近くの病院で働いている彼のお母さんは患者が増えたため、数週間連続で、遅くまで残業しなければならなくなったということを聞いた。お父さんも仕事であまり家にいないし、それならAさんはきっと寂しくてならないだろう。だが、慰めようと思ったとき、Aさんの答えに私はびっくりした。

「寂しいことは寂しいが、平気平気。母は医者として社会に貢献してるのだから。俺も勉強したりご飯を作ったり、大人しく外出を自粛したりして、両親に心配をかけないで、自分なりの貢献ができるのだ。文句を言うしかしないよりましだろ？」

貢献か。言われてみれば確かにそうだ。自宅で隔離された人に毎日野菜や薬などを配る住民委員会係の人達、晴雨を問わず団地の入り口で出入りする車の運転手の検査をする番人たち、マスクをかけながら朝から夜まで町を往復している宅配の配達員たち、Aさんのお母さんのように、ウイルスと闘うべく自分なりに頑張っている人が、身近にたくさんいる。彼らは家に引きこもっている私たちより、言うまでもなくより大きなリスクを負っているが、やはり力の及ぶ範囲で、自分ができることを真面目にすることを選んだ。

こう考えると、尊敬する気持ちが込み上げる一方、自分も何かできるかなと、思わず心の奥に聞いてみた。でも、ちょうどその時、あるクラスメートから、「あたしは今ボランティアとして、肺炎関連情報のビデオの字幕を日本語に訳してる。宋さんも一緒にやらない？」という誘いがきた。未経験で自信があまりないが、これはいいチャンスだと思ったので、私はすぐ引き受け、それからの二日で色々試したり先輩に見てもらったりして、翻訳ボランティアに身を投じた。結果として、いろいろ頑張った甲斐があり、私の訳文が採用された。そのビデオの再生数が次第に上がり、「なるほど」「教えてくれてありがとう」などのコメントがついてくるのを見て、自分もやっと何かができて、みんなと同じ戦線に立ったと、私は嬉しくて仕方がなかった。

この経験のおかげで、私は最近の生活を見直すことができた。ウイルスのせいで色々な不便を余儀なくされて、すべてが暗く見えるのは嘘ではないが、この厳しい状況の背後に、政府はもちろん、数え切れない人々も持ち場を離れず、自分の知識を生かし、試練を乗り越えるために一緒に闘っているのも真実である。住民委員会係たちは物を配るとき隔離された人の心を慰め、番人さんたちは仕事の大変さと退屈さをものともせず安全を確保してくれ、配達員たちも皆の食生活を守るために力を捧げている。確かに、住民委員会係も番人も配達員も、それと私たちのような学生も、皆それぞれの力は異なり、個別で見れば小さくて、互いに関連性も薄いかもしれない。しかし、まさにこの社会のいたるところに小さな、でも根っこのある力があるからこそ、生活は保障を得ており、混乱の中で相対的に安定しており、秩序が保たれ、対策が実を結ぶに違いない。そして、皆もきっとその上で持ちつ持たれつして、自分の役目をちゃんと果たす一方、多種多様の小さな力を合わせ、希望を孕みつつ最後に勝利を収めることができるに違いない。

今、国内外の感染状況は骨を刺すほど寒い冬だが、このような小さな力をもって、一緒に新たな春を迎えたい。

（指導教師　島田友絵）

★三等賞　テーマ「新型肺炎から得られた教訓や学んだこと」

挫折演習

華東師範大学　熊安琪

「時代のほこりは個人に落ちて、それはすべて大きな山です」

二〇二〇年の初め、新型コロナウイルスに不意に襲われ、人々の生活は混乱しました。私の生活も同じです。新しいウイルスの出現は運命の偶然です。この力に押されて、自分の未来はコントロールできない方向に向かって進んでいくようです。

「新型コロナウイルス肺炎のため、三月から日本ビザの発給が停止されます。申し訳ございません」

日本国駐上海総領事館に電話して、ビザに関する事項を聞いた時のスタッフの返事でした。

「そうですか……ありがとうございました」

電話を切った瞬間、頭がやっとはっきりしました。

ビザが取れなくて、四月に日本に交換留学できないという結果には驚きませんでした。世界各地の感染状況が悪化する中、自分の計画に変更があるかもしれないと推測していましたが、一縷の望みを持っていました。領事館の電話は私の前の扉を容赦なく閉じました。

去年の九月、日本に行く交流プロジェクトがネットで発表されたとたん、私はすぐに申し込みました。半年間、大学や専門の選択、校内面接、証明書の申請などいろいろなことに時間を費やしました。ついに日本側の大学から採用通知書が届いた時、本当に嬉しかったです。そのため、大学卒業前の学期ごとの活動と目標まで、はっきりと計画を立てました。休日には憧れていた日本の観光スポットに游びに行こうと海外にいる友達と約束すらしました。将来の二年間の順調な生活に対する情熱と希望を持って、留学に関するすべての準備をしました。でも、この突然で思いがけない出来事で私の未来の計画が崩れてしまいました。

たぶん、人に打撃を与えるのは、挫折よりも、思いがけない事態で未来の計画が全て白紙になることかもしれません。

私は二月に上海にビザをとりに行った時に見た場面を思い出しました。その頃、新型コロナウイルスの感染は深刻でした。普段にぎやかな街は閑散としていました。仕事を再開したばかりだったので、ほとんど人がいなかったのです。通り沿いにはまだ春節の時の様子が残っていました。

「新年おめでとうございます！　七日後にまた会おう」「春節期間中は休業しません！　半値セール！」

多くの店ではこのような言葉を書いた掲示がまだガラスの窓に貼ってありました。ネオンがついている店もたくさんあります。道端の梧桐（アオギリ）の木にはまだ赤い提灯が掲げられています。これはこの街の人々が春節を迎えるために心を込めて作った飾りです。しかし、目の前のこれらの真っ赤な飾りは、寒風と誰もいない大通りの中では物寂しく感じられました。

この冬休みに、このような恐ろしい災難が起きるとは、店主たちも思っていなかったでしょう。彼らもきっと、私と同じように新年の新しい生活に対する期待を持って、春節休暇が終わったら早くこの街に帰って働きたいと思っていました。そうした平凡な願いも、今年は実現が難しくなりました。

三月になると故郷の状況も徐々に回復し始めました。でも街を歩いていると、商店街の多くの店舗に「転貸」や「閉店」の張り紙が貼られているのを見ました。ネットでは「これからどうやって生きていけばいいのか」という希望を持てない人の話をたくさん見ました。私は少しずつ元気が戻ってきています。私の受けた挫折は、仕事を失ったり、愛する人を失ったり、信念を失ったりした人たちに比べれば、取るに足らないことです。

今回の様な不意打ちの出来事はだれも予測ができませんが、いったん起こったら、それまでの生活を全て変えてしまうような影響力があります。私も初めは見事に打ちのめされました。その一方で世界は不確実で「絶対」はないことを知りました。挫折が本当に来たときに立ち直れるのは不確実を予測している人かもしれません。そう考えると、今回の「挫折演習」も私にとって非常に意味があることだと思えるのです。

（指導教師　島田友絵）

★三等賞　テーマ「新型肺炎と闘った中国人たち――苦難をいかに乗り越えたか」

苦難を乗り越えるには

杭州師範大学　蔡　格

今年の春節、この突然やってきた新型肺炎の流行は全ての人にとって巨大な試練となった。私の従弟は高校三年生で、中国の学生にとって重要な六月の大学入試を控えており、受験勉強の真っ最中だった。

彼は母親を少し前に亡くしており、その悲しみからまだ抜け出せずにいた。そんなところに、突然の流行で更にショックを受けた。田舎に住んでいる従弟は、暮らし向きも貧しい。私はたまに従弟の様子を見に行っていたが、今年の冬休みにもそうすると「お姉さん、もう耐えられないよ」と絶望的な顔で私に言った。その顔を、今でも忘れられない。

従弟の話では、今回の新型肺炎の流行で、高校生も家でインターネット授業を受けることになったという。それは、従弟には難題だった。彼の家は貧しく、携帯やパソコンが買えない。家には十分な電気設備がなく、村のネットワークもネット授業を受けられるほど速くない。

「試験のストレスだけでも大きいのに、何でこんな災難が降りかかるんだろう。ネットなんかないから、授業も受けられない。学習計画が完全に狂っちゃったよ」と従弟は言った。湿った部屋の暗い明かりの下で、彼が歯を食いしばって拳を握り締めているのがわかった。「本当に絶望してる。大学に行くのは子供の頃からの夢だったのに……。勉強のチャンスさえ与えてもらえない」と言いながら、従弟は泣いていた。

新型肺炎の流行は全ての人の生活に影響を与え、もはやそれまでの秩序や規律はなくなり、不穏な空気がますます濃くなっているように思う。従弟に限らず、今年の受験生は、焦りや心配を顕にしている。彼らはSARSが流行した時代に生まれ、新型肺炎が蔓延している時代に入試に臨まなければならない不幸な世代であり、「プレッシャーが強い」世代であると言われている。

しかし、彼らは同時に愛の時代に生まれた世代だとも思う。私の故郷の汕頭市の「中国移動（電話通信会社）」は、今年の二月に貧しい学生へ二〇ギガのパケットを送った。私の友人のお母さんは、湖北省の深刻な医師不足に対応するため、感染のリスクを冒して自ら武漢へ応援に行った。私の大学も貧しい学生に一人あたり数百元（一元は約十五円）の補助金を支給している。支援の愛が困窮する人々を奮起させ、苦難に屈服しない心を生みだすのだ。私もそのように、他人を助けられる人間になりたいと思っていた。

従弟を見れば、貧しさが簡単に人を打ちのめすことがわかる。彼を助けるには、まず、端末のない問題を解決するべきだと思って、携帯電話店に行った。すると、私の意図を知った親切な販売員が安くしてくれた。「私ができるのはこれくらいです。従弟さんが授業をスムーズに受けられることを願っています！」と販売員は言い、温かく笑ってくれた。私は自分の貯金を支払いにあてた。

その後、従弟の先生にも連絡し、現在の苦境を詳しく説明した。先生は従弟のために個別指導をし、これまでのネット授業で受けられなかったところを補講すると約束してくれた。

従弟には私の家族しか親戚がいない。村のネット事情の悪さも考え、従弟を私の家に連れて来られないかと両親に相談した。両親は喜んで同意してくれた。今、従弟は私の家にいる。他の高校三年生と同じように、インターネットで授業を受け、復習し、宿題をすることができるようになった。みんなからの愛で、従弟は自信を取り戻した。

従弟の経験は、中国の数千万の貧しい学生の縮図だ。しかし、愚痴や落胆はやめよう。自分を応援してくれる誰かがきっといるからだ。人生には、大なり小なりの苦難が訪れる。その一部は、個人の力では克服が困難だ。でも、幸いにしてこの世界は冷たいばかりではない。至るところに優しい愛がある。それがあれば、人は苦難を乗り越えられる。だからこそ、みんなが苦しんでいる人を応援し、立ち向かう勇気が持てるように手助けするならば、今回の未曾有の国難を乗り越えられる日もきっとやってくると思うのだ。

（指導教師　洪優、南和見）

★三等賞　テーマ「ありがとうと伝えたい――日本や世界の支援に対して」

楊ちゃん、あなたはどう思う？

魯東大学　楊偉佳

「楊ちゃん、中国で新型コロナウイルスがひどくなったって。楊ちゃんは気をつけてね」「楊ちゃんは家にいてつまらない時、私に連絡してね！」

これは、今度の新型コロナウイルスが中国に広がっていた時、日本人の知り合いの佐藤さんが私にくれたメッセージだ。

正直に言えば、新型コロナウイルスの感染が爆発していた初期に、世界各国は中国にどのような対策を取るか、中国を封じ込めるか、中国を援助するか、これは多くの人が関心を持つことであっただろう。

百万枚のマスク、防護服、防護メガネなどの防疫物資、これが日本の答えだ。それに対して、「やっぱり中日は善隣友好の両国だね」という考えの人が多かった一方で、「あくまでも利益のためだよ」「今、中日の関係は深くなっているから、日本は自分の道を作るためにしたんだよ！」「中国を援助した国は日本だけか？　どうして日本は大したことをしていないのに、みんなしきりにありがとう、ありがとうって言うの？　以前のこと、もう忘れたの？」というような考えの人も少なくなかった。

「あなたはどう思う？」私の心は私に問いかけた。

この質問にまだ答えられないうちに、日本の感染が広がっていた。そして、今度は中国が日本に防疫物資を援助したのだ。「あの百万枚のマスクだって最終的には日本に返したんだ。ほんとにうまいやり方だ！」「中国を援助したのはこういう事態に備えてのことだったんだ！　我々は恩を売られたのさ！」「日本はどうして中国を援助したんだ？　中国のために？　うそ！　日本のためにだよ！」「日本人は打算的だなあ」というような声もどんどん出てきた。

「結局、これは両国の政治的利益の問題なのか」。私は困ってしまった。

ピロン。

「楊ちゃん、日本の感染も広がってきた。一緒に頑張ろう！」「楊ちゃん、私の大好きなジョギングはだめだけど、家でも運動できるよ。最近、瑜伽（ヨガ）が好きになったよ！」「楊ちゃん、家できれいな日の出の写真を撮ったんだ！　楊ちゃんに送ります！」「楊ちゃん、私、中国語をちゃんと勉強しているよ。今度会った時、楊ちゃんはきっとびっくりするよ！」

佐藤さんのメッセージだ。

「まさか、彼は日本政府から派遣されて私と付き合っている？」。私は自分の考えに驚いた。「ばかばかしいよ！　こんな考え！」

でも、ばかばかしいこの考えのおかげで、私はあることに気がついた。日本が中国へ援助してくれた物資には、政治的、外交的な意味があることを否定できないかもしれないが、この中に、向こう岸からの思いやり、関心、同情が込められているのは絶対に否定できない。好意にほかのものが入っているからといって、好意そのものをすべて否定するのは理性的な考えではない。また、好意に入っている「ほかのもの」は多くの人に否定されたが、逆の視点から見れば、これは一つの付加価値ではないか。感染の被害が抑えられると同時に、両国がより仲良くできるのは、錦上に花を添えることではないか。

ピロン。

「楊ちゃん、『山川異域、風月同天』、これ、大好き！『住む場所は異なろうとも、風月の営みは同じ空の下でつながっている』って素敵ね！」

「そうね！　素敵な意味だよね！」

私はこの場を借りて、「ありがとう」と伝えたい。そのマスク、防護服、防護メガネが中国の多くの人の健康を守ってくれたことに、「ありがとう」と伝えたい。日本から中国に渡った思いやり、関心に、「ありがとう」と伝えたい。佐藤さんのように、中国人を心配してくれた日本人に、「ありがとう」と伝えたい。それに、日本を援助した中国、中国人に、「ありがとう」と伝えたい。私の心を温かい気持ちにさせてくれて、ありがとう。

あっ、そうだ。佐藤さん、「山川異域、風月同天」という詩の中には、「国の制度、社会意識、人々の考え方が違っても、同じように生命を尊重してくれて、ありがとう」という意味もあるかもしれないよ。

（指導教師　山田茜）

★三等賞　テーマ「新型肺炎と闘った中国人たち―苦難をいかに乗り越えたか」

赤い帽子のボランティア

青島大学　王鑫鑫

二〇二〇年、新年早々、青島駅は夜明け前から大きなカバンを携え、故郷で新年を祝おうとする学生や労働者たちで、パンク寸前に膨らんでいた。遠く武漢で硝煙のないコロナ戦争が静かに始まっていただなんて、ゴキブリ一匹さえも気づいていなかった。

今回のコロナウイルス防疫戦争では、最前線で医療関係者、解放軍の兵士や建築労働者たちが果敢に敵陣に斬り込み、後方でボランティアたちが感染拡大防止に、こまめに働いている。

家に隔離され始めた頃、朝カーテンを開けると、団地の入り口で赤い帽子のボランティアたちが、出入りする人の額にサーモガンで照射して、体温をチェックしているのが見えた。ある朝、マスクを忘れたまま小学生が飛び出してきた。ボランティアのおじさんがすぐに自分のポケットから新しいマスクを取り出して、しゃがんで子供にかけてあげ、「外にはウイルスがうようよいるから、これからはきちんとマスクしてから出かけるんだよ」と根気強く諭していた。

その後、私は何回もあの赤い帽子のボランティアおじさんを思い出した。そして、ボランティアをしてみたいと思った。しかし、テレビ番組で感染の危険性があることを知り、あっさりと諦めた。とは言え確かに、一カ月間ほど、何回も心理的に葛藤を続けていた。そして遂に、私もあのおじさんのようにボランティアになろうと決心をした。これを母に伝えたら、最初はとても心配していたが、一時間後には温かく私の両手を握り、励ましてくれた。

ボランティアの仕事は思ったより難しい。団地には千百戸近くの住民がいて、人や車の出入りが頻繁だ。持ち場での初日、不慣れなため、体温を測るのに他のボランティアより長くかかった。住民の中には時間の余裕がなく、私の横をすり抜け、電動自転車に乗って、走り去っていく人がいた。「見逃さない」という測定原則をしっかり守ろうと思って、私は懸命にダッシュして追いつき、その人の苦言も聞きながら、確実に体温を測らせてもらった。ボランティアをした当初、住民の協力なしでは私の役割が無意味になってしまうと、強く思い知らされた。そんな時には、しゃがんでマスクをしてあげ、その遠ざっていく小さい背中に微笑んでいる赤帽子おじさんの姿が蘇ってきた。と同時に、私の全身に力がまたみなぎってきて、続けて仕事に打ち込むことができた。

感動的な出来事もたくさんあった。ある日、マスクをしていない小学生を見つけたので、走って追いつき、彼女にマスクをかけてあげた。その子は「私もお姉さんのように、ボランティアになりたいなあ」と、笑顔を返してくれた。また、医療資源不足のためにある期間、私たちはマスクと手袋の節約を強いられた。そんなある日のこと、テーブル上に新しいマスクと手紙が添えられてあった。手紙には「安全には注意してくださいね」と、書かれていた。届けてくれた人を、誰も見ていない。それから数日間、毎日新しいマスクと手紙が届いた。「頑張ってくださいね」とか、「あなたたちがいるから、安心して生活できます」とか書かれていた。思い出すたびに、私の心は熱くなってくる。

差し入れの主は最後まで分からずじまいだった。その主が誰であるにせよ、私にとって、ボランテイアはとても有意義だった。あの時、赤帽子おじさんはなぜいつも温かい笑顔でいられたのか。最近、私はやっと理解できた。私たちボランテイアが住民を助けると同時に、住民たちも黙って温かく、私たちを見守ってくれているからだ、と。

四カ月後の今、私たちは防疫戦争の第一ステージに勝利しつつある。最後の瞬間まで全力を尽くしたボランティアたちは赤帽子を外し、サーモガンを机上に置いた。みんな第二ステージでの勝利も約束しながら、腰を伸ばして家路に着くことにした。このチームの先頭では、赤い帽子をかぶった子供たちがジャンプしながら、遠くまで走り続けていた。

（指導教師　范碧琳）

★三等賞

テーマ「新型肺炎から得られた教訓や学んだこと」

月下独酌

桂林理工大学　李　睿

「花間、一壺の酒、独り酌んで相親しむ無し、杯を挙げて明月を迎え、影に対して三人と成る」

これは李白が詠んだ「月下独酌」という漢詩の一節です。独りで酒を飲んでいたけれど、相手がいないので、月と影を人に見立てて楽しもうという少々物悲しさを帯びた漢詩です。我ながら大げさではありますが、今年の春節に私はこの漢詩をふと思い出していました。

春節というのは、中国人にとって最も重要な祝日です。伝統文化が色褪せ、皆がグローバル化を追求する今日でさえ、春節での帰省や家族団らんは不変的な中国人の心象風景であり、一年を楽しく締め括る上での絶対的なイベントです。

しかし今年は違いました。武漢でコロナウイルスが発生してからというもの、春節だというのに人々は帰省もままならず、親族との外食や土産話を肴にした友との酒宴など、皆が一年で最も楽しみにしていたはずの日常が不意に奪われてしまったのです。

しかしこのどんよりとした春節にあって、私には自分を中国人として誇りに思える感動の瞬間が何度かありました。それはこの未曾有の危機に立ち向かう同胞たちの姿でした。

十二月にコロナウイルスの感染力の強さが確認され、全国各地からの医療チームが続々とボランティアとして武漢入りしました。二〇〇三年のＳＡＲＳと闘った郭軍主任や八十四歳の鍾南山院士もその中におり、柱のような存在として、チームを支えたのです。また、武漢を支援していた医療隊員の中には、私と年齢の変わらない二十歳になったばかりの看護師もいました。新型コロナウイルスは当時まだ未知のものであり、その感染ルートも、効果的な薬も、致死率も、一切何もわかっていませんでしたが、武漢に集まった彼らは神聖たる白衣の天使となって我が身を顧みず、日夜問わずに人命救助に身を投じたのです。その献身的な姿を見て、私は心の中で深く深く感謝せずにはいられませんでした。

一番印象的だったのは、大晦日の演芸会（日本の紅白歌合戦のようなもの）において、防疫前線の医療関係者に対するインタビューでのことです。ある若い女性の看護師さんに対して「あなたは怖くないのか」と番組司会者が聞きました。その看護師さんは「怖いです。でも、このナース服を着たら何も怖くないです」と笑って答えたのです。それを聞いて、私は心の底から感動し、同じ中国人として生まれたことを大変名誉に思いました。

そのとき思い出したのがこの李白の「月下独酌」でした。実はこの漢詩には我々中国人の心に響く深い意味があるのです。李白は「影」を「話さない人」に見立てています。擬人化されたその影はすなわち我々「読者」であり、李白は漢詩を介して大切なメッセージを我々に送っているのです。

中国では「お酒」はよく人生の辛さ、悲しさ、憂いを表す表現として使います。独りでいる物悲しさを忘れさせてくれるお酒と読者である影との対比は「辛いことや寂しいこともあるけれど、お互いに頑張ろうよ」と我々を励ますメッセージだったのです。私は李白がこの現代のコロナ禍を予言していたとまでは言いませんが、なにか春節でも隔離され、親族友人と過ごすこともできず、寂しくしている我々や本当は怖いはずなのにウイルスと勇猛果敢に戦っている医療関係者を遠い古の時代から「月が私たちを照らしているじゃないか、酒でも飲んでお互いに頑張ろう」と励ましているように感じたのです。私には李白もまたこの新型肺炎と戦っている中国人の一人なのかもしれないと思わずにはいられませんでした。

このように、我々中国人には古より互いに励まし合いながら、辛い時を乗り越えてきた精神があります。私は今回の新型肺炎との戦いを経てこの精神を学ぶことができました。戦いは今もなお続いています。しかし私はこれからどんな困難が来ようとも、きっと乗り越えられるはずだと信じています。

（指導教師　董麗仙、小出康弘）

★三等賞

人の優しさ

テーマ「新型肺炎から得られた教訓や学んだこと」

天津科技大学　繆蓮梅

人生で一番楽しいはずだった二〇二〇年。それは年明けとともに崩れさり、最悪の一年になろうとしていた。

去年の十二月、期末試験が終わった私は大学の寮を出て一人暮らしを始めた。三月末に日本に留学するので、日本で充実した留学生活を送るために、天津の日本料理店でバイトをして日本語会話に慣れようと思ったからだ。二年間ずっと頑張ってようやくもらった留学資格。私は留学するのが楽しみで、春節も故郷に帰らずに働いていた。

そんな時、中国の武漢で新型コロナウイルスが発生した。感染者は中国全土に広がり、手のつけられない状態になった。

政府から休業要請が出て、バイト先の日本料理店は休業することになった。そして最悪なことに、日本の大学から中国の留学生の受け入れを中止するというメールが届いた。留学の延期もできないらしい。バイト先で日本語会話を練習するどころか、楽しみにしていた留学のチャンスまで奪われてしまった。私は留学できない悔しさと失望感で立ち直れなかった。

更に悪いことは続いた。新型コロナの影響で、大学では通常の授業を中止してネット授業を行うことになった。いつ通常の授業が始まるか分からないし、大学キャンパスは封鎖されて荷物を寮に置けないから、故郷に帰ることもできない。何もできない私は天津の狭いアパートでたった一人で生活しなければならなくなった。

天津の飲食店はすべて休業し、街から人と車の姿が消えた。一部のスーパーと薬局が営業していたが、マスクはどこに行っても売り切れだった。初めての一人暮らし、買い物も自炊も食事も全部一人でしなければならない。家族とは離れているし、友達と会いたくても感染の危険があるから会えないし、私は一人暮らしの孤独とウイルス感染の恐怖で絶望感を感じていた。

そんな時、虫歯の痛みがひどくて耐えられなくなった。調べてみたらこんな時期にも営業している歯科クリニックがあったので行ってみた。そこは夫婦で個人経営をしている小さなクリニックだった。

「痛くないから、安心して」

奥さんは私の緊張に気づいたのか私の手を握って緊張をやわらげてくれた。治療が終わると、旦那さんも加わっておしゃべりが始まった。私が一人暮らしをしていることを話すと、ご夫婦は私を心配してクリニックの二階にある彼らの住居に私を招き、食事をごちそうしてくれた。

「遠慮なくたくさん食べて」

「これからごはんに困ったらうちに来て。お米ならいくらでもあるから」

久しぶりに人の優しさを感じて、私の心は温かくなった。嬉しさと安堵感で知らず知らずのうちに涙がこぼれた。

「どうしたの？」

普段、めったに弱音を吐かないけれど、今まで我慢してきたことが一気に開放されて、私はこれまでのことをご夫婦に素直に話した。

「それは大変だったね。マスクはあるから持って行って」

「誰でも辛い時はあるよ。困ったことがあったらいつでもこっちに来てね」

ご夫婦は親身になって私の話を聞いてくれ、私の安全を心配してわざわざ車で私のアパートまで送ってくれた。

自分のアパートに帰ると、日本人の先生からメッセージが届いていた。

「まだ天津にいますか？　今中国は感染者が増えているからとても心配しています。生活は大丈夫ですか？」

普段は厳しい先生がわざわざ日本からメッセージをくれたことに私は感動した。その先生はその後も心配して何度もメッセージを送ってくれた。家族や友達も私のことを心配して連絡してくれたり、野菜や果物を送ってくれた。

今回の新型コロナで私は日本へ留学できなくなった。辛い一人暮らしも経験した。でも、そのおかげでこれまで気づかなかった人の優しさに気づくことができた。新型コロナによって人と人の距離は広がったけれど、心の距離は縮まったことを実感した。

今回の新型コロナによって私は前より強くなれた気がする。そして、人の優しさの大切さを感じることができた。これから私も優しさを与えられる人間になっていきたい。

（指導教師　邱愛傑、井田正道）

★三等賞　テーマ「新型肺炎と闘った中国人たち―苦難をいかに乗り越えたか」

恐怖心を消す方法

東北財経大学　喬十恵

私の祖母は夢を見た。

祖母は電車に乗っている。しかし、電車は突然止まった。そして外を見ると大勢のゾンビが電車を囲んでいる。ある人が「コロナだ。コロナが来たぞ」と叫んだ。そして、他の乗客は次々と襲われていく。最後に祖母一人が残った。そこで祖母は目が覚めた。

精神科医のフロイトは夢に現れるものは、現在の欲望や感情であると言った。日本に住んでいる祖母は、よく悪夢にうなされることがある。私も自宅待機中、新型コロナの情報を見ながら恐怖を感じている。この感染症は治るのか、自分は安全なのか、いつロックダウンは解除されるのか、毎日すごく不安で恐怖を感じながら過ごしている。そこで、なぜ人はこんなに恐怖を感じるのか考えた。

以前、私は人前で話すことが怖かった。知らない人と話したら顔がすぐ真っ赤になり、ずっとドキドキして心臓が飛び出るほどであった。だから、当時大学で心理学を専攻していた私は先生の所に行って、初めてカウンセリングを体験することにした。カウンセリングとは、カウンセラーの自己一致（純粋性）、無条件の肯定的配慮、共感的理解という三つのスタントを持って傾聴することが大切である。クライアントの心に寄り添い、じっくりと話を傾聴してその経験を理解する。すると、カウンセラーとクライアントの間にラポール（信頼関係）が生まれ、その関係を通じて、クライアントはありのままの現実に目を向けることができるようになる。これまでとは違った視点で世界をとらえることができ、心の変容が果たされ、快方へと向かうのだ。

私は先生に傾聴してもらううちに、自分には自信がなく、顔は不美人だと思い込んでいたことがわかった。その後、他人の応援や共感を理解した上で、ありのままの自分を受け入れながら、理想の自分を目指す努力をしている。今も時々まだ恐怖心はあるが、その時は「これが私の全て。完璧ではないけど、いい所でもある」と心で信じれば、すぐ自信満々に変わることができる。

自分の専門知識を活かして「私が出来ることは何だろう」と考えた。二月初旬、日本国内で感染者がじわじわと増えていた中、私は週三回ぐらい京都に住んでいる祖母とテレビ電話をした。「おばあちゃん。最近は元気？体の調子はどう？」と私が聞くと、祖母は「ずっと家にいるから、毎日不安でたまらないよ」と答えた。私は以前のカウンセリングの経験を活かし、まず祖母の話を傾聴した。そして「応援してるよ。おばあちゃん」と言い、毎回の電話を通じて、いつも応援していることを知らせ、また中国全土の戦いを語り、新型コロナは戦えないものではなく、恐怖心は取り除くことができると説明した。その後、祖母は恐怖心が消えて行った。今では、毎日運動をしたり、料理を作ったりして楽しく過ごしている。私は言葉では言い表わせないほど嬉しかった。

現在、全世界では恐怖が漂っている。日本では東京をはじめとする七都府県を対象に発令された緊急事態宣言を受けて、多くの人々が自宅待機し、巣ごもり生活を余儀なくされている（二〇二〇年五月執筆時）。そんな中、私が出来ることは、恐怖に陥ること自体は悪いことではなく、うまく対応する方法はあると多くの人に知らせたいと思う。例えば、親友に自分の心理状態を話すことで気持ちを受け入れてもらったり、相手の話を聞くことによって、お互いがポジティブになることが出来る。

今、私は日本語翻訳の大学院生であり、心理学の知識も身に付けている。今回の新型コロナを見ると、未知のものを恐れるのは自然なことである。恐怖心は、自分の身を潜在的な脅威から守ろうとする人間の本能である一方、このような心理を乗り越えば、私は危機的状況の下でも、人々はお互いを支え合い、勇敢に振る舞うことが出来ると信じている。これからも一生懸命に心理学と日本語を学び、将来は中国人と日本人、そして世界中の人々の心理的問題を解決できる専門家になりたいと思う。

（指導教師　佐藤重人）

★三等賞　テーマ「新型肺炎と闘った中国人たち――苦難をいかに乗り越えたか」

みなヒーローだ

北京科技大学　謝絮才

道の脇に立っている男性が、車の中の妻に向かって、「無事に帰って来いよ！　帰ってきたら、一年間の家事は全部俺に任せろ！　分かったか！」と言った。車内の妻は静かに涙を拭った。彼の目は赤くなり、声はかすかに震えていた。

これは私の姉と義兄で、二人とも医者だ。姉は呼吸器内科に所属し、義兄は循環器内科の医者だ。二〇二〇年一月下旬、姉は湖北省を支援する医療チームの一員として、出発した。姉の夫は、湖南省の病院に残って、新型コロナウイルスと闘うことになった。

その時、私はまだ東京に留学していて、帰国していなかった。一月の日本の状況は中国に比べて良かったが、あまり楽観的ではなかった。当時はどこもマスクが買いにくくなっており、寮の近くのコンビニでも品薄が続いていた。私自身もマスクが十枚ほどしか残っていなかったので、毎日大学に行く以外は、できるだけ外出しないようにした。「日本には花粉症に苦しんでいる人が大勢いるのに、マスクがなければこの春をどう乗り越えればいいのか」。私はそう思いながら、姉のことも心配で、焦慮に駆られることになった。そんな時、日本が大量のマスクを中国に寄付したというニュースを見た。涙が出そうなほど感動した。

姉は湖南省を出発する前に、私に電話をかけてきた。「ウイルスとの闘いは大変かもしれないけど、私は孤独じゃないよ。私の周りには、一緒に闘っている何万人もの同業者がいるから」と姉は言った。

姉は湖北省に到着すると、すぐに仕事に身を投じた。当時、中国では医療物資が足りず、世界各国の援助を受けていた。防護服のコストは高く、医療関係者はみな節約のため、着ると長時間作業を続けていた。姉は毎日朝七時半から午後二時過ぎまで働いていて、一日に八十枚以上のＣＴ検査報告書を見たこともあり、勤務の後にようやく食事にありつけていたそうだ。

半月後のある日、姉は夜勤が終わった後、突然高熱を出し肺には炎症が認められた。その前、院内には七十六歳の高齢者が感染して入院していた。老人の病状が心配なので、姉は時折病室に行って、老人の看病をしていた。防護はしていたが、それでも感染してしまった。

姉が感染したことは二月下旬に病院の同僚から聞いた。それを聞いた私は、心配でならなくて、帰国することにした。日本を離れる前に、寮の近くのコンビニに買い物に行った。その店はよく行っていたので、店主のおばあさんとは顔見知りだった。おばあさんは私の心配そうな顔を見て、「自分を大事にしてね」と言ってくれた。これは一人で異国にいた私にとって、非常に温かい言葉だった。

二月には家族全員が憂鬱になり、毎日姉の体を心配していた。義兄は病院の仕事が大変で、家に帰る余裕がなく、六歳の息子はしばらく私の家で預かることになった。姉の病状をこの子にどう説明すればいいのか分からなかった。電話が鳴ると、この子は携帯を奪い、「ママ、ママ」と叫んでいた。私は何度も「お母さんはまだ出勤しているよ」と彼を慰めた。ある日、子供は姉に「早く無事に帰ってくるように、月に願かけたよ」とメッセージを書いていた。

幸いにも、三月には姉の病状が好転し、全快することができた。家族はみなようやく安心できた。三月末、姉は家に戻ってきた。

春が来て花はすでに咲いたが、多くの一般人や医療関係者はコロナウイルスとの闘いの過程で亡くなり、花を見ることができなかった。平凡で穏やかな生活がどれだけ大切なのか、私は疫病を経験して初めて分かった。そして心から医療関係者に感謝した。彼らは数え切れないほどの命と家庭を守ってくれた。そして、世界の援助も私に温もりを感じさせてくれた。まだウイルスの世界的な流行は終わっていない。これからも不要不急の外出を避け、マスクをして、自分の健康を守りたい。ウイルスと闘う全ての人はヒーローだ。

（指導教師　岩佐和美）

★三等賞　テーマ「新型肺炎から得られた教訓や学んだこと」

「レッテル貼り」からの脱却

浙江農林大学　張凱妮

「新型コロナウイルス」と聞いて、人々は何を思い浮かべるだろうか。

「それは武漢であり中国だ」と外国のメディアや政治家が唱えるのをネットでよく見かける（中国内にもそう言う人はいる）。ウイルスが最初に発見されたのが中国であったため、中国はウイルスの発生源であるというレッテルを国際社会から貼られてしまった。しかしそう主張する国々には、自国がウイルスの発生源だと疑われることを回避し、自国内の感染拡大を阻止できなかった責任を中国に転嫁しようとする意図があるのではないだろうか。

実際はウイルスの発生源が中国か否かは、まだ科学的には証明されていない。だがそうしたレッテルを貼られ、国際社会から荒波のような非難の声に晒されている私達中国人は、苦しくてたまらない。

「レッテルを貼る」とは、特定の人や物事などに対して一方的かつ断定的に評価をするという意味だ。そういう現象は中国においても見られる。多くの人が感染者に「危険で厄介な存在だ」というレッテルを貼り、反発した感染者の中には、医療従事者にわざと唾を吐きかけた人もいた。人々が感染者の気持ちを考え、もう少し思いやりのある態度で接していたなら、その人もそのような振る舞いをすることはなかっただろう。

人が何かにレッテルを貼る原因は、物事の背景や真偽について自分でよく調べないで、根拠が曖昧なまま安易に他の人やメディアの意見・評価を鵜呑みにしてしまうことにある。

武漢の医師・李文亮先生は未知の感染症を発見した後、すぐに人々に警告したが、残念ながら味方になってくれる人は一人もいなかった。それどころか、デマを流した容疑で処罰されてしまった。だがわずか一カ月後、李先生の警告通り、新型コロナウイルスはその全貌を現し、猛威をふるい始めた。世間の李先生への印象も一変し、ウイルスの「吹哨人」（社会に真実を伝え、警鐘を鳴らす人）と絶賛するようになった。皮肉な話である。

私達はあらためて「レッテル貼り」の害悪と怖さを思い知った。ある意味、それはコロナ以上の衝撃だった。李先生の犠牲は中国中の人々にウイルスに対する警戒心を呼び覚ました一方で、レッテル貼りの危険性についても強く注意を喚起することになった。

新型コロナウイルスの遺伝子の全容はまだ解明されていない。また、変異する可能性もあるとされている。だから今の段階でこのウイルスについて断定的に語ることは慎むべきである。

これはウイルスだけでなく全ての物事について言えることだ。事実が客観的に明確になるまでは結論を急いではいけない。一つの仮定が出ても、本当にそうなのかと判断を保留する余地を残しておきたい。また、持論があることは勿論大切だが、自分と異なる意見にも耳を傾ける姿勢も保たねばならない。人間は自分が信じたいことしか信じないものだ。しかし物事を多角的に見る姿勢と柔軟な思考力は、判断を保留すべき時は冷静に保留してこそ初めて得られると思う。

嬉しいことに、レッテル貼りを回避しようとする動きも少しずつ芽生えてきた。日本のある小学校は、保護者への通知の中で、中国や武漢への差別意識が子供に根付かないように配慮してほしいと呼びかけた。

中国では、日本からの物心両面での多大な支援に心から感謝する声が溢れ、山西省のテレビ局が人気のあった抗日ドラマを打ち切った。中国でも、これまで日本に対してある種のレッテルを貼ってこなかったかと内省する人が増えつつあるようだ。

そのような心温まる出来事が中日双方で起きている。そのおかげで私は、私達が自分の中にある「安易にレッテルを貼ってしまう心」を抑え、それに打ち克てるはずだという確信を持つことができた。

ウイルスは、人の心の弱さや貧しさにつけ込んで攻めてくることが、今回のコロナ禍でよく分かった。その弱さを自覚し、過去のあやまちを繰り返さないように努めることが、今回の経験を無駄にしないことになるだろう。

（指導教師　鈴木穂高）

★三等賞　テーマ「新型肺炎と闘った中国人たち――苦難をいかに乗り越えたか」

思いやりのある社会は どんな困難にも負けない

浙江師範大学　黄麗貝

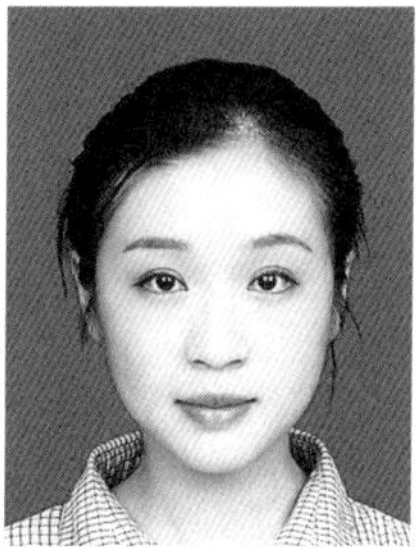

私は日本に留学したいとずっと思い続けてきた。しかし、私の家には金銭的な余裕がほとんどないため、留学するには奨学金を取得するほかない。幸運なことに、私の大学では二年次に文部科学省の奨学金へ応募ができるようになっており、採用された学生は日本に一年間公費で留学ができる。もちろん、奨学金は狭き門だ。応募可能人数は二名だけ、つまり、日本語学科で一番目か二番目に優秀でなければならない。そのため、私は日本語学科に入ってからずっと人一倍の努力を続けてきた。

中国語には「天道酬勤《てんどうしゅうきん》」ということわざがある。神様は努力する人にいつか必ず報いてくれる、という意味だ。

今年の二月中旬、江西省の実家にいた私のもとに日本語学科の徐先生からWeChat（ウィーチャット）メッセージが届いた。内容は私が和歌山大学への文部科学省奨学金の申請者に選ばれたということ、そして和歌山大学へ提出する申請書類の準備をすぐ開始する必要があること、この二つだ。「努力してきた甲斐があった」と心から思った。

二月中旬といえば、ちょうど中国全土の人々が新型コロナウイルスと激しく闘っていたころだ。各大学では対面授業の開始日が延期され、全国の交通機関の運行も停止された。「大学に行かないと準備ができない証明書などはどうしたらいいのだろう」「もしコロナで留学が取り消しになってしまったら……」。喜びもつかの間、私の心はすぐに不安な気持ちでいっぱいになってしまった。

私の大学は浙江省金華市にある。金華に住む徐先生に証明書一式の準備をお願いしようかと考えた。しかし、不要不急の外出が禁止されているこの時期に、私に代わって学内に入り証明書を準備してもらうのは申し訳ないと思い、徐先生への連絡に二の足を踏んでいた。きっと私の状況を察してくれたのだろう。徐先生から申請書類の準備状況を問うメッセージが送られてきた。私はいろいろ考えた末に、「まだ準備できていません。もし可能であれば、私の代わりに証明書を準備して、私の実家まで郵送していただけないでしょうか」と勇気を振り絞って返信した。徐先生は気持ちよく引き受けてくださった。

徐先生から証明書一式が届いたあと、私は自分で書いた留学申請書と一緒にして、さっそく近くの郵便局に向かった。郵便局では女性職員の方が私の申請書類を梱包してくださった。その方は三十代くらいに見えた。「日本までは遠いですから、大切な書類が雨に濡れないよう小包にビニール袋をもう一枚重ねておきますね」と言って梱包をしてくださった。なんと思いやりに溢れた方なのだろう。私はその方に心から感謝の気持ちを伝えた。

徐先生と郵便局の方のおかげで、申請書類は無事に和歌山大学に届いた。一安心した私はふと何かを忘れていることに気づいた。「そうだ、徐先生に証明書の送料をお返ししなければ」。私はすぐさま徐先生にメッセージを送った。この後に徐先生から受け取ったメッセージを私はきっと永遠に忘れないだろう。

「送料のことは気にしなくてもいいから。もし申し訳なく思うのなら、今後どこかで困っている人に遭遇したとき、その人を優しく助けてあげなさい」。徐先生からのこのメッセージを読んで、私は心が何倍も強くなったような気がした。日本に行けるにせよ、コロナの影響で行けなくなるにせよ、これからも前向きに日本語の勉強を続けていけると思う。

インターネットでこういう記事を読んだことがある。ある日、病院の入り口に差出人不明の差し入れが置かれていた。それはその病院の医療関係者へ宛てられたものだった。医療関係者のようにコロナに直接立ち向かった人たち、そして私のようにコロナによる不便さと闘った人たち、その誰もが周りの人たちからの思いやりを手にしている。このお互いを思いやる気持ちがあったからこそ、皆は巨大な困難に勇敢に立ち向かい、そして最終的な勝利を手にすることができたのだ。私はそう確信している。

（指導教師　徐微潔、金稀玉）

★三等賞　テーマ「新型肺炎と闘った中国人たち―苦難をいかに乗り越えたか」

「そして一緒に越える」クラウドハグをしよう

南京農業大学　劉偉婷

四月十七日、中国の有名な歌手――劉若英の「抗疫」オンラインコンサートを見た。

七時半開演。古い劇場には簡単な施設があり、歌手が伴奏に合わせて歌っていた。数百万人の視聴者を集めた。

生まれて初めて無観客ライブを見た。小さな舞台で、皆マスク姿で、元気満々に希望と愛が世界に伝えられ、明日への希望の力が湧いてくる。

明日もマスクをして自己防衛する。新型コロナウイルスの感染拡大がまだ収まっていないため、外出自粛や学校休校、飲食店閉店などが要請されている。他者と距離を取らないといけない。二〇二〇年のスケジュールを見直さざるを得ない。

前日バス停である同郷の人と会った。彼は今月中ずっと仕事を探している。コロナウイルスの影響で工事が一時中止され、家計が苦しくなる。一家の大黒柱である彼は、毎日違う現場で工事をする。「今日の二番目の現場に向かうところです」

本当に辛かった。

突如発生したコロナは、私達の暮らしに影響を与えたので、経済への打撃と必死に闘っている人がたくさんいるだろう。

故郷でも感染者が確認されたので、都市封鎖は三月まで延長された。「非常に厳しい状況です。ご注意ください。安全を第一に考え、不要不急の外出を控え、定期的な換気、消毒や掃除が不可欠で、清潔な状況を保ちましょう。子供たちがちゃんと宿題をして、運動も必要です。もう少し頑張ってください。そろそろ終息する兆しが見えてきたでしょうか」というような「新型コロナ非常事態宣言」の音声が繰り返されている。町では、「自宅隔離策厳守、一時の寂しさ＝一生の幸せ」「マスクか呼吸器か、二つに一つ」「今日飲み会したら、明日は地獄に行き」などの誇張表現のスローガンが横断幕に掲載されている。

ある日、万華鏡でコロナウイルスを観察する悪夢を見てしまった。震えながら飛び起きた。

新型コロナウイルスが全世界に想像以上のインパクトを与えている。全人類の敵とも言える。「山川異域、風月同天」というメッセージを寄せた日本を始め、ロシア、パキスタン、イタリアから、中国への応援活動が全世界で行われている。それを見ると、胸が熱くなった。異域山川にいる外国の友達、お変わりありませんか。全世界の感染者数が急増しているが、ずっと家にこもっている。最近、友達からメッセージが届いた。

フランスにいるヨエラさんからのメッセージ。

「COVID-19（新型コロナウイルス感染症）で劉さんの家族は大丈夫ですか。外に出られますか。先月、雨ばかりでした。今の天気がいいのに、外出自粛要請……困りますね。学校へ行けないし、大変ですよね。先ほどオンライン授業は終わり、先生から山盛りの宿題を出されました。お元気でね」

日本にいる植松さんから。

「いていちゃんどうですか。心配ですよ」「普通のマスクより性質が良いのかなと思いますが、N95マスクを買いました。電車に乗る時ゴム手袋などもしました」「免疫力を高め、気を付けて生活するしかないよね。ぜひ気をつけてね>_>」

最後に「そして一緒に越える」と大きく書かれていた。

外国の友達とメールでやり取りしている。安否を尋ねる。前日、日本の友人から満開の桜の写真をもらい、「桜がきれいですよね。会えないけど、クラウドハグしましょう」と言われた。

クラウドハグ？ 隔離生活の中で、オンライン体験が増えた。オンライン授業、オンライン観光、オンライン面接、そしてオンライン展覧会、オンライン墓参りも知っているが、クラウドハグは初耳である。

いいじゃない。感染者、現場で戦う医療従事者、応援してくれた外国の方々、より良い生活のために頑張っている千人、万人の出稼ぎ労働者、会えない友人……そして未来とクラウドハグをしよう。

そして一緒に越える。

「私達が共に陽光を浴びている」「陽光が眩しいのはいつも風雨が去った後」。あの歌の歌詞のように、一刻も早く世界で猛威を振るう新型コロナウイルス感染が終息することを願っている。その時、オンラインから現実世界に戻り、一緒にハグをしよう。

（指導教師　樊士進）

★三等賞　テーマ「ありがとうと伝えたい――日本や世界の支援に対して」

心を一つにし、共に生きる

東北育才外国語学校　周千楡

今年の二月は暗黒だった。メディアでは、新型コロナウイルスによって命を落とした人数や、深刻な資源不足などの情報がひっきりなしに飛び交い、中国人たちはその情報に呑み込まれそうになっていた。いつになったら元の生活に戻れるのか。先が見えない生活を送っていた中、悲観していた私たちに一つの光が差し込んだ。

「武漢頑張れ、中国頑張れ。いつもそばで支えています」。日本からの声援をテレビで目にした。私は涙がこぼれるのを抑えきれなかった。困難に直面し、落ち込んでいる時に手を差し伸べてくれる友人たちがいる。私たちは決して一人ではないということを知った。番組の中で、日本の政治家や官僚が中国を助けるために全力を尽くすと話していた。日本の政治家たちの言動に励まされたのはもちろん、民間レベルでも支援の輪が広がっていることを知り、さらに感動させられた。中国国内の団結はもとより、世界中からの支援もあり、中国の空には光が差し込み、ようやく晴れ始めた。

三月になると、学校ではインターネット授業が始まった。私は先生のもとで、他の学生たちと一緒に新型コロナウイルスに関するビデオを作った。作業を進めていく中で、最近知った様々な情報が映画のように頭の中に浮かび上がった。一番印象に残っているのは、日本からの支援物資の励ましだ。支援物資には「山川異域、風月同天」「豈曰無衣、与子同裳」「青山一道同雲雨、明月何曾是両郷」「遼河雪融、富山花開　同気連枝、共盼春来」など、中国の古詩を日本語で表したメッセージが添えられていた。初めは少し不思議に思った。なぜ中国ならではの詩を日本人が詳しく知っているのだろうか。なぜ詩の意味や伝えたい気持ちを十分に知っているのだろうか。少し調べてみると、その理由がすぐに理解できた。

支援物資に漢文や漢詩を添えて気持ちを込めたのは、

遣唐使を通じて入ってきた漢文や漢詩の教養が、日本の文化の中に今も生きているからではないか。つまり、日本からの支援は、ただマスクや防護服を送っただけではなく、文化と精神を含んだ、相手を思いやる心が送られてきたのだと思う。新型肺炎が拡大する危機に際して、日中の文化的結びつきの深さが浮き彫りとなり、改めて強い共闘意識と連帯感を生んでいることを感じた。これらの内容を含めて私たちが作ったビデオを通して、日本と中国の友好関係は学生や先生に限らず、親たちの心にまで刻み込まれた。

私は二年前、日本に旅行したことがある。日本は環境が良く、日本の人たちはとても礼儀正しくて、私は好印象を持った。それと同時になぜか日本人との間に微妙な距離感も感じた。しかし、今回の件で日本人の中国に対する言動をテレビ等を通して知ることができ、近くて遠い存在だと感じていた日本の人々のことを正しく知ることができた。日本は中国の「好朋友」と言っても過言ではない。

日本人は、普段言葉数が少ないので、私たちにどこか素っ気なさや距離を感じさせることもあるが、実はいつも他人のことを何より気にかけてくれている。そして、困難な時、手を差し伸べてくれる。日本人のような友人がいることに、私たちは本当に幸せで、心から感謝している。

今、新型コロナウイルスにより世界はまだ危うい状況だが、幸いなことに、日本政府は大部分の地域で緊急事態宣言をついに解除した。この過程で中国は日本から感じた友達との付き合い方で、今度は日本を助けている。これが恩返しでなくて何なのだろうか。人力や資源、知識などをシェアし、中国と日本が前向きに協力さえすれば、この世界的な危機の局面を両国共に乗り越えられる。

私は一年後、日本へ留学するつもりだ。新型コロナウイルスが早く終息し、日本へ桜を見に行けるように、また日中両国の友好関係が更に続くように願うばかりだ。春の風が新緑の緑と共に、私たちの感謝を日本に届けてくれることを願っている。

（指導教師　吉本秋水）

★三等賞

テーマ「新型肺炎から得られた教訓や学んだこと」

新型コロナウイルスと闘う模擬円卓会議

上海交通大学　馬文曄

「果てもなく遠いところ、数え切れない人たち、全てが私と関係がある」と書いたのは魯迅だ。

元来、私は模擬国連のような活動には興味がなかった。大勢の前で発言する自信もない。しかし、コロナウイルスの蔓延で私も世界の一員だと痛感した。それで、今回は外国語学院が主催した「防疫」が主題の「中日米独模擬円卓会議」に挑戦することに決めた。なぜなら、私も自分なりに新型コロナウイルスと闘いたいと思ったからだ。

他の六人の日本語専攻の学生とともに「日本代表団」を結成することになった。私の担当は経済分野を管理する日本の内閣官房だった。資料を集めながら国際関係や経済の知識を学ぶことができ、とてもおもしろかった。外国の立場に身を置いて考えるのは初めてのことだった。自分が専攻する外国語でニュースを読んで、情報を得たのは有意義な経験だった。

会議当日、私は準備した材料をまとめて話した。日本の感染状況の変化や施策の実施状況などを述べた後で、企業の苦境と政府の支援について説明した。そして、私たち日本代表団は三点の経済回復策を提示した。

一点目は生産の再開だ。製造業が強い日本経済はコロナウイルスの影響を強く受けている。他国における日本車販売量の下げ幅を見ると、ヨーロッパでは九・六%、北米では一八・六%だった。感染拡大を抑えられていない欧米と比べて、中国ではもうウイルス感染がコントロールされており、生産も生活も徐々に回復し始めている。よって、日本企業は早期に中国での生産効率を回復させれば、販売も伸びるものと見込まれる。

二点目は観光業の復興である。オリンピックの開催に向けて、近年、来日外国人客数が順調に伸びてきていた。ところが、本年二月以降は観光業界に突然の大打撃が襲った。もちろん、ウイルス収束前の海外旅行は危険である。よって、世界でのウイルス拡散収束後に、さらに多くの国からの旅客を歓迎したい。

三点目は五輪延期の追加経費である。日本は既に百二十六億ドルをオリンピックの準備に支出している。一年の延期に必要な追加費用は二十八億ドルである。その内、ＩＯＣが八億ドルを負担すると公表している。残りは二十億ドルだが、これは日本にとってもバカにならない金額だ。できれば更なる負担を願いたい。

会議前、実は心配していた。世界各国がコロナウイルスで不景気に陥っている。日本の要望が無視されたらどうしようか。幸運なことに、他の国は直接には同意しなかったが、私たちの話は理解された。

私たちの発表後、他の国の代表団の話もよく聞き、ともにウィンウィンの方法を求めた。議論は想像以上に上手く進み、瞬く間に一時間半のオンライン円卓会議が終わった。振り返ると、私たちの提案や解決策は多かれ少なかれ、全てのことが理想化されていた。各国にはさまざまな利害関係があるから、ことはそんなに簡単に運ぶわけではない。しかし、私たちは少なくとも遠くない未来の空に、一筋の曙光を見つけられた。

新型コロナウイルスとの戦闘地は病院や空港だけではない。家でも、オンライン会議室でも自分なりの対策で防疫に貢献できる。今回の活動は未熟な学生の構想でしかないが、円卓会義に参加した人々の心に希望への一歩を踏み出す種が撒かれたことは事実である。この種は将来のいつか、各界で芽吹き、経済や科学技術の上で国際協力に繋がる可能性がある。

会議終了後に、日本人の友達から東京オリンピック聖火リレーの切手が届いた。「二〇二〇」と書いてある。年内の開催がなくなったことを、当初は残念に思っていた。しかし、夢の先延ばしは五輪を待つ楽しみの延長でもある。コロナウイルスとの闘いに勝てば、東京五輪から世界各国の人々がオリンピック精神をさらに重視することにもなる。これも意味深いことだろう。

そう思い直して、私は日本人の友達と約束した。

「二〇二一年の夏はマスクをはずして、一緒に東京オリンピックを見に行こう！」

（指導教師　山田高志郎）

★三等賞　テーマ「新型肺炎と闘った中国人たち―苦難をいかに乗り越えたか」

新型肺炎と闘う

上海交通大学　周嘉雨

「今、中国は大変そうですね。ご両親は大丈夫ですか」

「ありがとうございます。ずっと出かけないで、家にいるそうです。大丈夫だと思います」

「よかったですね。今は大変だと思いますが、全てはよくなるはずですよ」

二〇二〇年一月末、東京でネイルサロンに行った。ネイルをしてもらっている間、女性スタッフと話していた。私が中国人だと知り、爪を塗りながら心配してくれた。

ネイル店を出た。大雨が降る表参道で母からの電話を受けた。母は私が外で買い物しているのを知ると、出かけないほうがいいと注意した。一日中、寮にいるのはつまらないと思った。でも、母の話が正しいこともわかっていた。

二〇二〇年に入って、武漢で感染拡大した新型コロナウイルスによる肺炎が世界で猛威を振るっている。中国では一月下旬から二月にかけて、新型肺炎がピークに達した。その頃、私は交換留学で日本にいた。新型肺炎は遠くにあるものだと感じていた。でも、毎朝、目が覚めるとすぐに微博（ウェイボー）で中国の状況を確認した。一万、二万、三万、ニュースに感染者数を示す冷たい数字がずらりと並ぶ。この数字を見ているだけで心が痛んだ。毎日、友達と肺炎の状況について話した。私たちができることは自分を守ることしかない。

授業後に日本人のクラスメートと話した。「え、本当？知らない」。中国のニュースを読んでいた私にとって、東京の雰囲気は穏やかすぎる程、穏やかだった。全く疫病の影響を気にしていないようだった。

楽観的な雰囲気に包まれてはいたが、念のためにマスクと消毒用品を買った。ドラックストアやコンビニで急激に減っていったマスクだけが新型肺炎の存在を物語っていた。毎日、外出する時はマスクをした。寮に帰ったら除菌ハンドソープで手を洗い、アルコールティッシュで鍵と携帯電話を拭いて、消毒液で服を消毒した。東京は大都市で観光客も多い。いつ感染するかわからなかった。もう感染しているのかもしれなかった。ただリスクを最小限に抑えるために最大限の努力をしたかった。

二月の初めに、大阪へイベントに行った。行こうかやめようか何度も考えたが、結局は後悔しないように行くことに決めた。主催者も公式サイトに来場時の注意事項を発表して開催した。大阪へ向かう新幹線に乗っていて、急に泣きたくなった。突然、大晦日に友達と夕食を食べたのを思い出したのだ。風がとても強くて、寒かった。希望と憧れに満ちた新年を初めて異国で迎える。二〇二〇年はきっと明るい、素晴らしい年になると思っていた。それが、わずか一カ月も経ぬうちに大きく覆された。いつか日常に戻れるのかな？　以前の生活に戻れるのかな？　以来、常にこれらの問題が頭を巡っている。

大阪へ着いた。イベントの前に、会場付近にある全てのコンビニとドラックストアへマスクを探しに行った。しかし、マスクは全て売り切れていた。母から家のマスクが残り少ないと聞いていた。心配になったが、なす術がなかった。イベント会場に入った。知り合いの中国人は全員がマスクをしていた。みんなは各自が最大限の努力を尽くして、自分を守り、他人を守っていた。

年初に、留学生活最後の半月の計画を立てた。ディズニーランドに行こう。友達と一緒に高知、那須塩原と牛久に行きたい。また神宮前のカフェでアフタヌーンティーをしようと友達と約束していた。いろいろなことをしたかった。でも、実際はずっと寮にいて、外食すらせずに毎日、コンビニ弁当で凌いで過ごした。確かに、外出しないのが最も安全である。

「全てはよくなるはずです」

ふとネイルサロンのスタッフの優しい言葉が浮かんだ。今がどんなに辛くても、明日という日は必ず訪れる。決して諦めずに、希望を持って、輝かしい一日が来るのを待とう。そう思うと、映画『風と共に去りぬ』のラストシーンでスカーレットが口にしたセリフを思い出した。

「明日は明日の風が吹く」

（指導教師　山田高志郎）

★三等賞　テーマ「新型肺炎から得られた教訓や学んだこと」

短い人生でも有意義に送ろう

上海外国語大学附属国語学校　石小異

旧正月前から新型コロナウイルスが爆発的に発生し、南京で祖父母と春節を過ごす計画を中止して以来、家から一歩も出たことがなく、悠々とした長い冬休みを過ごしてきた。

ところが、十五年間平穏な暮らしをしてきた私は初めてこんな無常の世界に直面したのだ。

家族全員が感染し、治らずに全滅した家。一人だけ生き残った親が人生に希望を無くし自殺した家。両親に死なれて孤児になった子供。飼い主が春節前に帰郷し、家に残された猫や犬は餌を食べきり、とうとう餓死した家。そんな武漢市の記事ばかり見ているうちに、少し臆病な私は、もし親が亡くなって、自分もいきなり孤児に成り果てたら、どうしよう？　と想像してみただけで、ぞっとした。

いざ死が訪れると、これまで身につけた知識なんかは全て無意味なものになってしまうのではないか。またいよいよ死ぬと意識したら、この世を離れ、両親はもとより、学校の友達や先生にもこれきり会えなくなってしまうのではないか……そうむやみに考えていると、息が苦しくなるほど何とも言えない気分になった。

人間は疾病と天災を前にしてあまりにも弱過ぎる存在なのだと今になって初めて実感した。明日と死亡はどちらが先にやってくるか分からなくて、無力感を感じさせられるばかりだ。それに感染者と死者の人数が日増しに増える発表情報を見ていると、何だか心細くて、暗闇の孤島に囚われているような孤独感と不安が募る一方だった。

このように家に閉じ籠ったまま目が覚めては一日三食を食べて、日一日と時間が過ぎ去っていった。よく眠れない夜もあった。そういう時には天井を見ながらぼんやりと考えていた。昨日と今日は何も変わらなかった。明日も同じように慣れないオンライン授業を受けたり、その息抜きに猫と遊んだり、ウィーチャットを見たり、家の狭苦しいスペースでごろごろ一日を過ごすのだろうか。

今、感染が全世界へ拡大していく中で無事で元気にしていること自体が何よりもラッキーだが、もし生涯ずっとこのウイルスに付きまとわれている状態になるのだったら、人間はこのままでは檻に囚われている動物と同じではないか。長いようで短い人生のうちにどう生きていくか考えるべきだ。やはり夢というか、何かの目標に向かって一歩一歩進んでいきたい。夢が叶わなくても、せめて自分が努力したことがあったと後悔しないようにしたい。いつまでも平凡な人のままでいるかも知れないけど、それでも正確な価値観を持ってコツコツと頑張っていきたい。そして何かの分野で役に立ちたい。生物学にすごく興味を持ち、夢中になっている私は、「そんなものを勉強しても将来はいい仕事が見つからないよ」と周りの人から功利的に言われて、迷ったりしたこともあるけど、新型コロナの来襲によって生活スタイルが打って変わり、死神が間近にさまよっているような今現在、まずは自分が好きなことを優先的にやっていきたいし、精神的にも強くなりたいと意志を固めるようになった。

今回の新型コロナが武漢市から地方へ拡散してまもなく、各省から応援する医療チームが何万人も続々と湖北省へ駆け付けていった。それまでは感染して命を失った医師と看護師も沢山いたので、死にたくはないけれど、もしかすると自分も同じ不幸に遭うかもと覚悟しながら、言わば生死を度外視して人の命を救うお医者さんと看護師さん達が実に偉い存在なのだと改めて思った。

中国の詩人である臧克家が書いた名句の如く、「生きていながら死んでいる人がいれば、死んだのにまだ生きている人もいる（有的人死了、他還活着　有的人活着、他已経死了）」、とにかく生きている以上は、大成功にならなくても、健康に恵まれている自分がこの世界の為に何らかの貢献をし、多少でも人の目に存在感を残しておきたい。そうしないと、いくら長生きでも結局、生ける屍のように無意味な人生にしかならないのではないか。

（指導教師　山口聡）

★三等賞

テーマ「新型肺炎から得られた教訓や学んだこと」

苦難の中での女性の力

福州大学　李亜昀

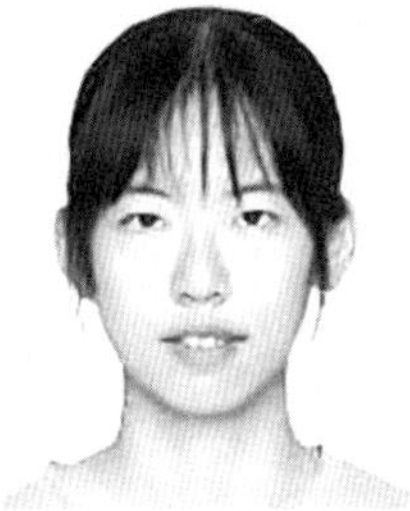

二〇二〇年の新型肺炎では、多くのニュースが飛び交った。なかには、第一線でウイルスと戦う人々の姿を見せ、国民を感動させようとするニュースもあった。しかし、ある日、興味深いコメントを見つけた。多くの女性ネットユーザーが、ニュースの違和感に気づき、「どうしてほとんどのニュースは、男性が成し遂げたことだけを報道するのか」とコメントしたのだ。私はこのコメントを見て、ある事件を思い出した。

二〇二〇年二月十三日。ある女性ドライバーが、一人で成都から武漢まで三〇トンものアルコールを運んでいた。また、二月十九日には、ある男性ドライバーが、黒竜江省から黄岡まで、一人で三〇トンものアルコールを運んでいた。二人は同じように新型肺炎の支援物資を運んでいたのだ。しかし、その後、二人は全く違った待遇を受けた。男性には単独取材があり、表彰状やボーナスももらえたそうだ。だが、それに比べ、女性は何ももらえず、名前さえも報道されなかったのだ。私はこれを見て「同じように貢献したのに、なぜ女性の名前さえ報道しないのだろう」と思った。これは「男女差別」なのではないか。そう思うと、とても残念に思った。

新型肺炎との闘いでは、女性も男性と同じ現場で働き、その力を発揮している。例えば、李蘭娟院士は、第一線で、患者の応急手当を指揮し、伝染ルーツの解明に取り組み、メディアを通して、自宅待機の人々に予防方法を伝えていた。また、生物学のエキスパートである陳薇教授は、チームを率いてワクチンの開発に全力を尽くしている。それだけではない。中国各地から武漢に来た支援医療グループのメンバーのうち、五〇~七〇%程度が女性であると言われている。病院でも、女医と看護婦は、防護服を着て毎日十時間近く働き続け、苦しむ病人のそばで、その様態を見守っていた。落ち込む患者には、希望を持たせようと、日夜を問わず、防護服に励ましの言葉を書いた。その長時間労働のため、顔には深いマスクの痕が残され、それを見た人は「これほどまでに美しい顔はない」と感動したそうだ。また、一般の女性たちも、物資の収集や医療グループの食事のために走り回ったのだ。新型肺炎の現場に、女性がいなかったことはなかった。いやむしろ、この苦難のなかでこそ、今まで見えなかった「女性の力」が発揮されたのだと思う。

この「女性の力」は、ネットユーザーからのクレームが寄せられてから、適切に報道されるかと思われた。しかし、実態は思わぬ方向に展開してしまう。メディアは、献身的な女性像を宣伝するために、二月十五日の「毎日甘粛網」で、看護婦の頭を丸刈りにした映像を流したのだ。それは「自分の意志でやったこと」として大いに称賛されたが、一部の丸刈りになった看護婦が涙を流していたのを私は知っている。長く美しい髪を、強制的に短くカットされたからだ。それも、「男性より短く」である。もちろん、「男女差別」は今に始まったことではない。しかし、新型肺炎の流行のなかで、日頃影に隠れていた問題が、一気に国民の目にとまったことは確かだ。

アリババの馬雲（ジャック・マー）会長がかつてこう言った。「女は将来、男にならず女であるべきだ」。女性は弱者ではなく、男性のように戦う必要もないほど、強い。それはまるで、真冬にも強い梅の花のようだ。しかし、その力は、まだ社会で認められていない。別に女性の献身を称えろというつもりはない。しかし、例えば、女性の専門能力を認めることは今からでもできる。そうすれば、あらゆる場面で、女性の力を徐々に尊重する風潮ができるのではないだろうか。そして、それは将来、新型肺炎という苦難のなかで戦った女性への「恩返し」になるのではないだろうか。

私は、新型肺炎と戦った女性、今なお戦っている女性に敬意を表したい。そして、肺炎の終息後、苦難の中で見過ごされた女性の力に、恩返しができる日が来ることを心から願っている。

（指導教師　葛茜、黒岡佳柾）

★三等賞　テーマ「新型肺炎から得られた教訓や学んだこと」

コロナウイルスが鳴らした警鐘

西安翻訳学院　弓金旭

私には、忘れられないことがある。

故郷には見渡す限りの麦畑が広がっており、私の家を一歩出れば、太陽をまっすぐに浴びることになる。夏になると暑くて仕方なかった。そんな私を守ってくれる一本の木。子どもの頃から共に成長してきたこの木は、私には何の木かすらわからないのだけれど、長い付き合いになる木だ。高校時代、毎朝家のドアを開けると、木の後ろからのやさしい木漏れ日を浴びられるのがうれしくて仕方なかった。

そんな私と一緒に育ってきた木が、昨年切られた。理由は至極単純。「道を作るため」だった。

その悲報を告げる電話を受けると、魂が抜けたように呆然となった。その木は広い麦畑に唯一あった木で、私にとっては仲間のようなものだった。お互いに見守り、互いの孤独を感じ合うことで、育ってきた。

都市開発に道路が必要なことはわかりきっている、しかし、道を作るならこの木を回るようにして作ればいいじゃないか。全然問題ないはずなのに。

大人たちは造林や環境保護をアピールしながら、もう何年も生きる木を切ってしまう。こんな、本末転倒があるだろうか。幼稚園のとき、村ではカブトムシを採ることもできたし、まるで子供の楽園のような森があった。でも今の子供には想像できないだろう。自然環境の悪化に伴い、自然に触れるチャンスが減りつつある。それは、人間の活動がもたらした結果である。

考えてみれば、人間はこのようなことを繰り返してばかりいる。

自然環境を破壊し、工場などの施設を建設し続ける。人間が暮らす環境や使える資源を提供する地球は、絶えず壊されている。その結果、動物は次々と絶滅危惧種になり、地球温暖化などの公害も繰り返して起こり、南極の氷も溶け、海面上昇もしている。人間は木を伐りながら、また木を植える。これは、自分に免罪符を貼り付けるためなのではないか。

このコロナウイルスによって、各国では不思議な現象がしきりに起こった。以前は至る所ゴミだらけのカナル・グランデが澄んでいて、底まで透明に見え、海洋生物のクラゲもイルカまでも現れた。

人間が自宅待機し、多くの動物が人間の世界に入った。バルセロナではイノシシが人のいない街では暴走している。このようなことはフランスでも起こったようだ。中国の武漢市ではキツネが山を下り、人間の街に出る。四川省でパンダも公道でのんびりと散歩している。南アフリカの道路の真ん中でライオンが固まって日向ぼっこしながら居眠りをしている。人間が家に籠り、動物たちに活気が戻った。

しかし、少し考えてみると、都市は動物にとって本来の居場所なのだろうか。彼らは本来森や草原だった場所に戻ってきたに過ぎない。このような一連の現象はまるで地球が自分を修正するためのプログラムのようだ。イギリスの二酸化炭素が大幅に減り、ヨーロッパの大気汚染も好転した。インドが工場を閉鎖した後、ガンジス川の水が飲めるほどの指数になり、大気汚染まで消えた。人間の活動が止まることで、地球はいよいよ息をつく暇を持てるようになったのだ。

これまで私たち人類が環境改善のために、という名目でやってきたことは、ここ数カ月のコロナによる自然回復よりも数段劣っている。泣いている地球が自分を救うため、地球を破壊しつつある私たちに警鐘を鳴らす。コロナがもたらしたのは破壊だけではなく、再生でもあるのかもしれない。ここでいう再生とは「地球の蘇生」でもあり、そのために乱れた人間の生活を整えることでもあるかもしれない。

何であれ、今回のこの機会を逃すべきではない。皆はコロナに奪われたものだけでなく、取り戻されたものにも目を向けるべきだ。私と共に育った木はもう戻ってはこない。けれども、これから切られる木を守ることはできるはずだ。

（指導教師　李娅、奥野昂人）

★三等賞

テーマ「新型肺炎から得られた教訓や学んだこと」

肺炎で再認識した家族の大切さ

大連理工大学　袁江淼

毎朝六時、布団の中でこんな音を聞く。車のクラクション、路上のメロン売りの掛け声、おばさんたちの笑い声、いつもの日常。大学生の私は、冬休みには故郷の河北省に帰って思い切り遊びたかったが、新型コロナウイルスの大流行が起こった。そのため、政府に外出が制限されて、故郷は怖いほどの静寂に包まれた。町の、ある女の人は、家でいつも旦那さんと喧嘩が続き、とうとう自殺してしまった。引きこもった時、家族間で生じた窮屈な思いが解消できないと、深刻な状況を引き起こし得るのだ。

私の家族にもこんなことが起こった。外出の際、マスク装着が義務付けられていたが、なかなかマスクが手に入らなかった。母は家族のために長蛇の列に並んで買ってきてくれたが、よく見たら、N95の表示がない。「何よ！　お母さん、これじゃウイルスがマスクの中に入るよ。本物と偽物の区別もつかないの！」。イライラしていた私は、つい大声で母を怒鳴りつけた。一カ月以上も家に閉じこもっていて憂鬱な思いが体の中にあちこち走り巡り、くすぶり続け、瞬間的に一気に母に向って噴き出した。でも口に出した途端後悔した。インチキなマスクを買ったのは母のせいじゃなくて、偽物を売る人のせいだ！　母の驚いた顔を見ても、何となく意地を張って謝れなかった。何日か後、母は私の部屋に来て、後ろに隠していたものをさっと出した。マスクだった。「ほら、今度は本物よ！」。私は涙が出てきた。私が謝るべきだったのに、母はマスクを苦労して探し回ってくれたのだ。母は私を責めもせず、笑顔だった。私は我慢できず泣き出した。

父はセロハンテープを作る小さな工場を経営している。感染が広がった時、政府の方針で工場は閉めていた。父は家で待機解除を待っていて、それで毎日こんな場面が見られた。テレビで各省の感染者数が放送される度、

「外出制限の解除はまだか」。溜息混じりに父はソファーに座って、眉をひそめて画面を見つめていた。その後は無口になり、ただタバコの煙を吐くばかり。目の前の灰皿はもう吸殻だらけ。普段父はよく各地に出張して帰ってきても、休まずに夜を徹して工場で働く。父は、そびえ立つ木のように私達、家族のために風を遮ってくれて、できるだけ私と母にいい生活を送らせようとする。でも家に閉じこもって工場が動かせないと頑張りたくても頑張れない。だから、ニュースを見ながら、悩むばかりだったのだ。

「そうだな。いつまでも悩んでばかりいるわけにはいかないな」。父はつぶやいた。「時間があるなら、お義父さんの家で過ごしたら?」。母の勧めで自分の父親、つまり私の祖父ちゃんの家で二週間過ごすことにした。私がビデオ電話をかけたら父はこう言った。「大丈夫だよ。今、祖父ちゃんと一緒にビールを飲んでるよ!」。しかし、機嫌よく話していても、父は片時も祖父ちゃんから目を離さなかった。父はいつも働き詰めで、自分の父親の体のことを気にも留めていなかった。いつの間にかちょっと動くだけでも息切れするようになった祖父ちゃんだった。「気弱になった父親には自分が必要なんだな」。父は痛感したのだ。「いや、自分にも父親は必要なんだ」。祖父ちゃんの前で思いっきり笑ってる自分に気づいた父はそう感じたようだ。

今感染の第一波がひとまず収束し、町の店は次々と再開し、父の工場も動き始めた。家にこもっていた当時、私はイライラしたり悩んだりすることもあったが、愛する家族がそばにいたから乗り越えられた。父が祖父との関係を再認識できたことも嬉しかった。一方で、肺炎で家族を亡くした人も世界にはたくさんいる。彼らはウイルスによる恐怖を抱きながら、肉親を失った苦しみに耐えている。だから、愛する家族と一緒にいられるのはこの世で一番幸せなことだと、私は今回の新型肺炎から学んだ。この教訓を心にしっかり焼き付けて、これからも愛する家族を大切にしていきたい。

(指導教師　飯田美穂子)

★三等賞　テーマ「新型肺炎から得られた教訓や学んだこと」

禍福倚伏

大連工業大学　王芸儒

この二カ月間には、自粛は合計二十八日間、強制隔離は二週間、検査は合計九回（血液検査含み）、お金は三十万円以上かかった。

「辛いだろう？」「大変だったな」「運が悪いだけだ」と言うような挨拶やコメントがきた。正直に言うと、辛いと思わなかった。なぜかと言うと、禍福倚伏（かふくいふく）と言うことがわかったからである。

新型肺炎で命を失った人たち、病気と闘っている医者たち、治療費が出せない人たちと比べると、自分は十分に幸せではないかと思った。人生は四苦八苦があるが、前向きに生きていれば、救われる。幸せとは何か。お金が無くなったら、また稼げるが、大切な人が亡くなると、生き返らせることができない。毎日、新聞やネットで新型肺炎の死者の数字は更新されているが、それはただの数字ではない。きっと誰かにとって大切な人だろう。

コロナで初めてわかったのは、大切な人がこの世にいることは幸せだということである。

最近、「毎日マスクをつけるのは大変だ」「息が苦しい」とか、文句を言う人が多くなった。自分もそう思ったが、よく考えてみると、メリットもあるのではないかと思っている。毎年、旧暦のお正月となると、呼吸器系の病気にかかる人は著しく多くなる。爆竹や花火のスモークで空気の汚れはひどくなり、それを吸い込んでしまったら、炎症をおこし、熱が出る。私なら、熱はなかなか下がらず、二週間ぐらい続くのだ。だが、今年の新型肺炎対策として、自粛が要請され、必要な外出にマスクをつけることも要求された。そのおかげで、普通のインフルや他の病気にかかる人は前よりかなり下がった。

それはなぜだろうか。熱から逃れた私はこう考えた。大切な人を大切にするだけでなく、自分の体をも愛護しなければならない。

そして、新型肺炎で、普段なかなか会えない家族と暮らす時間も多くなり、暇がないから諦めたことにも再び挑戦できるようになったのではないか。

いわゆる禍福倚伏。福の中に禍が潜み、禍の中に福が潜むように、災いと幸せは順繰りにおとずれる。何があっても、思いつめないでください。きっと、何かの幸せはこの先であなたを待っている。

二月、中国では新型肺炎の拡散最中、日本が中国へ寄贈した新型肺炎対策物資の上には、「山川異域、風月同天」という漢詩が印刷され、中国のSNSで話題となっていた。中国のみんなは感謝の気持ちでいっぱいで、「日本ありがとう！　ありがとう！」と。そして、中国も恩返しとして日本への援助物資の箱に「鴻雁北一衣帯水の絆かな」との俳句を示し、「山川異域、風月同天」と空を隔てて呼応した。

新型肺炎は確かに災いと言われるが、その中に福も潜んでいるではないか。困難があるからこそ、助け合うことはさらに意義深くなり、幸せが感じられる。

今私たちが暮らしているグローバル世界では、資本金、技術、労働力、知識などと言ったみんなに役に立つものが全世界で回っているだけでなく、ウイルス、貧困、テロなど、みんなの生活に不利益を与える要素も世界範囲で広がっている。いいものだけを受け入れることはグローバル社会においては、実現できないことである。それも福の中に災いが潜んでいるのではないかと思う。

中東諸国に対し、中国や日本のような国は安全と言える。貧困や戦争を味わったことのない私たちは、平穏無事に過ごすことを当たり前だと思い、危機意識も弱いと言えよう。

だが、今の新型肺炎のおかげでみんなの人権意識、法律意識が一層高まり、全世界の医療システムの不備の点が発覚され、改善されていく。

確かにまだまだ困難があるが、世界各国の人たちが助け合い、この災いの中、お互いの福になろう。

（指導教師　単麗）

★三等賞　テーマ「新型肺炎から得られた教訓や学んだこと」

ため息なんかつかない

韶関学院　姚莉霞

「少しは家族の気持ちも考えなさい」と母は言った。「今のこの時期に長沙まで行くの？　六時間も高鉄に乗って？」「大丈夫だよ、もうずいぶんおさまってきたから。それに、会社のみんなが私を待ってるんだから、行かなきゃ」と、私は母を安心させるように笑って答えた。

私は昨年、長沙で実習生活を送り、ある会社から内定をもらっていた。日本語を生かすことができて、自分自身もやりがいが感じられそうな仕事だ。長沙まで行かなきゃ、せっかくもらった内定を失う。内定を取り消されたクラスメートもたくさんいる。チャンスを自分で捨てるなんていいわけがない。だから私は長沙に行くと決めた。数日後、両親は心配しながらも家を離れることを認めてくれ、友達はクラスの中でたった一人、省外に出る私を小さな英雄のように持ち上げた。

四月二日、私は高鉄の駅に向かった。駅に着いたとたん、ニュースで見聞きしたことが、現実となって私の前に現れた。厳重なチェックが一人ひとりに行われ、私もマスクのつけ方が悪いと叱られた。急にコロナへの恐怖心で背筋が寒くなった。

高鉄の中は静かだった。電車が動き出し、ほっとした瞬間、「コホッ、コホッ」と、突然、前の座席の人が咳をした。空気が凍る。私は目を閉じて、大丈夫、大丈夫と自分に言い聞かせた。人生でいちばん長くて、重い六時間だった。

長沙に到着した。冷たい雨が降っていた。暖かい故郷とは違って、急に泣きたい気持ちになった。しかし、恐怖心を抱えながらも何とかやってきた小さな達成感が私を支えていた。ところが……。

「えっ⁉」到着したことを会社の先輩に連絡したら、コロナの影響で業務の再開延期が今日決まったと返事が来た。突然、目の前が真っ暗になった。仕事がなくなった。手元には六百元しかない。出発するとき、母にお金はあるかと聞かれたが、心配かけたくなくて、もらってこなかった。

私、どうしよう？　この町でどうやって生きていけばいいんだろう。コロナ、異郷、お金がない。心の中がまた恐怖でいっぱいになった。今度の恐怖はもっと切実だった。六百元で家には帰れる。だけど、ここで帰ったら、本当に負けてしまうような気がした。負けたくない、でもどうすればいいかわからない。今晩泊めてもらえないかと、お世話になった実習先の日本語教室にお願いに行った。

実習先は業務を再開していた。でも、日本語能力試験が申し込み延期になり、授業が中止になるなど、コロナの影響が大きく出ていた。ここもダメなんだ。世の中、どうしちゃったんだろう。実習の指導教師だった先生に、ここしばらくの話と、新しい仕事の話をしながら、私はつい大きなためいきをついた。

「ため息をつくか、働くか、どちらか選んで」。頭の上で先生の声が響いた。「もちろん働きます！」。思わず大声で答えた。「じゃ、ここで働きなさい。人間、どんな時も生きていかなきゃ。食べるためになんとかしなきゃ。次の実習生も来られなくなったし、君は運がいいよ」と、先生はそう言った。

居場所があった。安心したせいか涙があふれて、私は「はい」としか言えなかった。この町で何とか食べていける。後から先輩に聞いた話では、コロナの影響は私が想像した以上に深刻だったそうだ。社内には湖北省出身者が多く、ふるさとに帰れず、授業もない。それでも生きるために、なんとかしなきゃと知恵を絞って、次の道を探す。道がないなら、自分で道をつくる！　とにかく前進あるのみ。

そうだ！　今はため息なんかついていられない。ため息をつく暇があるのなら、自分ができることをやりきって、なんとかして食べていくのだ。

コロナの春に大学を卒業して、私は社会に出る。去年までは当たり前の今日と、漠然とした未来しかなかったが、今は違う。明るい未来は、しっかりと食べていける一日一日の上に成り立っている。もうため息なんかつかない。私は急に大人になった気がした。

（指導教師　中村紀子）

★三等賞

真の試金石

テーマ「新型肺炎から得られた教訓や学んだこと」

淮陰師範学院　蔣海躍

二〇二〇年に、いきなりの災いで待ち遠しい春が踏みにじられた。「新型コロナウイルス」という人間に死と恐怖をもたらす恐ろしい感染症が中国で起こった。最初は武漢から始まり、次々とそのほどんどの都市もウイルスに襲われた。感染者数は日々増加し、死者も途切れることがなかった。世界はグローバル化のため、日本も免れることができなかった。日本人は急に適応できず、二月末に、新宿の若者が「マスクを着用するのは、きれいじゃない」という理由でマスクの着用を拒否している報道が放送された。その後、三月の花見シーズンに感染が爆発的に広まった。イギリスの有名な劇作家ジョン・フレッチャーは「災難は人間の真の試金石である」と言った。この言葉のとおり、新型コロナウイルスは人類にとって、間違いなく空前の災難だ。とはいえ、これは日中両国に与えた「真の試金石」だと思う。何故なら、一衣帯水の中国と日本は、そのおかげで、空前の団結を見せてくれたからだ。

私は南京出身だ。南京は中国の主要都市の一つとして、非常に発達している。言うまでもなく人が大勢集まる都市は、感染もより厳しい。感染が拡大した当時、市民の私たちにとって、最も深刻な問題は抗菌マスクが足りないことだった。その瀬戸際に、救いの手を差し出してくれたのは日本だった。日本政府は南京市に数多くの抗菌マスクを寄付してくれたため、南京市の薬局の店先に日本製のマスクが並べられるようになった。父とマスクを買いに行った時、ある市民が「これは日本からの援助だ。少し行列の待ち時間やお金がかかっても、この恩を忘れてはいけない」と感謝の気持ちを込めて私たちに言った。父は「こんな大変な時期、マスクは命に等しい。日本は本当に中国との友情を大切にしているなあ」と返事した。彼らの話を聞いて、日本語を専攻している私にとって、まるで自分が褒められたような感じがして、少し照れて思わず笑ってしまった。私は今でもその時のことを覚えている。その後、日本は南京だけでなく、中国のほかの都市にも数え切れない物資を送ってくれたことをニュースから知った。

中国には「一滴の水の恩を涌き出る泉をもって報いる」という諺がある。日本は中国のために、色々なことをしてくれたのは全て私たちの目に映っている。それ故、日本は新型肺炎が広まった時に、中国も全力を尽くして日本を助けた。例をあげれば、渋谷の街角で、ある中国の女の子が「武漢からの恩返し」と書いた箱を抱き、通行人にマスクを配った姿が見られた。また、栃木県の住民の一人の家に中国からの荷物が届いた。その中にマスク百枚と、感染防止の呼びかけの手紙が入っていた。差出人は単なる知り合いの中国の女性だった。一方、民間だけでなく、中国政府も日本に物資を寄付した。当時日本へマスクを輸送する時、空港で「日本頑張れ」という横断幕を掲げたシーンはニュースを通して放送され、今も強く心に刻みつけられている。

この試金石のもとに、日中両国は一衣帯水だけでなく、まるで兄弟関係のようだと実感している。二人は似ている点もあるが、異なった点もある。兄弟だからこそ、対立したり喧嘩したりすることがあっても、最後には仲直りする。お互いに相手を愛し、必要な時に手を差し伸べる。大昔、天武天皇の孫の長屋王が鑑真和尚のために送った袈裟の縁に入れた「山川異域、風月同天」の刺しゅうはまさにその証だ。この言葉は千年前から変わらぬ日中友好の証明であり、今回日本からの援助物資にも印刷された。長屋王も鑑真和尚も日中両国の友好的な関係を保っていきたいとさぞ望んでいるだろう。日中両国は政府のみならず、国民が共に邁進してこの災難を乗り越える必要がある。従来の偏見と矛盾を水に流し、支え合ってより良い関係を築くことが大切だと思う。これは試金石である「新型コロナウイルス」が私たちに教えてくれたものだ。

（指導教師　郭献尹）

第十六回　中国人の日本語作文コンクール　佳作賞受賞者名簿（219名、受付番号順）

貴州財経大学　劉清霞
大連海事大学　李晨銘
商丘師範学院　郭子龍
南京郵電大学　印宏源
南京郵電大学　宋緒泓
東華理工大学長江学院　張媛媛
大連外国語大学　郭宏韜
湖南大学　昝林林
湖南大学　王依婷
湖南大学　朱　辰
湖南大学　曹宇欣
北京言語大学　鍾子龍
泰山学院　郭　馨
泰山学院　亓昊涵
大連外国語大学　李詠月
陽光学院　張南南

陽光学院　張玉梅
陽光学院　趙博豪
陽光学院　李文玉
陽光学院　林曼欣
長安大学　李　静
南京工業大学　王子烜
南京工業大学　李紀欣
南京工業大学　周書頴
南京工業大学　趙文進
南京工業大学　王沁遥
大連外国語大学　張愛佳
東華大学　孫瑞閣
東華大学　章安泰
北京第二外国語学院　白文娜
大連外国語大学　管紋萁
清華大学　王　岩

福州大学至誠学院　王新賀
福州大学至誠学院　郭夢瑶
福州大学至誠学院　朱諾彤
西北大学　杜雨清
西北大学　劉霈祺
西北大学　李逸純
西北大学　張家桐
西北大学　馮　帆
江西農業大学南昌商学院　余麗霞
北京外国語大学　武鈺茜
雲南民族大学　常曦文
大連外国語大学　洪　霞
大連外国語大学　李朋錕
清華大学　王懿崢
大連外国語大学　王虹悦
陽光学院　黄　峣

恵州経済職業技術学院	黄燕雯
恵州経済職業技術学院	張　格
嘉興学院	郭雪瑩
電子科技大学	武佳汶
大連東軟信息学院	馬明宇
大連東軟信息学院	王鴻鑫
南開大学	呂　凡
大連外国語大学	盧思雅
武漢大学	張雨辰
中国海洋大学	陳　鵬
内モンゴル大学	賈　琳
大連外国語大学	崔　煜
四川大学	謝金秀
北京外国語大学	江南葳
山西師範大学	李　舒
南京信息工程大学	張　浙
蘭州大学	呉明琅
蘭州大学	孫若沛
江西財経大学	付　毅

江西財経大学	劉敏莉
上海建橋学院	賈文琦
蘭州理工大学	王立雪
浙江万里学院	張賢婷
浙江万里学院	王渙之
遼寧何氏医学院	宋金霞
遼寧何氏医学院	黑湘珺
上海師範大学天華学院	周怡洋
嶺南師範学院	曾　敏
嶺南師範学院	彭万里
嶺南師範学院	葉穎怡
大連外国語大学	崔伯安
大連外国語大学	趙宇航
大連外国語大学	孫夢竹
大連外国語大学	庄鑫洋
貴州大学	楊薦刈
恵州学院	周偉儀
恵州学院	林忠玲
恵州学院	李佳児

恵州学院	徐影霞
恵州学院	張汶栾
恵州学院	饒雲芳
恵州学院	庄暁蝶
恵州学院	陳　敏
運城学院	李東麗
海南師範大学	易和平
海南師範大学	劉　雪
清華大学	李椏蕾
韶関学院	幸鋭芳
山東大学（威海）	夏文雅
山東大学（威海）	李　馨
山東大学（威海）	張怡寧
寧波工程学院	何雨萌
寧波工程学院	黄舒寅
寧波工程学院	黄小楠
寧波工程学院	方　婕
寧波工程学院	李　霞
寧波工程学院	葉禕珺

寧波工程学院	応清源
寧波工程学院	周雪尓
寧波工程学院	瀋淑淑
福州外語外貿学院	肖霖
西安外事学院	張婷
西安外事学院	斎欣宇
大連民族大学	楊爽
大連民族大学	唐煜涵
大連民族大学	任祉燕
大連民族大学	方芸憬
大連民族大学	楊皓然
大連民族大学	姜若男
大連民族大学	劉楠
大連民族大学	劉玉潔
大連民族大学	王儀瑶
大連民族大学	陳美旭
大連民族大学	程憲涛
河北工業大学	馬博洋
河北工業大学	季子禕
河北工業大学	楊鑫儀
大連理工大学	郭一駒
広東外語外貿大学南国商学院	龔穎
広東外語外貿大学南国商学院	林暖霞
菏澤学院	張新禹
菏澤学院	李蓮蓮
山西師範大学	李雨豊
福州外語外貿学院	蘭亭
華東師範大学	周宇豪
華東師範大学	顧佳怡
華東師範大学	袁文甲
華東師範大学	朱欣怡
華東師範大学	劉行
天津外国語大学	趙迪
杭州師範大学	項陽沐
杭州師範大学	胡文荃
杭州師範大学	楊佳艶
天津工業大学	隗舒悦
天津工業大学	于暁霖
天津工業大学	烏瓊
華南理工大学	李龍婧
青島大学	侯子玉
青島大学	頼馨
大連科技学院	李佳音
大連科技学院	王佳卉
桂林理工大学	梁焯妍
四川師範大学	郭夢飛
四川師範大学	王娟
四川師範大学	鄭李冠南
天津科技大学	劉文婧
天津科技大学	孔祥宇
天津科技大学	盧強麗
天津科技大学	王冰
天津科技大学	王宇越
東北財経大学	石春花
東北財経大学	鄭彬
東北財経大学	畢愉
東北財経大学	郭子君

海亮実験高校　崔成成
北京科技大学　楊暁妹
北京科技大学　何　寧
北京科技大学　付文佳
北京科技大学　米雪睿
北京科技大学　曽文静
安徽師範大学　李新雨
安徽師範大学　童　越
安徽師範大学　鄭紅靨
同済大学　林瀚翀
同済大学　劉陳沛林
同済大学　陶星星
北京外国語大学　葛家昊
浙江師範大学　瀋安南
浙江師範大学　周潔楠
瀋陽工業大学　郭亦晴
常州大学　徐盈盈
武漢理工大学　範　昱
武漢理工大学　範昕昕
武漢理工大学　戴兆暉
武漢理工大学　殷松豪
武漢理工大学　何文晶
武漢理工大学　黄奇峰
武漢理工大学　孫莉萍
武漢理工大学　陳穎晟
黄岡師範学院　万　娜
聊城大学　陽的航
山東省聊城大学　李唯嘉
大連理工大学　何雪松
通化師範学院　王　也
東北育才外国語学校　王宇涵
東北育才外国語学校　康欣宇
湖州師範学院　宋玲霞
湖州師範学院　張　莉
吉林外国語大学　劉俊勇
吉林外国語大学　林妍廷
吉林外国語大学　何香怡
吉林外国語大学　王京竜
上海交通大学　揚子悦
大連理工大学城市学院　蒋陸浩
大連理工大学城市学院　李帥辰
大連理工大学城市学院　銭暁芙
天津工業大学　劉展鵬
南京師範大学　王一飛
南京師範大学　趙雨璐
上海外国語大学附属外国語学校　李知新
嘉興学院南湖学院　呉　婧
嘉興学院南湖学院　蔡丹琪
西安翻訳学院　梅文琦
西南民族大学　張　晶
清華大学　何宛珊
西安外国語大学　楊嘉欣
四川外国語大学　陳暁鈺
淮陰師範学院　李　慧
淮陰師範学院　朱佳良
重慶三峡学院　高銘陽
上海海事大学　熊梓軒

第十六回 中国人の日本語作文コンクール

開催報告と謝辞

日本僑報社・日中交流研究所 所長
段 躍中

第十六回コンクールのポスター

■概　要■

日本僑報社・日中交流研究所が主催する「中国人の日本語作文コンクール」は、日本と中国の相互理解と文化交流の促進をめざして二〇〇五年にスタートし、今年二〇二〇年で第十六回を迎えました。

中国の学校で日本語を学ぶ中国人学生を対象として、この十六年で中国全土の三百校を超える大学や大学院、専門学校などから、四万九千二百八十七名が応募。中国国内でも規模の大きい、知名度と権威性の高いコンクールへと成長を遂げています。

この間、刊行し続けてきた上位受賞作シリーズは、中国の若者たちのリアルな生の声であり、貴重な世論として両国の関心が高まっています。今年は『コロナと闘った中国人たち――日本の支援に「ありがとう!」伝える若者からの生の声』をシリーズの第十六巻として刊行いたしました。

主催　日本僑報社・日中交流研究所
協賛　株式会社パン・パシフィック・インターナショナルホールディングス、公益財団法人東芝国際交流財団
メディアパートナー　朝日新聞社
後援　在中国日本国大使館、（公社）日本中国友好協会、日本国際貿易促進協会、（一財）日本中国文化交流協会、日中友好議員連盟、（一財）日中経済協会、（一社）日中協会、（公財）日中友好会館、日本日中関係学会、（一社）アジア調査会、中国日本商会、北京日本倶楽部（順不同）
協力　長沙中日文化交流会館、（公財）日中国際教育交流協会

■応募状況■

中国のほぼ全土にわたる二十七省市自治区の大学や大学院、専門学校、高校など百八十校から三千四百三十八本もの作品が寄せられたことがわかりました。これは近年でも応募数の上位に並ぶ作品の多さとなりました。

詳しい集計結果を見ると、応募総数三千四百三十八本のうち、男女別では男性六百九十七本、女性二千七百四十一本。女性が男性の約四倍に上り、圧倒的多数でした。

今回のテーマは、（一）新型肺炎と闘った中国人たち——苦難をいかに乗り越えたか　（二）新型肺炎から得られた教訓や学んだこと　（三）ありがとうと伝えたい——日本や世界の支援に対して——の三つとしました。テーマ別では（一）千六百九十一本（二）千三百六十八本（三）三百七十九本と、（一）が最多となりました。

地域（行政区）別では、寧夏回族自治区、新疆ウイグル自治区、チベット自治区などを除く中国のほぼ全土にわたる二十七省市自治区から応募がありました。最多は遼寧省の六百三十本、次いで山東省の四百十四本、広東省の三百二十九本、浙江省の三百十四本、江蘇省の二百九十五本と、日本語学習者が多いとされる中国東北部と沿海部からの応募が上位を占めました。

■審査の経過■

第一次審査は、日本僑報社・日中交流研究所の「中国人の日本語作文コンクール」事務局を中心に、さらに本活動にご協力いただける一次審査員に個別に依頼し、進

めました（審査の公平性確保のため在中国の現任教師は除く）。審査の前に、募集要項の規定文字数に満たない、あるいは超過している作品を審査対象外とした上で、各規定をクリアした作品について採点しました。今回の一次審査の審査員として、主に左記の方々がご協力くださいました。

岩楯嘉之、小林さゆり、佐藤則次、瀬野清水、高橋文行、高柳義美、田中敏裕、中山孝蔵（五十音順・敬称略）

第二次審査は、公正を期するために応募者の氏名と大学名、受付番号を伏せた対象作文（上位二十一作品）を各審査員に採点していただく形で実施しました。今回は、左記の審査員十二名が二次審査にご協力くださいました（五十音順・敬称略）。

赤岡直人　（公財）日本中国国際教育交流協会　業務執行理事
岩楯嘉之　日中青年交流会理事
折原利男　看護専門学校講師、日中友好8・15の会会員
小林治平　日中交流研究所 研究員
関　史江　技術アドバイザー
瀬野清水　元重慶総領事
高橋文行　日本経済大学教授
塚越　誠　書家、日中文化交流の会日本代表
林　千野　双日株式会社海外業務部中国デスクリーダー、日中関係学会副会長
二井康雄　映画ジャーナリスト、書き文字作家
古谷浩一　朝日新聞論説委員
和田　宏　前NHKグローバルメディアサービス専門委員、神奈川県日中友好協会会員

第三次審査は、二次審査による合計得点の高かった学生に対し、スマートフォンの音声通話アプリでそれぞれ直接通話をし、口述審査を行いました（審査員・佐藤則次氏、段躍中）。その上で、新たに日本語による短い感想文を即日提出してもらい、審査基準に加えました。

最終審査は、二次審査と三次審査の合計点により選出した一等賞以上の候補者計六名の作品を北京の日本大使館あてに送付し、大使ご自身による審査で最優秀賞となる「日本大使賞」を決定していただきました。

■各賞と結果報告■

●最優秀賞・日本大使賞、一〜三等賞

各審査員による厳正な審査の結果、今回の応募総数三千四百三十八本から、計三百本の作者に対して各賞を授与しました。内訳は、最優秀賞・日本大使賞一名、一等賞五名、二等賞十五名、三等賞六十名、佳作賞二百十九名です。

●園丁賞

学生の日本語能力向上に貢献された功績をたたえるため、学生の作文指導に実績のある学校及び日本語教師を表彰する「園丁賞」を贈呈しました。「園丁」とは中国語で教師のことを意味しています。

対象となるのは、応募校一校につき団体応募数が五十本を超えた学校です。当該校には賞状を授与しました。また、より多くの学生に学びの範囲を広げてもらうよう、最も応募作の多かった学校に十五万円相当、五十本以上の応募があった学校に五万円相当の書籍をそれぞれ寄贈いたしました。日本語教師の皆様には、この記念書籍を通じて日本文化と日本語の普及、日本語教育の推進に役立てていただければ幸いです。

今回の園丁賞受賞校と応募数は次の通り。受賞校の皆様、誠におめでとうございます。

武漢理工大学（１４６）、恵州学院（１１１）、寧波工程学院（１０６）、大連民族大学（１０４）、大連工業大学（１０３）、魯東大学（１０１）、陽光学院（１００）、河北工業大学(92)、嶺南師範学院(80)、貴州大学(68)、天津科技大学(66)、棗荘学院(65)、大連交通大学(64)、淮陰師範学院(64)、湖南大学(63)、湖北文理学院(63)、ハルビン理工大学栄成学院(61)、大連芸術学院(61)、南京師範大学(60)、北京科技大学(55)、嘉興学院(54)、南京郵電大学(53)、大連東軟信息学院(53)、湖州師範学院(53)、大連理工大学城市学院(53)、華東師範大学(52)、南京工業大学(51)、恵州経済職業技術学院(51)、青島理工大学(51)、広東財経大学(50)。

●優秀指導教師賞

中国で日本語を学ぶ学生たちに、日本語や日本の文化を熱心に教えておられる中国人教師、ならびに日本人教師の日ごろの努力とその成果をたたえ、三等賞以上の受賞者を育てた日本語教師に優秀指導教師賞を授与しました。受賞者には賞状と記念品が贈られます。

今回の優秀指導教師賞の受賞者と学校名は次の通り（発表順、敬称略、複数受賞者は二回目から省略）。教師の皆様、誠におめでとうございます。

王金博、竹澤見江子（西安電子科技大学）、川内浩一（大連外国語大学）、佐藤重人（東北財経大学）、大滝成一（安徽師範大学）、林敏潔、齋藤美奈（南京師範大学）、日下部龍太（清華大学）、大工原勇人（中国人民大学）、木内吉幸（山西師範大学）、宍倉正也（恵州学院）、段銀萍（南開大学）、田中信子（寧波工程学院）、金花、磯部誠一（煙台大学）、前川友太、陳建（河北工業大学）、野口研（遼寧師範大学）、林伯成、井田正道（天津科技大学）、岩佐和美（北京科技大学）、奥野昂人（西安交通大学）、葛茜、黒岡佳柾（福州大学）、高木立子（北京外国語大学）、飯田美穂子（大連理工大学）、王頎、林工（上海大学）、佐野卓令（大連海事大学）、小椋学（南京郵電大学）、高良和麻、王彦（東華理工大学長江学院）、馬駿（北京第二外国語学院）、越智優（湖南大学）、尹仙花（華中師範大学）、内田恵子（東南大学）、植村高久（大連外国語大学）、盧磊、秋元文江（西安電子科技大学）、岩下伸（長安大学）、森本卓也（江西農業大学南昌商学院）、高田麻由（上海外国語大学）、於穎、太田敦雄（蘇州大学）、渡辺志津夫（北京師範大学）、張彩虹（上海外国語大学賢達経済人文学院）、方江燕、張艶琴（嘉興学院）、山田雪枝（南京信息工程大学）、池田健太郎（電子科技大学）、任星（厦門大学）、姚暁陽、保坂多巳良（山東財経大学）、森田なおみ（南開大学）、劉峰、鳥羽厚郎（上海師範大学）、馬木浩二（大連東軟信息学院）、杜麗娜、城田潤二（西安財経大学）、中西亮、李慧（南京理工大学）、陳暁琴（四川大学）、王珏鈺（嶺南師範学院）、マジャロペス明香里（大連外国語大学）、張平、高倉健一（四川大学）、加藤靖代（ハルビン工業大学）、張瑞潔（四川外国語大学）、孟会君（天津理工大学）、島田友絵（華東師範大学）、洪優、南和見（杭州師範大学）、山田茜（魯東大学）、范碧琳（青島大学）、董麗仙、小出康弘（桂林理工大学）、邱愛傑（天津科技大学）、鈴木穂高（浙江農林大学）、徐微潔、金稀玉（浙江師範大学）、樊士進（南京農業大学）、吉本秋水（東北育才外国語学校）、山田高志郎（上海交通大学）、山口聡（上海外国語大学附属外国語学校）、李婭（西安翻訳学院）、単麗（大連工業大学）、中村紀子（韶関学院）、郭献尹（淮陰師範学院）。

■講　評■

総評としては、今回の作品は例年同様、またはそれ以上に優劣つけがたい力作が多く、各審査員を大いに悩ませました。

とくに上位作文の審査にかかわったある審査員は、「今年はコロナ禍の影響で自宅にいた時間が長かったからか、家族のことについて書いた作品が多かった。中国の人が家族を何よりも大切にする気持ちがじんじんと伝わってきた。採点で差をつけるのがとても難しく、どの作文が一等賞になってもおかしくないと思った」などと今回の特徴と作文のレベルの高さを評していました。

また、同じく上位の審査に当たったある審査員は、「さすがに三千点を超える中から選ばれた作品だけに、いずれも甲乙つけ難いものがあった。感動の涙とともに、心を鬼にして採点することに泣きたい気持ちだった。コロナの時期だからこそ、できたことや気づいたことが、まるでドラマのように生き生きと描かれていた」などと実体験を伴う感動的な作品が多かったことについて触れていました。

このほかにも、各審査員からは「テーマをしっかりと重く受け止めて、自分のこととして真剣に考え書き上げている作品が多かった」「事実を冷静に観察し、自分の言葉で的確に再構築して、素晴らしい内容に仕上げた作文揃いで、例年以上に採点が難しかった。最終的に自分の伝えたい事を強く意識して、文章を推敲したと思われる作文に、高い点をつけた」「今回は涙なくしては読めない作品がたくさんあった。コロナ禍の中国の方々の生活や、相手を思いやる気持ち、日本との交流など、本当に心から感動した」などという講評をいただきました。

採点のポイントとしては、「文法」について「基本的な表記法」と「日本語としての自然表記・表現」が使われているか、また「内容」について「いかに自分のこととして真剣に考えているか、具体的な取り組みや決意などが書かれているか」に注目した――と述べる審査員もいました。

総じて言えば、優れた作文の基本になるものですが、（一）日本語の正しい文法、適切な表現を使っていること

（二）強いメッセージ性やきちんとした主張があること（三）実際の体験談や事例を挙げる場合に、説得力があること　（四）総花的（要点をしぼらずに全ての事柄をならべること）、こじつけ的、観念的ではないこと　（五）読者の心に残るような感動を与えること、またはこれからの日中関係にプラスになるような具体的提言があること――などが高評価のポイントにつながるようです。

入賞作品は最終的にこのような結果となりましたが、順位はあくまでも一つの目安でしかありません。最優秀賞から佳作賞まで入賞した作品は、どの作品が上位に選ばれてもおかしくない優秀なできばえであったことを申し添えたいと思います。

いずれの作品にも、新型コロナ感染拡大という未曾有の事態に見舞われた中国の若者たちの苦悩や模索、努力の跡がしっかりと記されていました。コロナ禍の中にあって、それでも苦難を乗り越えて、精神的に大きく成長した姿を見せてくれた作品もありました。そうした彼ら彼女らの素直な「心の声」、まっすぐで強いメッセージは、日本の読者の心にもきっと届くことでしょう。

■作品集について■

上位受賞作シリーズは、中国の若者たちのリアルな生の声であり、貴重な世論として両国の関心が高まっています。作品集は大変ご好評をいただき、朝日新聞、読売新聞、毎日新聞、ＮＨＫ、人民日報デジタル版、中国新聞デジタル版など日中大手メディアで多数紹介されたほか、日本各地の図書館、研究室などに収蔵されております。

最新の本書『コロナと闘った中国人たち――日本の支援に「ありがとう！」伝える若者からの生の声』は、シリーズの第十六巻として刊行されました。読者の皆様には、本書を通じて中国の若者たちの「心の声」に耳を傾け、それによってこれからの日中関係のあり方のみならず、日本人と中国人の「本音」の交流についても思いを致していただければ幸いです。

このほか今回のコンクールにおいても、在中国の日本語教師の皆様からそれぞれ貴重な体験談をお寄せいただき、本書に併せて掲載しました。これら教育現場の第一線におられる先生方の体験談は、日ごろの教育へのご尽力を伝えるだけでなく、学生たちが作文コンクールで優秀な成績を収めるための「アドバイス」にもなることでしょう。

この作文コンクールに初めて参加した学生の皆さん、今回は残念な結果に終わったものの次回以降もチャレンジしたい皆さん、現場の先生方、そして本書シリーズの愛読者の皆様にはぜひ、本書に収められた優秀作、そして日本語教師の方々の体験談をご参考にしていただけたらありがたい限りです。

※今回の書籍化にあたり、受賞作は筆者自身に版下データの校正をしていただきました。ご協力ありがとうございました。その上で、本書掲載の作文はいずれも文法や表記、表現（修辞法など）について、明らかな誤りや不統一が見られた箇所について、編集部が若干の修正を加えさせていただきました。

※本書の掲載順は、一等賞が総合得点の順、二・三等賞と佳作賞が登録番号順となっております。併せてご了承いただけましたら幸いです。

■謝　辞■

おかげさまで、今年も「中国人の日本語作文コンクール」を滞りなく開催することができました。この場をお借りして、ご支援、ご協力いただいた全ての皆様に厚く御礼を申し上げます。

在中国日本大使館には第一回からご後援をいただいております。第四回からは最優秀賞に当たる「日本大使賞」を設け、歴代大使の宮本雄二、丹羽宇一郎、木寺昌人、横井裕、および新任大使の垂秀夫の各氏にはご多忙の中、直々に大使賞の審査をしていただきました。ここで改めて、歴代大使をはじめ大使館関係者の皆様に、心より御礼を申し上げます。

■協賛10周年に対し、感謝状を授与

「中国人の日本語作文コンクール」を主催する日本僑報社・日中交流研究所は2020年9月25日、東京・霞が関の外務省で、同コンクールに協賛して十周年を迎えた㈱パン・パシフィック・インターナショナルホールディングスに対し、感謝状を授与した。新しい中国大使として北京への赴任をひかえる垂秀夫大使が同席した。写真は左から、垂大使、新谷省二パン・パシフィック・インターナショナルホールディングス専務執行役員CSO、段躍中日中交流研究所長。

第二回から第六回までご支援いただきました日本財団の笹川陽平会長、尾形武寿理事長の本コンクールへのご理解と変わらぬご厚誼にも深く感謝を申し上げます。

そして第七回よりご協賛をいただいている株式会社パン・パシフィック・インターナショナルホールディングス（旧株式会社ドンキホーテホールディングス）の創業会長兼最高顧問、公益財団法人安田奨学財団理事長の安田隆夫氏からは日本留学生向けの奨学金制度設立などの面でも多大なご支援を賜りました。これは中国で日本語を学ぶ学生たちにとって大きな励みと目標になるものです。ここに心より感謝を申し上げます。

第九回からは、公益財団法人東芝国際交流財団にもご協賛をいただいております。改めて御礼を申し上げます。

朝日新聞社には、第七回からご協賛をいただき、第十回からはメディアパートナーとしてご協力いただいております。中村史郎氏、坂尻信義氏、古谷浩一氏、西村大輔氏ら歴代の中国総局長をはじめ記者の皆さんが毎年、表彰式や受賞者について熱心かつ丁寧に取材され、その模様を大きく日本に伝えてくださっています。それは日中関係がぎくしゃくした時期であっても、日本人が中国に対してより客観的にとらえることのできる一助になったことでしょう。同社のご支援とご協力に心より感謝の意を表します。

谷野作太郎元中国大使、作家の石川好氏、国際交流研究所の大森和夫・弘子ご夫妻、さらにこれまで多大なご協力をいただきながら、ここにお名前を挙げることができなかった各団体、支援者の皆様にも感謝を申し上げます。誠にありがとうございました。

また、マスコミ各社の皆様には、それぞれのメディアを通じて本コンクールの模様や作品集の内容を丁寧にご紹介いただきました。そして日中〝草の根交流〟の重要性や、日中関係の改善と発展のためにも意義深い中国の若者の声を、広く伝えていただきました。改めて御礼を申し上げます。

中国各地で日本語教育に従事されている先生方に対しましても、その温かなご支援とご協力に感謝を申し上げます。

各審査員の皆様にも深く感謝を申し上げます。一次審査では三千本を超える作品全てに目を通し、採点と選考をしていただきました。これは最も時間と労力を要する重要な段階です。また、二次審査では外部有識者にご協力いただき、厳正な審査の上で、それぞれ丁寧な講評をいただきました。本当にありがとうございました。

各審査員の皆様には多大なるご支援とご協力を賜り、改めて厚く御礼申し上げます。

この未曽有の苦難を乗り越えて、元気よく前に進もうとする若いエネルギーにあふれる応募者の皆さまにも改めて御礼を申し上げます。

今年もこうした秀作、力作の数々に出合うことができ、非常にうれしく思っております。主催者としては、これまでに出版した作文集をたびたび読み返し、その都度、皆さんの作文からさまざまな刺激を受けて、民間の立場から日中関係をより良いものにしていこうという勇気と希望を新たにしています。

そして本コンクールはこの十六年間、先輩から後輩へ脈々と受け継がれてきたおかげで、いまや中国の日本語学習者の間で大きな影響力を持つまでに至りました。

歴代の応募者、受賞者ら多くの参加者が現在、日中両国の各分野で活躍されています。皆さんが学生時代に本コンクールに参加して「日本語を勉強してよかった」と思えること、また日本への関心をいっそう深め、日本語専攻・日本語学習への誇りを高めていること――こうした事例を耳にして、主催者として非常にうれしく思っています。

一方、皆さんのように日本語をしっかり身につけ、日本をよく理解する若者が中国に存在していることは、日本側にとっても大きな財産であるといえるでしょう。皆さんがやがて両国のウインウインの関係に大きく寄与するであろうことを期待してやみません。

中国人の日本語作文コンクールは、微力ではありますが、日本と中国の相互理解と交流の促進、ウインウイン関係の構築、アジアひいては世界の安定と発展に寄与するため、今後もこの歩みをしっかりと進めてまいります。

引き続き、ご支援、ご協力のほどよろしくお願い申し上げます。

二〇二〇年十一月吉日

特別収録

私の日本語作文指導法

小椋　学　南京郵電大学外国語学院

郭　献尹　淮陰師範学院

丸山　雅美　福州外語外貿学院

半場　憲二　四川大学錦江学院

川内　浩一　大連外国語大学日本語学院

写真を撮るように作文を書く

―作文を書くヒント―

南京郵電大学外国語学院　小椋学

「作文を書いてください」。先生からそう言われる度に、「また作文か。嫌だな」と思いながら書いたことはないだろうか。そして、「書くことがないし、何を書いたらいいか分からないし、作文を書くセンスもない」と言いながら、嫌いな作文をさっさと書き終えて、好きなことをしたいと考えている人もいるだろう。作文の内容が良くないことは本人が一番よく分かっているが、どうしたらよいか分からない。「作文の書き方」は作文が得意な人の視点で書かれていて、読んでも作文を書くコツが分からなかったという人もいるかもしれない。

実は私も作文が苦手だった。だからこそ、作文が苦手な人の気持ちがよく分かる。そこで、今回は作文が苦手な人に作文を書くヒントを紹介したいと思う。作文が苦手な人は、作文のことを考えるのも嫌だと思うので、みなさんにとって身近な写真と関連づけながら文章を書くことにした。肩の力を抜いて、リラックスしながら読んでもらいたい。そして、もし何か新しい発見があったら、作文を書く時に参考にしてもらいたい。

私は五年間南京郵電大学で作文指導を行ってきた。昨年からは「中国人の日本語作文コンクール」の指導も行っている。これまで数多くの作文を読み、良いと思ったところは、私が作文を書く時にも参考にしている。この過程で得られた作文を書くコツは少なくない。作文を書くコツが明確になっていくにつれて、だんだんあることに気づきはじめた。それは作文と写真には共通点が多いということだ。

以前、私は写真家の小林宗正先生から写真の撮り方を教えていただいたことがあった。三日間にわたり、プロのカメラマンにマンツーマンで指導していただいたことは私にとって、とても貴重な経験になった。今振り返ってみると、その時教えていただいたことは、写真を撮る時だけでなく、作文を書く時にも参考になっている。

写真教室の初日は小林先生と一緒に外に出て写真を撮りに行き、その後教室に戻って撮った写真を確認した。

その時、小林先生は「この写真のテーマは何ですか」とおっしゃった。私は何も考えず無意識に写真を撮っていただけであり、そもそもテーマなんて考えたこともなかった。しかし、写真を見る人に何を伝えたいのか明確にしなければ、写真コンテストで選ばれるような写真にはならない。これは作文も同じである。何も考えずにただ書いただけなら、作文コンクールで選ばれる作文にはならないだろう。そこで、まずテーマを意識して、作文を書く目的を考えることが必要だ。

次に、目の前に撮りたい建物があった時、あなたはどのように写真を撮るだろうか。その場で写真を一枚撮って立ち去るだろうか。それとも、建物の周囲を移動しながら他にも写真を撮るのに最適な場所はないか探すだろうか。小林先生は、「自分で動きながら良い撮影ポイントを探すことが大事だ」とおっしゃった。同じ建物を撮るにしても、どの位置で撮るか、どの角度で撮るか、どの高さで撮るかによって、その建物の見え方が変わるからだ。また、写真の中に何を入れるかによって、その建物の印象も変わってくる。周辺の環境の良さを伝えたいのであれば、花や木、山などが入るように撮るし、賑わっている様子を見せたいなら人が入るように撮るだろう。作文の場合も同じである。原稿用紙に何を書いて何を書かないのか。どこに着目して書くのか。読者にどのような印象を与えたいのかを考えなければならない。なぜなら、同じ体験をしても、どこに着目して書くのかによって、読者に与える印象が変わるからだ。

それから、自分が撮った写真と友達が撮った写真を見比べたことはないだろうか。一緒に旅行して、同じ建物を撮ったのにもかかわらず、写真の印象が全く違うということもあるだろう。写真を撮るのが上手な人は、プロのカメラマンの写真をよく見て、どうしたらそのような

写真が撮れるのかよく考えている。そして、写真を撮る時にその写真を参考にしている。例えば、観光地に行く前には、インターネットでその観光地の良い写真を検索して、どの位置でどんな写真を撮るのか具体的に計画を立てている。また、人や車など動いているものを撮る時には、どの位置に来た時に写真を撮るのか決めている。だからこそ、よい写真が撮れるのだ。大事なことはお手本になるものを探して、どうすればそのようにできるのかを考えることだ。作文が苦手な人はそれができていない。そこで、お勧めしたいのが「中国人の日本語作文コンクール」の受賞作品集を読むことだ。この作品集には中国人の学生が書いた日本語の作文が数多く掲載されている。そこで、まず自分が書きたいテーマの作文を探して読んでみよう。そして、作文の構成はどうなっているのか、参考にできるところはないか、しっかり分析してみよう。そうすることによって、あなたの作文能力は少しずつ向上するだろう。

ところで、私たちはＷｅＣｈａｔなどＳＮＳを通して、毎日たくさんの写真を見ている。その中で特に人気があるのは人が写っている写真だ。ＳＮＳのユーザは食べ物や風景の写真よりも、その人が何をしているのかが分かる写真を見たがっている。そのため、そういった自分の写真をたくさん掲載している人はフォロワー数が比較的多い。作文もそうである。読者は筆者の考えや性格などを知りたがっている。一般論やニュースで聞いたこと、インターネットで調べたことは、既にみんなが知っていることであり、新しい発見がなく、筆者のことも分からないので読んでも面白くない。作文はある程度自己開示することが必要だ。自分のことを書きたくないという人は作文を書くのに向いていない。また、自分の良いところだけを見せようとしてもうまくいかない。作文を書くのが上手な人は、うまくいかなかったことや失敗したことを乗り越えた過程を書いて読者の共感を得ている。また、「私はよくラーメンを食べます」とは書かず、「私は週に三回、豚骨ラーメンを食べます」のように、曖昧な言葉を使わないで具体的に書き、読者が筆者の嗜好や生活などをイメージできるように工夫している。ピンぼけした写真のようではなく、細部までくっきり見える写真のように、内容が分かりやすく、読者の関心を引き付けられる文章を書かなければならない。

　三日間の研修を終えた時、私は「撮影の技術を身につけるために、何か良い本をご紹介いただけませんか。」と小林先生にお願いして。すると、「本を参考にすると、変な癖がついてしまうので、あまりお勧めしない。とにかく写真をたくさん撮って、後でちゃんと写真が撮れているのか振り返り、どうしたら良い写真が撮れるのか自分で考えることが重要だ。」とおっしゃった。

　安易に人の真似をして満足するのではなく、自分で考え、試行錯誤しながら撮影の技術を身につけてこそ、その人ならではの魅力ある写真が撮れるようになることに私は気づいた。写真も作文もオリジナリティが求められているのだ。

　写真を撮るように作文を書く。この文章がきっかけで、作文に対する認識が変わり、作文に興味を持っていただけるようになったら嬉しく思う。

小椋 学（おぐら まなぶ）
南京郵電大学外国語学院日本語科講師。中国の北京語言大学と韓国の高麗大学での語学留学経験を生かし、楽しくて学習効果の高い日本語授業を目指している。中国人の学生に合った教材作りにも関心があり、オリジナル教材の『学覇日語』は口語編と写作編がある。また、南京の観光地を日本語で紹介したガイドブック『私が薦める南京の観光地』の作成や大学での講演など、日中交流に向けた取り組みも積極的に行っている。日本語教師歴五年。

忘れがたい貴重な作文の指導経験

淮陰師範学院　郭献尹

私は去年の九月に台湾から江蘇省淮安市に赴任し、今回初めて学生に「中国人の日本語作文コンクール」の指導をしました。これまでの約十年の指導対象は台湾で育った学生と社会人であり、淮安の生活環境と異ったものでした。台湾には日系企業や日本語学校が多く、日本料理店もたくさんあります。テレビをつければ日本の番組がいつでも見られます。台湾には日本語や日本文化に日常的に接触できる環境があります。それに対し、淮安の学生はそのような恵まれた日本語環境がないため、教科書に出た日本についての話を紹介するたびに、昔日本と台湾で撮った写真や資料を見せなければなりません。思い出されるのは、今年の五月末に外国語学部の学生向けに「和食文化」について遠隔講演をしたことです。さいわい当時は冬休みに台湾に戻ることができたので、和食の写真を自分で何枚も撮ったり、友人からもらったりすることができました。淮安の学生に和食文化をよりわかりやすく理解してもらうため、資料を集めるだけで三週間もかかりました。例えば台湾なら「回転寿司」で食べた経験のある学生が多いので、言葉だけ教えれば済みますが、淮安の学生には写真や動画を見せないとわかりません。言うまでもなく、今回のような日本的な思考と書き方を兼ねた作文指導は、台湾での指導より難しいと実感しています。

当学日本語学科では、作文コンクールに三年生の必須参加、二年生と一年生の自由参加を決めました。副学部長の指示により、ＱＱでグループ連絡網を作りました。また指導をスムーズに行うため、私を含めた指導教官七名と学生六十四名がお互い話し合い、学生が指導を受けたい教官、および教官が指導したい学生のマッチングを行い、七つのグループに分けました。新型肺炎という大変な時期で、学生も自宅にいる必要があったので、各指導教官に従い遠隔指導を受けました。提出期限も早めに設定し、最終段階に私と学生アシスタントでフォントや形式などのダブルチェックを行いました。このようにして、作文コンクールの締め切りまでの二日前までにみんなの作品を整えて副学部長に提出し、副学部長より作文コンクールの事務局にメールしました。このような体験は、私にとっても大変良い勉強になり、チーム活動運営にも慣れることができました。

グループ分けの後、私の担当する学生九名と相談し、指導計画を立てました。締め切りまでは二カ月の余裕がありますが、学生はほかの授業もありますし、私も授業や講演の準備をしなければなりません。本当に使える時間は思ったより多くありませんでした。毎週末土曜日に学生一人一人と一時間程度の討論時間を設けました。各自の作文の独創性を重視し、学生が互いに影響を与えないため、討論や意見交換を禁じました。一週目は学生に今回作文コンクールの「新型肺炎と闘う」に関わる三つのテーマから選択させ、中国語で原稿を書かせました。二週目は学生の考え方を聞き、中国語の原稿にコメントをし、アドバイスしました。六週目に各段落を完成させました。勿論、作文を執筆している最中、学生が悩んでいる時は、いつでも相談に乗りました。指導には様々な問題も出てきました。例えば、語彙や文法の使用に不自然なところがあったほか、諺や報道の引用ばかりで、自分の体験を述べない学生も多くいました。学生自身も新型肺炎による社会問題の当事者であり、自らの体験を作文に書き入れることが重要です。ある学生は家の家具工場をマスク工場に建て替えて感染拡大防止の貢献の一助

となり、従業員の就労も確保できたことを書きました。特別な学生は父親とマスクを買いに行った時、共に列に並んだ見知らぬ市民との会話に触れました。日本が出身地の南京市にマスクだけでなく、たくさん物資を提供したことを感謝し、日本語専攻の自分も大変光栄に思ったと書きました。二人とも異なった体験を述べ、入賞できました。

指導の話題に戻すと、七週目に各学生にもう一度作文の全体をチェックさせました。今の大学に日本人教員がいないため、翌週の提出日に間に合うよう、それぞれの日本人の友人に見てもらうようにしました。日本人の友人がいない学生には、私が知り合いの日本人に依頼し、確認してもらいました。最後の週には、指導した学生九人と遠隔反省会を行いました。全員で感想をシェアし、学んだ点や不十分な点などを意見交換しました。さらに、作文を相互にコメントし、相手の長所を見つけ、自分の短所を振り返りました。この八週間の指導を通じて、学生の思考力も作文力も向上したことを実感しています。

今回の作文指導を振り返ると、自分も学生も共に成長し、気づきのポイントを得ました。まずチーム活動運営の方法と段取りを知ったことです。次に、作文の書き方について、新聞記事を取り上げるのはもちろん、如何に自分の体験談と結びつけ、作文に溶け込み、読者に強いイメージを残すことも重要だと気づいたことです。最後に、日本語の作文では日本的な思考に基づき表現を完結しなければならないということです。なお、この指導体験談は丁度台湾から淮安へ戻った時に、隔離ホテルで書いています。今回の作文指導は自分にとって、忘れがたい貴重な経験となります。作文コンクールの終了に当たり、このような機会をいただいた関係者の方に感謝を申し上げるとともに、新型肺炎が早く終息することを願います。

郭献尹（かくけんいん）
台湾東呉大学日本語文学系文学博士、日本福岡県柳川市観光大使。台湾清華大学、台湾師範大学、台湾海洋大学、台北商業大学、元智大学の非常勤助理教授を経て、現在は江蘇省淮陰師範学院准教授。日本語教師指導歴十二年。

日本語作文が書けるようになるまでのプロセス

福州外語外貿学院　丸山雅美

中国本土に限らず、日本国内の日本語学校にも数多くの日本語教師が存在します。そして世界中には更に多くの学習者が日本語を学んでいます。漢字圏、準漢字圏、非漢字圏などの環境及び個人の学力差により様々なレベルの日本語学習者がいます。その中でも中国国内の大学で日本語を学ぶ学生は世界中の日本語学習者の中でもトップレベルにある学習者集団と言っても過言ではないでしょう。当然教授方法も彼らに適した方法を取らなければなりません。以前は大学一年生の入学時にはほぼ全員入門レベルでしたが、昨今大学入学試験の外国語科目で日本語を選択する受験生が増加したため、入学時においても日本語の学力差が生じています。上級学年に至るとクラス内の学生間の学力差は著しく広がり、遍く網羅する同一性の授業は極めて困難になります。本来は習熟度別にクラス編成し、レベルに応じて学習していくのが理想ですが、諸般の事情によりそれは不可能です。日本や語学に関心ある者や将来の設計を描いている者はますます勉強し、そうでない者は単位を落とさぬ程度の勉強しかしなくなります。教師にとってはモチベーションを上げることが最重要課題なのかもしれません。アニメ、ドラマ、音楽などのサブカルチャーによる日本語のソフトパワーは中国人にとっても非常に魅力的で、日本語学習の動機付けにも繋がります。また日本語を習得することによって就職等将来の人生における優位性もあります。これらのことは皆理解していますので、日本語教師は学習の継続性を説いていかなければなりません。

日本語学習者にとって日本語の能力を証明する日本語能力試験の合格証は最強のツールです。日本語専攻の学生はそれを目標に勉強しています。しかし日本語能力試験に合格するためには日本語能力試験の対策通りに勉強していかなければなりません。いかに重要なことだけをインプットしていくかが合否の鍵です。このためだけにエネルギーを注ぎすぎると、ややもすれば日本語の魅力を失いがちです。バランスを考えて総合的に日本語を教

育していく必要があります。そのためには中国人教師との連携が不可欠です。試験対策は主に中国人教師の指導により学習計画を立てて勉強し、日本人教師は母語干渉により理解が難しい表現の説明ぐらいしか関わることがありません。しかし「日本語会話」や「日本語作文」、これらを応用した「ビジネス日本語」は日本人教師が専ら担当します。日本語をアウトプットする楽しさを伝えるのはネイティブの役割です。この時は苦手意識を作らないように正していくことが重要です。学力だけでなく性格も鑑みて語学指導しなければなりません。

現代はインターネット社会で、語学を学習するには非常に便利な世の中です。私が中国語を習っていた時代と比較することができません。教材も非常に充実していま す。語学学習の環境も羨ましいほど発展しています。しかし便利さの影に隠れ落とし穴も多数あります。まず大きくて深い落とし穴はネット上にある無料の翻訳ソフトです。これに嵌ると、語学力の向上は不可能です。実力不相応に通訳や翻訳はできません。苦しんでもがく経験があってこそ語学力は身についていきます。またスマホのアプリにある簡易辞書にも要注意です。著名な学者が責任をもって編纂した正規の辞書に比べると例文が著しく限定的です。語彙の中にある多くの意味を選択するにもどれを選んでよいのか判断はできません。つまり文章を正確に翻訳することができません。無意識のうちに一番目の意味を選んでいます。多くの無料の翻訳ソフトも誤った意味を選択し誤訳されている場合が多くあります。語学学習に王道はありません。やはり一歩ずつ歩んで語学的感性を磨いて行く以外方法はありません。

入門当初は会話を中心とした口語体から学び始め、単語量や基本フレーズを増やしていきます。そして大学二年生の後半か大学三年生の前半あたりから作文の練習をし始めます。日本語は中国語と同じく言文不一致の言語です。つまり同じ意味でも口語と文語では表現方法が異なります。これまで習ってきた単語や語調だけでは作文は書くことはできません。更に日本のアニメ・ドラマ・歌謡曲から覚えた語彙は作文にはあまり適していません。アニメやドラマの台詞、歌謡曲の歌詞に気に入った文句があっても、そのまま使用することはできません。これらはほとんど口語体です。作文を書くには文語体の文章を多く読んでいく必要があります。

作文はそれぞれの用途、目的に応じて書かなければなりません。そのためには読者は誰なのか、作文の読者に何を伝えたいのかを考えなければなりません。その後、作文に適した文体を選び、文中はその文体を統一して書き続けます。卒業論文の日本語摘要部分は学術論文用の文体「だ・である調」で統一し、客観的に理論を学術的に論じなければなりません。一人称や「です・ます調」の文体も多く見られるので、その都度訂正していきます。感想文やテーマを設題した作文の読者はそのテーマに関心を持った不特定多数の愛好者が多いので、読者の身になって作文を書かせます。必然的に「です・ます調」の文体を多く用いるようになります。作文を書き上げた後の校正は更に重要です。主部と述部で意味がねじれてないか、文章構成の中で流れが逆転していないか等々考えさせます。助詞の使い方等文法上の誤りや簡体字を使った漢字は教師が訂正しなければなりません。また同形異義語、中国語的思考による日本語に不適切な表現方法など母語干渉による誤りの訂正も教師による指導が必要です。特に母語干渉による作文の添削は日本人教師に求められる大きな役割です。

作文の上達はとにかく多くの本を読むことです。日本のアニメ・映画・ドラマ・音楽に興味を持ち、日本語の世界に足を踏み入れてくれたことは日本人教師として非常に嬉しく感じます。更に一歩前に進み日本の文学作品を原文で読んでいくようになれば、確実に作文のレベルは上がります。今後、一人でも多くの学生が文学作品にも興味を持ち、更に奥の深い日本語の世界へ足を踏み入れていくことを望んでいます。

丸山 雅美（まるやま まさみ）
佛教大学大学院文学研究科東洋史学専攻修士課程修了。埋蔵文化財調査員、中学校社会科教員、高校地歴科教員、ビジネスホテルスタッフ、留学申請書類翻訳スタッフ。二〇一二年新白河国際教育学院・福州鼓楼大東外語学校（学術交流派遣）、二〇一三年～現在福州外語外貿学院で日本語教師として指導にあたる。

私の日本語作文指導法（五）

誤用訂正・回避の指導力

四川大学錦江学院　半場憲二

ある大学の日本語学科主任の先生から「会話授業の教材が簡単すぎて学生がつまらないという。他の教材を使うのはどう思うか」と、そんな相談を受け、「教材は学習者のレベルや学習時間、目的にあわせて選択されるものでは？」と少々訝りながらオンラインでの新学期授業が始まりました。

一、中国人教師の指導力

普段、ぺらぺらと日本語で話をしている日本人であっても、イザそれを簡単に話そうと思えば、特に誤用の説明には窮することがあります。誤用には不注意から生じた程度のミステイクから、意味が理解可能なローカルエラー、理解不能となってしまうグローバルエラーとがあります。日本語教師となる訓練を受け、しっかり教材研究をすすめたつもりで、経験があっても、学生の誤用の数々に悩まされるのが実情です。

身近なところでは、学生が「ありがどう」「ありがど」と言う。「わたし」を「わだし」、「わかった」を「わがだ」とやる。通常の初級会話の授業で理論的・専門的な説明はともかく、日本語として不適切なのですから誤用は誤用として指摘するはずです。日本語との出会いが浅くまだハネムーン期にある学生たち。(注1)数年勉強した程度で「簡単だ……」と済ませてしまうのは不勉強が過ぎるといえるでしょう。

簡単な会話授業からはじまるから簡単なだけで、教師がティーチャートーク(注2)を見直し、それまでと異なる発問によって難易度を上げ、中級への道しるべとするのが適切です。先生方は「初級の授業は中級の授業で評価を受ける。会話の授業は作文の授業で評価を受ける」という気概で、学生の教育指導に取り組んでいただきたいものです。

日本人教師は見ています。作文を書かせれば、学生がどんな「教育」を受けたのか一目瞭然です。探求心をもちつつも「私の日本語能力はまだまだです」と知識と謙虚さを兼ね備えた人材の育成を待ち望んでいます。

二、日本人教師の指導力

ある授業が常に緊張感に包まれ、教師が完璧さを求めるあまり、学生たちが委縮してはいけません。「日ごろの授業の中でも、誤りを犯すことは自然なこと。誤用は大切な成長のあかし」(注3)というのも異論はありません。しかし、目の前で頻繁に発生しているはずの誤用が放置されれば、本来、指摘を受ければ伸びるはずの日本語能力が、日本語教師によって阻害されてしまう、とも言えるのではないでしょうか。

話し言葉と書き言葉はその能力が異なると言われますが、それはその道を歩まれる方に研究していただくとして、学校と学生らによる評価を受けながら年に一度の契約更新を続ける現場教師は、あまり悠長なことは言っていられません。初級の会話授業を担当した場合、のちの中級会話や作文授業の何たるかを知っているため、ある時点でフォリナートーク(注4)を見直し、難易度をあげたりするでしょう。

また作文授業でも教師が本文を読み上げたり、教科書を読ませたり、要点や感想を述べさせたり、要点を書かせたりする場合があります。そのような過程で、日本語が「目標言語」として相応しいのかどうか、学生たちに自覚を促すことにもつなげられます。

会話が上手のようでも作文を書く段になると、授業中に拾いきれていなかった誤用が明らかになります。紙面に浮き彫りになった誤用の中に、学生の「成長のあかし」を感じるものがありますが、文字・文法力だけではなく談話・方略的能力なども兼ね備え、それでも「私の日本語能力はまだまだです」と言えるような人材を輩出していきたいものです。

三、教科の枠を超えた指導力

私の作文授業では、学生たちに教科書を読ませます。(注5)

「教育現場の先生方から面白い話を聞いた。本当の意味での黒板と黒板消しが姿を消しているという。そういえば、ホテルでも会館でも研修会場でも、ホワイトボードの進出が目立つ。」

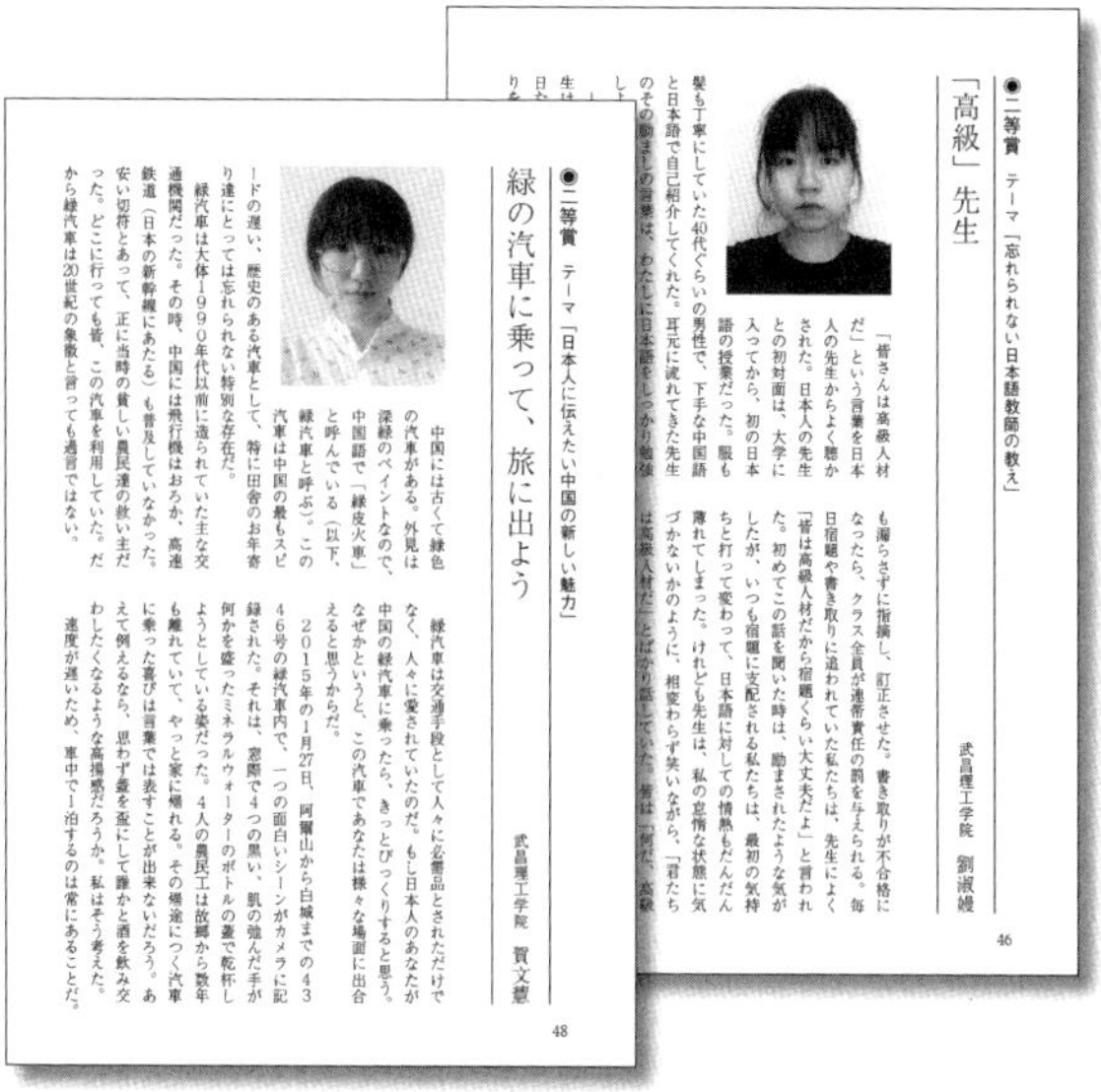

●二等賞　テーマ「忘れられない日本語教師の教え」

「高級」先生

武昌理工学院　劉淑嫚

「皆さんは高級人材だ」という言葉を日本人の先生からよく聴かされた。日本人の先生との初対面は、大学に入ってから、初の日本語の授業だった。服も髪も丁寧にしていた40代ぐらいの男性で、下手な中国語と日本語で自己紹介してくれた。耳元に流れてきた先生のその励ましの言葉は、わたしに日本語をしっかり勉強

も漏らさずに指摘し、訂正させた。書き取りが不合格になったら、クラス全員が連帯責任の罰を与えられる。毎日宿題や書き取りに追われていた私たちは、先生によく「皆は高級人材だから宿題くらい大丈夫だよ」と言われた。初めてこの話を聞いた時は、励まされたような気がしたが、いつも宿題に支配される私たちは、最初の気持ちと打って変わって、日本語に対しての情熱もだんだん薄れてしまった。けれども先生は、私の怠惰な状態に気づかないかのように、相変わらず笑いながら、「君たちは高級人材だ」とばかり話していた。皆は「何だ、高級

46

●二等賞　テーマ「日本人に伝えたい中国の新しい魅力」

緑の汽車に乗って、旅に出よう

武昌理工学院　賀文慧

中国には古くて緑色の汽車がある。外見は深緑のペイントなので、中国語で「緑皮火車」と呼んでいる（以下、緑汽車と呼ぶ）。この汽車は中国の最もスピードの遅い、歴史のある汽車として、特に田舎のお年寄り達にとっては忘れられない特別な存在だ。

緑汽車は大体1990年代以前に造られていた主な交通機関だった。その時、中国には飛行機はおろか、高速鉄道（日本の新幹線にあたる）も普及していなかった。安い切符とあって、正に当時の貧しい農民達の救い主だった。どこに行っても皆、この汽車を利用していた。だから緑汽車は20世紀の象徴と言っても過言ではない。

緑汽車は交通手段として人々に必需品とされただけでなく、人々に愛されていたのだ。もし日本人のあなたが中国の緑汽車に乗ったら、きっとびっくりすると思う。なぜかというと、この汽車であなたは様々な場面に出合えると思うからだ。

2015年の1月27日、阿爾山から白城までの4346号の緑汽車内で、一つの面白いシーンがカメラに記録された。それは、窓際で4つの黒い、肌の強んだ手が何かを盛ったミネラルウォーターのボトルの蓋で乾杯しようとしている姿だった。4人の農民工は故郷から数年も離れていて、やっと家に帰れる。その帰途につく汽車に乗った喜びは言葉では表すことが出来ないだろう。あえて例えるなら、思わず蓋を盃にして誰かと酒を飲み交わしたくなるような高揚感だろうか。私はそう考えた。

速度が遅いため、車中で1泊するのは常にあることだ。

48

筆者が指導教師を担当し、二等賞を受賞した教え子2名の作品
（第13回受賞作品集より）

「ここには使い手中心の発想よりも、作り手の思考が先行していないか。書ければよい、コストダウンになればよい、売れればよい、である。」

「昔の黒板消しには羊毛やボロ綿が入っていた。これが粉を吸い込んでくれる。受講者も使い手も粉を吸い込まなくて済む。世の中消費者重視の時代に入った。一考を要すると考える。」（傍線筆者）

三百字に満たず、通常のスピードで話せば五十秒程度の短い文章の中に合成語がいくつも登場します。学生が読み違えた場合、①発音、②読み仮名、③語形が変化してくることを説明すると思います。

教育＋現場＝教育現場、研修＋会場＝研修会場、黒板＋消す＝黒板消し、「発音が違ってきますね」という具合にです。他にもボロ＋綿＝ぼろ綿（ぼろわた）、①だけではなく他の参考例を用い、腕＋時計＝腕時計（うでどけい）、粘る＋強い＝粘り強い（ねばりづよい）等、②や③が変化することを説明するのではないでしょうか。

学生時代は知らないことが多く許されても、何度も誤

用を繰り返す人材を、いつまでも許容してくれる寛容な社会はありません。以前「会話の授業では補いきれない事柄が多く、異文化への理解や相手の言語行動を理解させるのに、作文の授業も例外ではいられない」[注6]と述べましたが、誤用訂正・回避のあり方をふくめ、今日その意を強くしています。

四、オンライン授業下の指導力

コロナウィルスの世界的な感染拡大を受け、学校教育ではオンライン授業が続いています。顔をあわせた授業ができず、学生の心身や心理の発達が見えぬまま、ひたすら授業が進んでいきます。

不本意で「日本語」を選ばざるをえなかった学生はともかく、[注7]将来の留学や就職など日本語を習得することで、新しい価値を見出そうとする学生がいます。中国には「授人以魚 不如授人以漁」という諺がありますが……。

それ以前に忘れてはならないのは「魚の釣り方」を教える人物そのものといえるでしょう。休学モラトリアム、定年退職、前職の体調不良、夫が赴任したためなど、日本語教師を始める事情は様々ですが、日本語を目標言語とする学生たちの前では無関係、教師をする動機のほうが重要です。

大学生にマザートークを展開する方、[注8]作文授業に自動翻訳を取り入れても良いと主張する方、海外で同僚の足を引っ張り、中傷に勤しむ人物を見てきました。その都度「学生指導の前に、あなたが教育的指導を受けるべきではなかろうか」と思ったものです。

こうした人物は、日本人や日本語教育のイメージを損ねるばかりか、日本語教師の地位を低下させ、結果的に学生の成長に悪影響を及ぼします。今後ますます語学教育に特化したサービスが出てくるでしょう。そうしたオンライン授業だからこそ、指導を受けるに値する人物かどうか心の距離を探る。学生たちが視覚や聴覚を研ぎ澄まし、パソコンを凝視しているだろうと思うと、彼らが懸命に紡いだ日本語作文の添削に身が入ります。

おわりに

私の日本語作文指導法といいながら前回に続き、作文指導と周辺事情へと軸足を置いてしまいましたが、こうして授業や作文の指導法等について振り返る貴重な機会を下さいますこと、改めて厚く御礼申し上げます。

（注1）「異文化ショックモデル：U字曲線モデル」①ハネムーン期（全ての環境が新しく楽観的に異文化に対応することができる時期）のこと。②ショック期（新しい文化に敵対したり、ステレオタイプに捉える時期）、③回復期（言語や環境に慣れ、文化受容がみられてくる時期）、④安定期（異文化適応が完成し、ストレスや心配がない時期）を迎える。

（注2）ティーチャートーク（teachertalk）とは、学習者が理解しやすいように語彙や表現の面をコントロールや調整した話し方をいう。

（注3）迫田久美子『第二言語習得論』（アルク）一五頁

（注4）フォリナートーク（foreignertalk）とは、外国人に対してゆっくり、はっきり、わかりやすい語彙や文法を使う話し方をいう。

（注5）北京大学出版社『日語写作』「黒板に思う」二一頁

（注6）拙論「国際化と個の時代―重要性を増す作文指導」（第十五回作品集二〇一九年）二百一頁

（注7）『事例から学ぶ学生相談』（北大路書房）二九頁　とりわけ「大学における学業の問題は、学力の問題だけでなく、学生の性格や社会性、対人関係の在り方とも深く関わっている」。そのため不本意ながらも学生が日本語学科に所属し、教室活動を共にする間、他の日本語学習者の授業の進度や学業の妨げにならないよう、教師は配慮を求め続けなければならない。オンライン授業の場合、こうした配慮がより強く求められる。

（注8）マザートーク（mothertalk）とは、母親が幼児に用いる言語変種。「ベビートーク」ともいう。

半場憲二（はんば けんじ）
一九七一年東京都新宿区生まれ。国士舘大学政経学部政治学科卒。航空自衛隊自衛官、国会議員秘書、民間企業社長室等を経て、二〇一一年九月から湖北省武漢市・武昌理工学院、二〇一九年九月広東省広州市・広東外語外貿大学南国商学院、二〇二〇年九月四川省眉山市・四川大学錦江学院日本語学科教師。

作文コンクールに応募しようと思っている学生のみなさんへ

大連外国語大学日本語学院　川内浩一

一、はじめに

皆さん、こんにちは。大連外国語大学の川内浩一です。今日は作文コンクールに応募しようと思っているみなさんに、私のささやかなアドバイスをお話したいと思います。

私が教師になったのは一九八七年ですからもう三十年以上も前のことです。小学校、中学校、高校、大学、大学院など様々な場所で国語、日本語を教えてきました。

八年前からは大連外国語大学で作文の授業を担当して、千人以上の中国の大学生の作文を見てきました。以前大連外国語大学は一学年二十二クラス、一クラス三十六人で、作文の授業を四クラス担当することもありましたから添削が本当にたいへんでした。もう一万篇以上の中国の学生さんの作文を見ていることになるでしょう。そんな私ですが、二〇一四年からは学生さんと一緒に様々な作文のコンクールに参加しています。日頃の授業や作文コンクールに参加する学生の皆さんの作文を読んで、感じることがいろいろありますので、今日はそれをお話したいと思います。

二、「カッコイイ作文」を書かないようにしましょう

作文コンクールが近づくと「カッコイイ作文」を書いてくる学生さんがいます。どこかの模範作文集に出ていそうな抽象的な美辞麗句が並んだその作文からはそれを書いた学生さんの本当の気持ち、本音がほとんど伝わって来ません。優秀な作文の抽象的な部分だけを真似ても決して良い作文は書けないのです。抽象的なみんなが使う言葉、実感の伴わない比喩や修辞法を多用した作文を読んでいると、たいへんに悲しい気持ちになってきます。そうした作文には読む人に対する誠実さや、作文を書くことに対する真摯な態度が欠けているからだと思います。厳しい言い方をすると「カッコイイ作文」を書こうとして書いた作文は「カッコ悪い作文」になっているのです。

三、「真心話《ジェンシンファ》」を書きましょう

学生さんが書いてきた作文を読んでいて「お！　これは！」と思うことがあります。作文指導をしていて一番嬉しい瞬間です。確かに文法的な間違えや表現が未熟な部分があるのですが、その作文からは「本気」「本音」「真心話」が伝わって来るのです。誠実に真摯な態度で自分の感じたこと、思ったこと、考えたことを伝えようという気持ちが感じられます。なんとなく原稿用紙に向かってスラスラと書いたのではなく、よく考え、悩んで書いたという作文執筆の過程が感じられるのです。

第一稿では「真心話」が感じられない作文でも、学生さんと一緒に色々な事を話し合ってから第二稿を書いてもらうと、俄然、作文が光ってくることがあります。後で、学生さんに聞いてみると私と話し合った後、何日間も悩んで、苦しんで書いたということが多いです。どんなに悩んで苦しくても、自分が納得のいく一本の作文が完成した時の気持ちは格別なものだそうです。

ですから、作文を書く時には自分が書きたいことは何なのか、自分の「真心話」は何なのかをしっかり自分自身で掴んでから書き出してほしいと思います。自分の書きたいことは何か、それを読み手に伝えるためにはどのように書けばよいか、それを真剣に悩んでほしいと思います。悩んでも答えが出ない場合は、友達や先生と話し合ってみましょう。しかし、そでも自分の「真心話」が掴めない場合はどうしたらよいでしょうか。

四、考えて調べてまた考えましょう

いくら考えても自分の「真心話」が掴めない、まとまらないという時は、調べましょう。ネットでも図書館でもいいです。自分が考えていることに関係したことを徹底的に調べましょう。私たちの視野は狭いものです。狭い範囲で悩んでいるよりも調べて新しいことに触れましょう。例えば今回のコンクールで私が指導した学生の中で「山川異域、風月同天」という言葉の意味をしっかり調べた学生は一人しかいませんでした。その学生とは一位になった萬園華さんです。

調べることができるのは、言葉の意味だけではありません。中国人の日本語作文コンクールの一位以上の作品は中国語訳が公開されています。それらの優秀な作品の中国語訳を読むことによって作文の着眼点、構成など、中国語で言うならば「写作思路」を調べ、学ぶことができるのです。過去の優秀作品の中国語訳はまさに貴重な学習の材料ということができるでしょう。

悩んだ時には調べて、新しいことに触れて、また考えて悩んでください。その過程できっと新しい発見があるはずです。

五、先生を信頼しましょう

このコンクールの第十五回大会に私は五人の学生と参加しました。佳作になった万巨鳳さん、宋暁蕊さん、張慧怡さん、二位の蒯滢羽さん、一位の韓若氷さんの五人です。全員、授業で教えたことのある学生です。私がどんな考え方をする教師なのかをよく理解してくれていました。私もそれぞれの学生さんがどのようなタイプなのかを解っていたつもりです。特に一位になった韓さんは私の授業の課代表もやってくれました。そうした信頼感があったからこそ全員が入賞できたのだと思います。良い作文を完成させるということは時間と根気がいる作業であり、指導教師と学生のキャッチボールの繰り返しで少しずつ前に進んでいくのではないでしょうか。皆さんが、心から先生を信頼して、素直な気持ちで先生のアドバイスをしっかりと聞くことが大切だと思います。その上で自分の意見が有ればきちんと先生に話しましょう。

ぜひ、皆さんに心から信頼できる、自分と相性の良い先生を見つけてほしいと思います。先生に対する信頼があってこそ「真心話」の作文を書くことができるのです。

六、友達と励まし合いましょう

私は今年の二月に萬さんという学生に「中国人の日本語作文コンクールに参加しましょう」と声を掛けました。最初、萬さんは自信がなくてとても迷ったそうです。寮のルームメイトの張さんに相談してやっと挑戦してみる勇気が出ました。それから二人は励まし合いながら作文を書きました。そして今回、張愛佳さんは佳作賞、萬園華さんは大使賞になる事が出来たのです。作文と言うのは一人で取り組む孤独な作業です。時には壁にぶつかって、苦しみ悩むことがあるでしょう。そんな時に同じ目標に向かって進む友達がいることは本当に大きな励ましになります。張愛佳さんは私に「萬さんと三年間一緒に暮らして、彼女の自立的で勤勉で、そして非常に謙虚な人格に深く影響を受けてきました。このような友達ができたのは幸せだと思っています。」というメッセージを送ってくれました。張さんは間もなく日本に留学しますが二人の友情はずっと続くことでしょう。

友達と励まし合い作文コンクールに挑戦することはきっと皆さんに大学時代の素晴らしい思い出を提供してくれるはずです。

七、おわりに

文章を書くことは面倒で、苦しいことです。できることなら避けて通りたいものですが、書くことによって見えてくること、解ってくることがあります。考えて、悩んで、調べて、考えて、友達と話し合って、また考えて時間をかけて自分の納得のいく一本の作文が書けたら、それは大学時代の貴重な記念碑になるはずです。

川内浩一（かわうち こういち）
早稲田大学教育学部卒。大連外国語大学漢学院大学院修士課程修了。神奈川県県立高校国語教師等を経て現職。日本語教師歴十二年。

第十五回 中国人の日本語作文コンクール
表彰式・日本語スピーチ大会

二〇一九年十二月十二日㈭ 在中国日本国大使館 大ホール

日本僑報社 在中国日本国大使館 共催

開催報告

日本僑報社・日中交流研究所主催の第十五回「中国人の日本語作文コンクール」の表彰式と日本語スピーチ大会が二〇一九年十二月十二日㈭午前、北京の在中国日本大使館で、横井裕特命全権大使をはじめ上位入賞者やその指導教師、家族など関係者約百六十人が出席して開かれた。

第十五回中国人の日本語作文コンクールは、外務省により認定された二〇一九年「日中青少年交流推進年」行事の一環として開催された。

（表彰式共催＝在中国日本国大使館、コンクール協賛＝株式会社パン・パシフィック・インターナショナルホールディングス、公益財団法人東芝国際交流財団、メディアパートナー＝朝日新聞社）

来賓として、日本大使館から横井大使をはじめ植野篤志特命全権公使、堤尚広公使、パン・パシフィック・インターナショナルホールディングスの髙橋光夫専務執行役員CFO、株式会社東芝の宮崎洋一中国総代表（東芝中国社董事長）、朝日新聞社の西村大輔中国総局長、中国日本商会の渡辺泰一事務局長らが出席。

挨拶する㈱パン・パシフィック・インターナショナルホールディングスの髙橋光夫専務執行役員CFO

主催者の日本僑報社からは、段躍中編集長（日中交流研究所所長）、段景子社長が出席した。

中国人の日本語作文コンクールは、日本と中国の相互理解と文化交流の促進をめざして、二〇〇五年にスタート。中国で日本語を学ぶ、日本に半年以上の留学経験のない学生を対象として、二〇一九年で第十五回を迎えた。

段躍中編集長（日中交流研究所所長）による挨拶

今回は、中国のほぼ全土にわたる大学や専門学校、高校など二百八校から前年の四千二百八十八本を上回る、計四千三百五十九本もの作品が寄せられた。これは近年では応募数の上位に並ぶ、作品の多さとなった（作品数は延べ数。以下同じ）。

日中関係は、二〇一七年の国交正常化四十五周年、二〇一八年の平和友好条約締結四十周年という節目の年を経て、両国首脳の相互往来が重ねられるなど改善の流れが加速している。また二〇一九年は青少年交流を進めるため、両国政府が定めた「日中青少年交流推進年」と位置づけられている。こうした積極的な日中関係の背景をとらえ、中国で日本語を学ぶ中国の若者たちの日本語学習熱が今なお高まりを見せていることが示された形となった。

今回のテーマは（一）東京二〇二〇大会に、かなえたい私の夢！（二）日中新時代を考える――中国の若者からの提言（三）今こそ伝えよう！先生、家族、友だちのこと――の三つ。

数次にわたる厳正な審査の結果、佳作賞以上の計三百十本（人）が入選を果たし、現任の横井大使自らによる最終審査で、最優秀賞の日本大使賞が決定。上海理工大学大学院の潘呈（はん・てい）さんによる作品「東京五輪で誤訳をなくすため、私にできること」がみごと日本大使賞の栄冠に輝いた。

この作品は、来日時に見かけたおかしな中国語訳をなくすために、ネットを通じて正確な翻訳を提供するサービスを行いたいという、日本語を学ぶ若者らしい熱意とユニークな発想にあふれた一編。数次にわたる審査の中では、「東京五輪への夢」をテーマに選んだことも日中未来志向の一つの形として好感が持てたという評価が多かった。

表彰式で挨拶した横井大使は、この作品を自ら大使賞に選んだ理由について「『東京二〇二〇大会に、かなえたい私の夢！』というテーマに沿って、潘さんは、自らの日本での経験を生き生きと描き、加えて、自ら設定した課題に具体的で実際的な解決策を提示し、それを高い水準の日本語で表現した。このことが潘さんの作品を大使賞に選んだ理由だ」と語り、生き生きとした表現や、自らの課題に具体的な解決策を示したことが大使賞選出の大きなキッカケとなったことを明らかにした。

横井裕特命全権大使による挨拶

日中関係においては二〇一九年、日本が「令和」の時代を、中国が建国七十周年をそれぞれ迎え、ともに「『日中新時代』を切り拓いていく」決意を共有、二〇二〇年春には中国の習近平国家主席が国賓として来日する予定である中、「こうした首脳間の緊密な往来の中で、日中間の様々な分野、レベルにおける交流と協力を一層深めていきたい」と強調した。

さらに日本語を学ぶ中国の学生たちに向けて「引き続き日本語を始めとする各分野で研鑽を積み、日中関係の担い手、両国の間の架け橋となっていただけるものと確信している」と力強いエールを送った。

日本大使賞の授与式では、横井大使が潘呈さんに賞状を授与したほか、主催者を代表して日中交流研究所の段躍中所長（日本僑報社編集長）が副賞「日本一週間招待」の目録を贈呈した。

次に、上位入賞の一等賞（五人）、二等賞（十五人）、三等賞（六十人）受賞者がそれぞれ発表され、この日のために中国各地から駆けつけた受賞者たちに賞状と賞品が授与された。メディアパートナーの朝日新聞社からは、二等賞以上の受賞者に対し「これで日本語の学習に一層励んでほしい」と朝日新聞が半年から一年間、無料で閲覧できる「朝日新聞デジタルＩＤ」がプレゼントされた。

続いて、二〇一五年に創設された「優秀指導教師賞」の受賞者が発表された。

「優秀指導教師賞」は、コンクール三等賞以上の受賞者を育てた教師に対して、その日ごろの努力と成果をたたえるもの。受賞教師にそれぞれ　同賞が授与された。

この後、受賞者を代表して日本語によるスピーチが行われ、日本大使賞受賞の潘呈さんをはじめ、一等賞受賞の龔緯延《きょういえん》さん（西安電子科技大学）、朱琴剣《しゅきんけん》さん（西北大学）、韓若氷《かんじゃくひょう》さん（大連外国語大学）、呂天賜《ろてんし》さん（河北工業大学）、趙文会《ちょうぶんかい》さん（青島農業大学）の六人全員が登壇。

このコンクールには四回目の参加にして、今回ついに念願の日本大使賞に輝いた潘呈さんが、東京五輪を機に自分の力を生かして正しい翻訳を提供したいと訴えたほか、難しい日本の敬語に慣れるため「敬語をしゃべるドラえもんのアニメを制作してほしい」とユニークな提言をした緯延さん、日本アニメの聖地巡礼で韓国人と友だちになり、国境を超えるアニメの魅力を再認識したという呂天賜さんなど、それぞれが受賞作を堂々とした日本語で発表。その上で、一人ひとりが受賞の喜びや感謝の気持ちを伝えるなど、日ごろの学習の成果を十二分に披

一等賞以上の受賞者が登壇

横井大使（右から四番目）と指導教師

露した。

「優秀指導教師賞」の代表スピーチとしては、一等賞以上の受賞者を育てた教師のうち、上海理工大学の張文碧先生、西安電子科技大学の盧磊先生、西北大学の薛紅玲先生、大連外国語大学の川内浩一先生、河北工業大学の丁寧先生、青島農業大学の李錦淑先生の六人が登壇。

受賞に対して感謝の意が表されたほか、今回の指導報告として作文を書く上で大事なのは「(一)観察眼　(二)生き生きとした文体　(三)過去の入賞作の分析　(四)正確な文法　(五)生の声を伝えること」だとした張文碧先生、「かっこいい作文を書こうとせず、自分の気持ちに誠実に書いてください」とした川内先生、「作文と本気で向き合い、本当に書きたい内容を書き、読者を引きつける作品であること」とした丁寧先生など、それぞれの指導教師から重要な指摘と励ましの言葉があった。


来賓の挨拶に続いて、主催者を代表して日中交流研究所の段躍中所長が本コンクールの開催について、壇上のスクリーンに図表などを映し出しながら報告。

コンクールは、この十五年間で中国全土の三百を超える大学や大学院、専門学校などからのべ四万五千八百四十九人の応募があり、うち佳作賞以上の受賞者はのべ二千四百二十五人を数える。こうした実績により、コンクールはいまや中国で日本語を学ぶ中国人学生にとって「参加すること自体が大きな目標になる」ほどの知名度と権威性の高い大会へと成長を遂げてきた。

さらに、コンクールの入選作品をまとめた「受賞作品集」をこれまでに十五巻刊行（いずれも日本僑報社刊）。日中両国のメディアに数多く報道されているほか、「中国の若者の声」として各界から注目されていることなどが紹介された。


段躍中所長は十五年にわたる各界からの支援に感謝の意を述べるとともに、「日本語学習を通じて日本への理解を深めた学生たちを、これからも応援していただきたい」と、コンクールへの一層の理解と支援を呼びかけた。

続いて、来年の第十六回コンクールのテーマが発表された。次回より、毎回テーマに一つのコンセプト（全体を貫く基本概念）を設け、それに沿ったテーマを三つ提示するという新方針が紹介された上で、次回のコンセプトは「観光」であること、テーマは(一)こうだといいな！日本観光――中国の若者が気づいたこと　(二)「観光公害」を防ぐために、私にできることは？ （三）先生が教えてくれた、日本のおもしろローカル観光――の三つであることが伝えられた（※）。

応募期間は、来年二〇二〇年の五月中となる予定。

段所長からは「引き続き、多くの学生の皆さんに応募していただきたい。今から準備してください！」などと熱い呼びかけがあった。

受賞者たちは、晴れ晴れとした笑顔を見せるとともに「受賞が大きな励ましになった。将来は日本に留学したい」「来年はもっと上位を目指してがんばります」などと語り、この日の華やかな表彰式を機として、いっそうの日本語学習意欲を示していた。

（※）第十六回日本語作文コンクールのテーマは、二〇二〇年の新型コロナウイルス感染症拡大を受けて変更いたしました。本報告に掲載しているテーマは変更前のものです。

第15回受賞者を含む出席者全員で記念撮影

第十五回 中国人の日本語作文コンクール 受賞者一覧

最優秀賞・日本大使賞（1名）

上海理工大学 潘　呈

一等賞（5名）

西安電子科技大学 龔緯延
西北大学 朱琴剣
大連外国語大学 韓若氷
河北工業大学 呂天賜
青島農業大学 趙文会

二等賞（15名）

西安翻訳学院 呉雅婷
上海海事大学 林　鈺
合肥学院 李静嫻
華東師範大学 劉韻雯
東北大学秦皇島分校 全暁僑
北京理工大学附属中学 臧喜来
蘭州大学 王婧楠
武漢理工大学 王　駿
南京農業大学 劉偉婷
南京郵電大学 薛煦尭
恵州学院 鐘宏遠
西華大学 王禹鰻
大連外国語大学 蒯滢羽
北京第二外国語学院 鄭孝翔
中国人民大学 孫弘毅

三等賞（60名）

常州大学 陳柯君
湖南大学 宋佳璐
華僑大学 劉麗梅
中南大学 馬　瑞
広東東軟学院 岑湛嶸
蘭州理工大学 王立雪
煙台大学 馮卓楠
ハルビン理工大学 殷碧唯
中国人民大学 王代望
中国人民大学 方琳婷
電子科技大学 王遠帆
東北育才外国語学校 金祉妤
上海師範大学 李依格

江西農業大学南昌商学院 呉寧瑜
浙江外国語学院 汪雨欣
江西農業大学南昌商学院 陳安
山西大学 雲彤
西北大学 邢梓怡
東華理工大学長江学院 鄒婕
杭州師範大学 李沂霖
杭州師範大学 王景琳
華南農業大学 楊創祥
広東外語外貿大学南国商学院 黄偉源
華東師範大学 王夢昀
大連芸術学院 郜珊
曲阜師範大学 肖錦
曲阜師範大学 葛玉婷
上海師範大学天華学院 趙朱依
大連海事大学 朱栄
山東大学 陳予希
武漢外国語学校 殷佳琳
浙江外国語学院 李沁蕎

北方工業大学 楊衛娉
河北工業大学 李登宇
恵州学院 呂鵬堅
浙江師範大学 冉美薇
浙江師範大学 何仁武
浙江師範大学 肖思佳
大連外国語大学 王子健
大連外国語大学 金智慧
東北大学秦皇島分校 武小萱
合肥学院 呉文文
湖州師範学院 沈意
安徽師範大学 程雅
安徽師範大学 孟沪生
遼寧大学外国語学院 畢淼
東華大学 司天宇
東華大学 孫瑞閣
東北師範大学 董同罡
福州大学 劉紫苑
西安翻訳学院 潘鎮華

上海理工大学 孫思婧
天津理工大学 劉琛瑜
大連理工大学 王子尭
桂林理工大学 呉運恵
西安電子科技大学 薛梓霖
西安財経大学 趙中孚
浙江外国語学院 尤藝寧
華中師範大学 王珺
上海外国語大学附属外国語学校 張晁欽

佳作賞（229名、登録番号順）

聊城大学 尹哲
紹興越秀外国語学校 鐘雨霏
上海財経大学 石佳漪
上海財経大学 白陽
南陽理工学院 劉錦錦
常州大学 栗聡

嘉興学院　潘一諾
東華理工大学長江学院　劉汝霞
東華理工大学長江学院　廖詩穎
東華理工大学長江学院　鐘　君
中南財経政法大学　顔澤晨
ハルビン工業大学　雷　韜
南開大学　孟昕然
広東東軟学院　朱穎琳
青島職業技術学院　鍾希富
南開大学　張崧卓
遼寧対外経貿学院　曹芷溦
南京郵電大学　杜晨嵐
首都師範大学　張思璇
南陽理工学院　鍾子龍
蘇州科技大学　荘寓諧
中国海洋大学　楊宇耀
ハルビン理工大学栄成学院　陳芸璇
煙台大学　徐　敏
陽光学院　張若鵬

陽光学院　黄淑華
陽光学院　王鈺婷
陽光学院　陳思凱
陽光学院　何佳東
江西財経大学　魯素雲
中国人民大学　黄琳婷
中国人民大学　曹　妍
中国人民大学　王　寧
中国人民大学　孟軒如
中国人民大学　于　翠
中国人民大学　白雅琳
中国人民大学　王璟琨
中国人民大学　付小軒
中国人民大学　楊　諾
上海建橋学院　趙世豪
曲阜師範大学　段若巍
武漢大学　韋煜翔
電子科技大学　張超穎
貴州大学　張雯雯

貴州大学　陳虹兵
大連東軟信息学院　李　穎
大連東軟信息学院　李興宇
大連東軟信息学院　馬明宇
北方工業大学　林傾城
浙江外国語学院　金恒賢
広東東軟学院　趙穎琪
ハルビン師範大学　林　琳
華中科技大学　宋凌逸
同済大学　郭雲霞
華中科技大学　張晨璐
華東理工大学　徐琳琳
ハルビン師範大学　布露露
山東科技大学　郝文佳
山東財経大学　陳心茹
北京第二外国語大学　陳　卓
山西大学　丁宇希
西北大学　張家桐
西北大学　毛桂香

東莞理工学院　黄鈺峰
東莞理工学院　劉嘉慧
東莞理工学院　潘　明
海南師範大学　黄潤萍
蘭州理工大学　付　榕
南京信息工程大学　王晨萌
南京信息工程大学　朱園園
杭州師範大学　高鑫贇
杭州師範大学　韓俊祺
寧波大学　周維維
湖南大学　王維宇
湖南大学　兪肖妍
湖南大学　胡煊赫
青島理工大学　楊夢秋
江漢大学　王晨宇
山東財経大学　程　瑞
集美大学　張程程
大連外国語大学　万巨鳳
大連外国語大学　傅　婷

大連外国語大学　曹佳鑫
大連外国語大学　張愛佳
大連民族大学　孫　瑋
大連民族大学　周　寧
大連民族大学　閻正昊
広東外語外貿大学南国商学院　楊劉莉
通化師範学院　曽　佳
通化師範学院　王　也
華東師範大学　唐綉然
菏澤学院　張新禹
菏澤学院　殷雪珂
四川師範大学　張鏵升
四川師範大学　朱俊賢
大連芸術学院　趙夢閣
瀋陽工業大学　桂菀婷
嶺南師範学院　簡麗萍
嶺南師範学院　盧巧玲
嶺南師範学院　雷雅婷
嶺南師範学院　張　浩

嶺南師範学院　彭万里
寧波工程学院　陳　依
寧波工程学院　潘暐炎
韶関学院　謝青青
韶関学院　何穎芸
曲阜師範大学　費興元
南京農業大学　李羽鵬
黒龍江東方学院　邸銘崴
上海師範大学天華学院　黄語婕
大連海事大学　李晨銘
天津科技大学　田欣宜
五邑大学　何燕飛
山東大学外国語学院　王　鋭
山東大学外国語学院　黄　萱
吉林大学　呂亦然
運城学院　張俊芸
江漢大学　万斐婭
長安大学　孫　可
天津外国語大学　郭明言

河北工業大学	呉樹郁
五邑大学	楊雅婷
大連科技学院	李佳音
大連科技学院	楊　陽
淮陰師範学院	王若瑄
浙江万里学院	陳　濤
南京林業大学	陳貝思
山東大学（威海）東北アジア学院	葉嘉卉
上海杉達学院	杜　烜
棗荘学院	朱　樺
棗荘学院	袁　傑
蘭州大学	張黙林
蘭州大学	張宏瑞
蘭州大学	陳　晨
大連外国語大学	黄　渤
大連外国語大学	梁　越
大連外国語大学	何冠釗
常熟理工学院	陳亦鑫

長春理工大学	張椿婧
浙江師範大学	孟廷威
商丘師範学院	趙思邈
福建師範大学	丁帝淞
暨南大学	周　影
暨南大学	黄丹琦
江西農業大学南昌商学院	呉向陽
大連外国語大学	張宇鑫
大連外国語大学	鄒運沢
大連外国語大学	王嘉迪
大連外国語大学	段敬渝
大連外国語大学	崔伯安
大連外国語大学	孫正一
山東工商学院	劉敬怡
武漢理工大学	劉璐璐
武漢理工大学	王嘉穎
武漢理工大学	馮　瑶
武漢理工大学	鄭　欣
武漢理工大学	李昊林

武漢理工大学	陳珞茜
武漢理工大学	劉子傑
青島大学	鄭　煒
青島大学	陳翔宇
上海理工大学	周思捷
西安交通大学	朱琦一
西安交通大学	楊啓航
西安交通大学	張牧雲
西安交通大学	趙梓伊
五邑大学	方華妮
中国海洋大学	林　玥
合肥学院	汪芳芳
大連外国語大学	張慧怡
南昌大学	張桂寧
安徽外国語学院	陳　思
浙江外国語学院	陳清泉
黒龍江外国語学院	陳丹丹
南京農業大学	張　栩
貴州財経大学	呉潤梅

延辺大学	李　曄
湖州師範学院	張淑傑
湖州師範学院	陸潔琴
湖州師範学院	張潔静
湖州師範学院	朱雅雯
湖州師範学院	屠冬晴
安徽師範大学	王舒嘉
南京理工大学	劉淑萍
大連外国語大学	宋暁蕊
吉林外国語大学	趙悦彤
吉林外国語大学	段　欣
吉林外国語大学	許佳林
吉林外国語大学	唐　瑩
吉林外国語大学	姜佳玉
吉林外国語大学	田　馳
吉林外国語大学	劉旻婕
吉林外国語大学	劉彦孜
吉林外国語大学	王　鵬
宜賓学院	林小婷
大連理工大学	李　博
東北大学	劉智睿
東北大学	劉子祺
東華大学	白洺綺
東華大学	朱柄丞
東華大学	余亦沁
東華大学	石佑君
浙江外国語学院	呂夢潔
大連工業大学	李志偉
南京農業大学	楽伊凡
浙江農林大学	江　玥
浙江農林大学	張雨馨
浙江農林大学	周　煒
江西農業大学外国語学院	羅　松
江西農業大学外国語学院	邱成哲
江西農業大学外国語学院	李嘯寅
江西農業大学外国語学院	陳暁東
華東政法大学	丁文婷
広州工商学院	谷　源
福州大学	黄欽昀
西北師範大学	覃瀅琳
浙江外国語学院	陳　楊
浙江外国語学院	金仁鵬
魯東大学	張笑妍
広東財経大学	胡金成
広東財経大学	鄧婉瑩
上海海事大学	尹凡欣
長安大学	張小暁
嘉興学院南湖学院	王一安
嘉興学院南湖学院	王佳蓓
青島農業大学	王　琳
雲南民族大学	謝瑞婷
長安大学	馮李琪
玉林師範学院	劉功鳳

孫艶琦　上海理工大学
劉一陽　黒龍江外国語学院
張家福　運城学院
阿説暁琳　楽山師範学院
余廷蕤　楽山師範学院
孫　赫　山東大学(威海)東北アジア学院
耿芸晨　竜岩学院
廖欣怡　杭州師範大学
李心怡　杭州師範大学
汪　雲　杭州師範大学
鄺暁鈺　江西財経大学
果　威　東北大学秦皇島分校
孫文璐　黒龍江東方学院
劉婧穎　大連工業大学
張錦文　杭州師範大学
張詩紅　恵州学院
張　迅　安陽師範学院
斉　淇　大連東軟信息学院
張思鈺　大連東軟信息学院
高子雲　大連東軟情報学院
陳佳欣　大連東軟情報学院
龔佳麗　棗荘学院
賈　彤　棗荘学院
黄雪珍　湖州師範学院
陸奕静　湖州師範学院
石麗瓊　湖州師範学院
丁朔月　湖州師範学院
倪婷莉　湖州師範学院
李淑明　煙台大学
呉　迪　煙台大学
王　琼　広東外語外貿大学南国商学院
ラチンジヤ　青海民族大学
オセドルジ　青海民族大学
盧宏廸　杭州師範大学
楊光耀　海南師範大学
周小容　海南師範大学
王雅竹　瀋陽工業大学
呉潮松　瀋陽工業大学
趙思宇　湖南文理学院芙蓉学院
石　聰　華中師範大学
潘贏男　華中師範大学
陳雯雯　山西大学
林風致　山西大学
林　静　山西大学
陳柯君　山西大学
荘達耀　山西大学
鄧文茜　華南師範大学
阮文浩　華南師範大学
梁　婧　湖南大学
羅伊霊　湖南大学
郭煜輝　湖南大学
呂佩佩　湖南大学
李浩宇　湖南大学
呉寧瑜　江西農業大学南昌商学院
藍　昕　江西農業大学南昌商学院
石越越　東華大学
張　悦　東華大学
包婷婷　揚州大学広陵学院
何　煊　揚州大学
金可悦　南京工業大学
陳紫莉　武漢大学
鄧雨春　武漢大学
施昕暉　天津工業大学
邱詩媛　天津工業大学
孫佳琪　天津工業大学
盧雨欣　四川大学
孫倩倩　青島大学
周　丹　青島大学
王倶揚　青島大学
劉　暢　青島大学
呂暁晨　青島大学
王子威　蘭州大学
廉暁慧　東北育才外国語学校
葉暁倩　浙江万里学院
李陳浩　浙江万里学院
秦月涵　浙江万里学院
何　東　首都師範大学
孫嘉文　北京外国語大学
陳露文　上海師範大学
管　潤　湖北師範大学
韓楊菲　恵州経済職業技術学院
劉暁迪　山東財経大学
王憶琳　集美大学
汪　洋　浙江外国語学院
李慧栄　大連芸術学院
徐丹荷　広東外語外貿大学南国商学院
袁　園　西南民族大学
冀嘉璇　西南民族大学
周　明　桂林理工大学
唐明霞　桂林理工大学
周慧佳　桂林理工大学
覃金連　桂林理工大学
李智芝　嘉興学院南湖学院
王佳蓓　嘉興学院南湖学院
馮蕾蕾　天津科技大学
倪薛涵　天津科技大学
石　園　大連理工大学
潘　呈　上海理工大学
鄭景雯　国際関係学院
張旭鑫　文華学院
孟　旦　文華学院
周紫儀　南京師範大学附属高等学校
金昕叡　大連外国語大学
李嘉楽　大連外国語大学
王　康　大連外国語大学
王怡璇　大連外国語大学
呉　尽　大連外国語大学
張光輝　寧波工程学院
管心湘　寧波工程学院
梅方燕　陝西理工大学
余嘉軒　武漢理工大学
王　婧　武漢理工大学
韋宇城　武漢理工大学
胡瀟晗　武漢理工大学
徐豪澤　ハルビン工業大学
黄旭雯　ハルビン工業大学
王嘉鴻　ハルビン工業大学
陳暁研　上海交通大学
徐寧江　上海交通大学
唐雨静　華東政法大学
劉浩暉　韶関学院
丁　宇　広東嶺南職業技術学院
趙中孚　西安財経大学
侯　婷　西安財経大学
李博軒　西安財経大学
江　慧　吉林華橋外国語学院
王志浩　吉林華橋外国語学院
範禹岐　吉林華橋外国語学院
劉星佐　吉林華橋外国語学院
劉天航　吉林華橋外国語学院
楊　哲　吉林華橋外国語学院
陳暁傑　吉林華橋外国語学院
郁文全　吉林華橋外国語学院
袁　満　吉林華橋外国語学院
王一汀　吉林華橋外国語学院
范金森　中南林業科技大学
王　暢　中南林業科技大学
何秀慧　江蘇理工学院
翁恵娟　江蘇理工学院
陳　穎　中南財経政法大学
林宣佑　中南財経政法大学
孫文麒　中南財経政法大学
王　鈺　中南財経政法大学
唐　然　中南財経政法大学
余　莞　中南財経政法大学
朱迪妮　復旦大学
李奕珂　四川大学錦城学院
潘　静　集美大学
李佳瑩　西安理工大学
王敏瑋　外交学院
連　通　玉林師範学院
張篠顔　上海外国語大学
王洪苗　河北工業大学
鄭家彤　河北工業大学
潘天璐　杭州師範大学
王羽晴　中山大学
楊潔容　成都東軟学院
胡煥礫　合肥学院
呉文文　合肥学院
倪悦韜　上海建橋学院
方　彬　上海建橋学院
任　静　蘭州理工大学
馮夢熒　浙江外国語学院

第14回
中国人の日本語作文コンクール受賞者一覧

最優秀賞
黄安琪　復旦大学

一等賞
邰華静　青島大学
王美娜　中南財経政法大学
王婧瀅　清華大学
劉　玲　華東師範大学
呉曼霞　広東外語外貿大学南国商学院

二等賞
朱　雯　東華大学
周夢琪　江蘇師範大学
郭順鑫　蘭州大学
周凡淑　清華大学
張伝宝　山東政法学院
黄鏡清　上海理工大学
武田真　北京科技大学
王　寧　中国人民大学
陳昕羽　浙江万里学院
倪雲霖　湖州師範学院
由夢迪　黒龍江外国語学院
周義東　東華理工大学長江学院
陳夢嬌　抗州師範大学
周　婕　福建師範大学
何発芹　常州大学

三等賞
鍾子龍　南陽理工学院
王龔苑　浙江工商大学
万興宇　武昌理工学院
高楹楹　杭州師範大学
徐雨晨　西北大学
陳長遠　中国人民大学
路雨倩　中国人民大学
丁嘉楽　常州大学
蒋　心　上海理工大学
張暁利　湖州師範学院
丁雯清　上海理工大学
陳詩雨　華東師範大学
暴青青　天津工業大学
関倩鈺　東北育才外国語学校
楊昊瑜　天津財経大学珠江学院
黄芷萱　天津科技大学
王　冕　大連外国語大学
薛　釗　西安財経大学
趙凱帆　中南財経政法大学
呉　琳　雲南民族大学
李丙垚　青島理工大学
魏思佳　北京林業大学
呂嘉琦　北京第二外国語学院
黄琳婷　中国人民大学
蒋婕儀　常州大学
呉沁霖　同済大学
張奕新　曁南大学
銭　易　杭州師範大学
劉培雅　杭州師範大学
汪頌今　湖州師範学院
許洪寅　青海民族大学
霍一卓　東華大学
岑静雯　天津工業大学
陳佳玲　広東財経大学
王雄凱　西安交通大学
袁思純　南京農業大学
莫麗恩　広東海洋大学
姚子茜　華東政法大学
張安娜　西安財経大学
蔣雨任　復旦大学
王　瑩　江西農業大学南昌商学院
呉希雅　浙江工商大学
顔　坤　斉斉哈爾大学
王　競　江西農業大学南昌商学院
洪　梅　渤海大学
陸恵敏　菏澤学院
賀佳瑶　華中師範大学
鄭瑞瑛　曁南大学
趙玲玲　凱里学院
王明丹　大連海事大学
陳泳琪　広東外語外貿大学南国商学院
杜　湘　湖南大学
韓沢艶　西安電子科技大学
李悦涵　吉林財経大学
尚童雨　西安交通大学
陳　凱　南京農業大学
江嘉怡　広東海洋大学
王之妍　上海杉達学院
雷　妍　吉林華橋外国語学院
劉　錦　中南財経政法大学

佳作賞
周　怡　湖北文理学院
曹　鈺　嘉興学院
余建飛　嘉興学院
徐　歓　嘉興学院
王　丹　上海財経大学
李則盛　上海理工大学
覃維連　湖北民族学院
姫甜夢　浙江工商大学
龍燕青　北京第二外国語学院
王瑞敏　内モンゴル大学
戴嘉琪　首都師範大学
程瑛琪　天津商業大学
施紅莎　浙江理工大学
劉徳満　青島職業技術学院
鄭穎悦　常熟理工学院
劉淑嫚　武昌理工学院
周朦朦　蘇州大学
章懐青　蘇州大学
朱栩瑩　広東外語外貿大学
侯岩松　西安理工大学
陳暁雯　青島農業大学
欧書寧　天津外国語大学濱海外事学院
李斉悦　中原工学院
陳少傑　福建師範大学
張聡恵　集美大学
李依格　上海師範大学
汪雪瑩　上海市甘泉外国語中学校
劉暁璠　青島理工大学
蔡暁彤　西北大学
徐亦微　西北大学
任伊稼　上海外国語大学附属上海外国語学校東校
周　怡　淮陰師範学院
劉　静　広東外語外貿大学南国商学院
陳　晨　淮海工学院
李　雪　貴州大学
韓方超　泰山学院
康雅姿　中南大学
劉紫薇　山東財経大学
馮子凝　山東青年政治学院
金香玲　大連民族大学
譚鳳儀　中国人民大学
周雨萱　中国人民大学
劉樹慧　菏澤学院
韋　彤　菏澤学院
趙祖琛　菏澤学院
郝文佳　山東科技大学
聶　帥　華僑大学
宋　歌　華僑大学
華　瑾　華僑大学
彭暁宏　華僑大学
許迪棋　華僑大学
張雨璇　上海師範大学
劉文静　常州大学
朱新玲　常州大学
徐　穎　常州大学
栗　聡　常州大学
劉馨悦　通化師範学院
鄒春野　通化師範学院

余夢娜　安陽師範学院
周駱駱　南京大学金陵学院
趙珊珊　電子科技大学
李　平　東華理工大学
曽明玉　東華理工大学
李　婷　東華理工大学
付巧芸　東華理工大学
張麗虹　広東技術師範学院
桂媛媛　北京科技大学
朱潔銀　浙江財経大学東方学院
張嘉慧　吉林大学珠海学院
汪紅霞　浙江万里学院
孔夢婕　浙江万里学院
馬　李　浙江万里学院
王瑾瓏　浙江万里学院
陳鯨娜　曁南大学
李嘉棋　広東外語芸術職業学院
任盛雨　天津商務職業学院
鄭　茜　楽山師範学院
徐明慧　遼寧大学
龍佳琪　西南交通大学
楊春麗　西南交通大学
靳　琳　西南交通大学
軒轅雲暁　山東青年政治学院
侯炳彰　ハルビン工業大学
龍学佳　南京郵電大学
洪熙恵　煙台大学
鄒澐釗　吉林財経大学
張殷瑜　中国海洋大学
侯羽庭　中国海洋大学
劉　畑　中国海洋大学
王暁暁　山東大学威海分校翻訳学院
史小玉　長安大学
張童堯　大連東軟情報学院
曽鈺萍　大連東軟情報学院
何　陽　大連東軟信息学院
温麗穎　大連東軟情報学院
譚　森　重慶三峡学院
李麗芳　長春工業大学
李寒寒　長春工業大学
王淑婷　青島理工大学
梁一爽　天津工業大学
馬沢遠　天津工業大学
王　雨　東北大学秦皇島分校
馮如雪　許昌学院
宮　倩　華東師範大学
ガットブジヤ　青海民族大学
徐彤彤　通化師範学院
周丹羚　福建師範大学
丁沁文　福建師範大学
涂智強　江西外語外貿職業学院
張志豪　江西外語外貿職業学院
郝亜蕾　泰山学院
田　雪　泰山学院
彭慧霞　泰山学院
張夏青　泰山学院
鐘葉娟　広東海洋大学
陳聖傑　大連海洋大学
潘　瑞　大連海洋大学
劉　娟　大連海洋大学
茹　壮　大連海洋大学
潘慧寧　大連海洋大学
陸　婷　大連海洋大学
王　朋　山西大学
韋倩雯　山西大学
楊　綺　山西大学
呉氷潔　東華大学
沈千匯　東華大学
李享珍　東華大学
劉淑蕓　東華大学
楊　珊　南京理工大学
丁剣鋒　南京工業大学
盧珊珊　南京工業大学
梁亜曼　魯東大学
左玉潔　魯東大学
範丹鈺　浙江師範大学
彭　楨　浙江師範大学
呉非凡　浙江師範大学
張羽冉　華東政法大学
趙嘉華　華東政法大学
高敏訥　華東政法大学
朱　瑛　華東政法大学
呉致芹　青島農業大学
徐一琳　青島農業大学
魏　婕　青島農業大学
梁慧梅　嶺南師範学院
盧冬梅　嶺南師範学院
許穎晴　嶺南師範学院
陳景蓉　済南大学
葉　歓　武漢理工大学
張鉦浩　武漢理工大学
趙　晗　武漢理工大学
陳加興　武漢理工大学
郭天翼　吉林華橋外国語学院
章夢婷　吉林華橋外国語学院
陳　彤　吉林華橋外国語学院
殷雨晨　吉林華橋外国語学院
汪笑笑　嘉興学院南湖学院
沈雯婷　嘉興学院南湖学院
劉　錦　中南財経政法大学
唐　然　中南財経政法大学
王　鈺　中南財経政法大学
丁　楠　大連理工大学城市学院
賈会君　大連理工大学城市学院
李芸璇　大連理工大学城市学院
張津津　大連理工大学城市学院
単金萍　浙江農林大学
陸怡雯　浙江農林大学
劉　婕　合肥学院
胡煥碟　合肥学院
王芸儒　大連工業大学
宋婷玉　大連工業大学
李　越　大連工業大学
孫雯雯　東北財経大学
許　暢　東北財経大学
張　妍　太原理工大学
賀　珍　寧波工程学院
銭　蜜　寧波工程学院
金美好　寧波工程学院
李　婷　寧波工程学院
王玲平　湖州師範学院
陳予捷　湖州師範学院
鐘　琳　湖州師範学院
袁暁露　湖州師範学院
汪頌今　湖州師範学院
蘭　黎　成都東軟学院
厳　浩　成都東軟学院
張書徳　大連大学
朱守静　大連大学
胡　芸　武漢大学
杜軼楠　武漢大学
呉欣君　上海理工大学
陶志璐　遼寧師範大学
孫　穎　遼寧師範大学
張　錦　遼寧師範大学大学院
王卓琳　遼寧師範大学大学院
尤子瑞　西安電子科技大学
李書輝　南京農業大学
羅雯雪　雲南民族大学
童　莎　西安財経学院
楊子璇　南京師範大学
劉明達　南京師範大学
彭森琳　南京師範大学
李春輝　遼寧対外経貿学院
程蕾彧　西安外国語大学
劉雲嘉　黒龍江外国語学院
唐銀梅　江蘇大学
于佳雯　江蘇大学
仇昊寧　南京工業職業技術学院
唐　瀾　菏澤学院
徐　傑　菏澤学院
劉樹慧　菏澤学院
金娜延　大連民族大学
任　静　蘭州理工大学
蒋　瑩　天津科技大学
張　睿　天津科技大学
董魏丹　天津科技大学
黄靖智　天津科技大学

第13回
中国人の日本語作文コンクール受賞者一覧

最優秀賞
宋　妍　河北工業大学

一等賞
邱　吉　浙江工商大学
張君恵　中南財経政法大学
王　麗　青島大学
黄鏡清　上海理工大学
林雪婷　東北大学秦皇島分校

二等賞
王曽芝　青島大学
劉偉婷　南京農業大学
孫夢瑩　青島農業大学
汝嘉納　同済大学
王静昀　中国人民大学
余催山　国際関係学院
李思萌　天津科技大学
李師漢　大連東軟信息学院
劉淑嫚　武昌理工学院
賀文慧　武昌理工学院
杜玟君　ハルビン工業大学
王智群　江西財経大学
趙景帥　青島職業技術学院
欧嘉文　華僑大学
陳　艶　上海交通大学

三等賞
呂暁晨　青島大学
陳　群　中南財経政法大学
陳月園　杭州師範大学
王婧瀅　清華大学
劉思曼　長春師範大学
葉奕恵　恵州学院
陳妍宇　電子科技大学
傅麗霞　華僑大学
李夢倩　浙江農林大学
李婉逸　中南財経政法大学
陳馨雷　中南財経政法大学
宗振宇　青島農業大学
高　潤　西南民族大学
鄭秋燕　菏澤学院
郭　禕　河北大学
史藝濤　上海市晋元高級中学
孫婧一　東華大学
王澤一　寧波外国語学校
蔡方方　許昌学院
劉海鵬　許昌学院
楊　悦　大連海事大学
楊晴茹　山東財経大学
顧　徐　上海海洋大学
劉　通　上海杉達学院
玉　海　中南民族大学
胡茂森　湖南大学
蘇暁倫　広東外語外貿大学
梅瑞荷　信陽師範学院
馬瀅哲　嘉興学院
張天航　武漢理工大学
劉小芹　東華大学
葉忠慧　広東海洋大学
王偉秋　天津工業大学
胡芷媛　大連東軟信息学院
郭　鵬　西南交通大学
周　湾　東華理工大学
呉夢露　江西農業大学南昌商学院
張少東　海南師範大学
成悦平　中国人民大学
徐雨婷　同済大学
史　蕊　淮陰師範学院
姚文姫　東莞理工学院
陸　湘　華僑大学
劉雅婷　天津科技大学
鍾一棚　大連大学
濬君艷　寧波工程学院
王　炎　大連工業大学
牟雨晗　浙江農林大学
張　婧　吉林華橋外国語学院
鄭　凱　青島農業大学
姚子茜　華東政法大学
丁昊天　中国海洋大学
張　典　大連外国語大学
陳　研　常州大学
張宇航　山西大学
張家福　運城学院
竇金穎　楽山師範学院
呉　凡　南京信息工程大学
馬　瑞　山西大学
劉　琴　安徽大学

佳作賞
林雨桐　広東外語外貿大学
馮彩勤　安徽大学
呉雲観　浙江理工大学
郝皓宇　チベット民族大学
周盛寧　嘉興学院応用技術学院
殷子旭　天津外国語大学
姚　瑶　中南民族大学
呉桂花　貴州大学
邱怡婷　塩城工学院
成暁倩　塩城工学院
徐子芹　四川外国語大学成都学院
周　怡　淮陰師範学院
朱夢雅　淮陰師範学院
郭燦裕　広東機電職業技術学校
郭夢林　常州大学
趙淑婷　嘉興学院
張革春　江西財経大学
陳麗菁　東華理工大学長江学院
袁　丹　西華師範大学
薛亜男　青島職業技術学院
陳佳敏　青島職業技術学院
趙妮雪　青島大学
洪斌鋭　恵州学院
白鳳玲　湖北民族学院
殷若宜　集美大学
鞠文婷　大連外国語大学ソフトウェア学院
李素娜　東莞理工学院
姚　悦　大慶師範学院
劉麗雲　湖南大学
呉仕婭　湖南大学
呂　程　湖南大学
葛宇翔　安徽外国語学院
任禹龍　海南師範大学
黄鎮清　海南師範大学
趙玉瑩　渤海大学
王敏敏　渤海大学
脱康寧　華僑大学
呉宏茵　華僑大学
周　琳　瀋陽工業大学
袁青青　浙江大学寧波理工学院
游介邦　大連外国語大学
趙君儒　大連外国語大学
蔚　盼　西北大学
孫錦茜　揚州大学
王楚萱　揚州大学
張佳寧　揚州大学
李　琳　江西農業大学南昌商学院
黄　琪　江西農業大学南昌商学院
謝璟玥　黄岡師範学院
王大為　北京第二外国語学院
太敬媛　北京第二外国語学院
鄭　静　武漢工程大学
朱徳泉　安陽師範学院

潘衛峰　浙江万里学院
陳鋭煒　江西財経大学
劉英迪　江西財経大学
呉明賓　江西財経大学
曽冉芸　上海交通大学
徐　冲　大慶師範学院
李佳鈺　東北師範大学
斉夢一　北方工業大学
鄭燕燕　浙江師範大学
戴可晨　浙江師範大学
唐亜潔　吉林華橋外国語学院
湯承晨　吉林華橋外国語学院
于　蕾　菏澤学院
王沢洋　東北大学
周艶芳　集美大学
林麗磊　集美大学
甘　瑶　新疆師範大学
葉　璇　南京理工大学
張玉蓮　西南民族大学
徐明慧　遼寧大学
張媛媛　嘉興学院
劉　玉　西北大学
陳思伊　福州大学至誠学院
趙戈穎　中国海洋大学
李祖明　中国海洋大学
王沢源　山西大学
曹　帆　山西大学
陳　周　山西大学
鐘宇丹　広東外語外貿大学
陳嘉慧　広東外語外貿大学
王　蕙　北京科技大学
卜明梁　大連外国語大学
董博文　大連外国語大学
高　明　大連外国語大学
金　菲　大連外国語大学
藍　玉　大連外国語大学
李佳沢　大連外国語大学
劉　迪　大連外国語大学
馬　駸　大連外国語大学
馬　蓉　大連外国語大学
王海晴　大連外国語大学
鄭皓予　大連外国語大学
樊翠翠　山東師範大学
盧静陽　山東師範大学
王暁暁　山東大学(威海)翻訳学院
王小芳　山東大学(威海)翻訳学院
厳晨義　嘉興学院
于華銀　遼寧軽工職業学院
黄媛熙　新疆師範大学
顔夢達　上海師範大学
王若雯　広東省外国語芸術職業学院
徐楽瑶　長春外国語学校
王　瑞　西安交通大学
唐　鈺　西安交通大学
張永芳　山東理工大学
徐　文　山東理工大学
霍曉丹　黒龍江外国語学院
張　淼　黒龍江外国語学院
于曉佳　黒龍江外国語学院
龐　迪　黒龍江外国語学院
李文靜　黒龍江外国語学院
金淑敏　黒龍江外国語学院
霍曉丹　黒龍江外国語学院
劉正道　東華大学
張啓帆　東華大学
侯金妮　東華大学
高　寧　東華大学
符詩伊　東華大学
何悦寧　同済大学
陳穎潔　同済大学
于凡迪　同済大学
毛彩麗　魯東大学
張玉玉　魯東大学
解慧宇　魯東大学
李　浩　魯東大学
苟淑毅　魯東大学
陳　錚　天津外国語大学
徐嘉偉　天津外国語大学
高夢露　天津外国語大学
陳　靖　天津外国語大学
朱　珊　天津外国語大学
周姗姗　天津外国語大学
康為浩　天津商務職業学院
任盛雨　天津商務職業学院
張之凡　中南大学
凌沢玉　大連東軟情報学院
劉智洵　揚州大学
李婉媚　嶺南師範学院
朱藹欣　嶺南師範学院
呉玉儀　嶺南師範学院
田海媚　南京郵電大学
沈嘉倩　南京郵電大学
龍学佳　南京郵電大学
謝豊蔚　南京郵電大学
徐永林　南京郵電大学
劉　群　ハルビン工業大学
呉璐莹　浙江大学城市学院
李鳳婷　南京信息工程大学
韓　丹　上海師範大学天華学院
梁一爽　天津工業大学
王雨帆　天津工業大学
徐文諱　湖州師範学院
馮金娜　湖州師範学院
閔金麗　湖州師範学院
王潔宇　山東科技大学
穆小娜　山東科技大学
張仁彦　山東科技大学
劉偉娟　山東科技大学
劉姝珺　四川外国語大学成都学院
趙紫涵　四川外国語大学成都学院
廖　琦　武昌理工学院
田漢博　武昌理工学院
王沙沙　武昌理工学院
李煜菲　武昌理工学院
劉思敏　武昌理工学院
裴　慶　武昌理工学院
柳宇鳴　武昌理工学院
唐一鳴　武昌理工学院
劉淑嫚　武昌理工学院
雷景堯　大連大学
路志苑　運城学院
曹海青　黄岡師範学院
謝沅蓉　北京第二外国語学院
劉　雅　北京第二外国語学院
張芸馨　東北財経大学
沈茜茜　東北財経大学
奚丹鳳　嘉興学院南湖学院
田　葉　嘉興学院南湖学院
張銀玉　山東財経大学
高　雅　安徽師範大学
王雅婧　安徽師範大学
林青霞　天津科技大学
王春蕾　天津科技大学
陳維任　天津科技大学
于汨鑫　山東大学
李海川　玉林師範学院
李虹慧　玉林師範学院
刁金星　大連民族大学
李笑林　寧波工程学院
王卓琳　大連理工大学城市学院
蔣蘊豊　大連理工大学城市学院
趙瑾軒　青島農業大学
許夢琪　青島農業大学
周克琴　中南財経政法大学
胡　健　中南財経政法大学
陳馨雷　中南財経政法大学
黄橙紫　中南財経政法大学
董知儀　武漢理工大学
魏　甜　武漢理工大学
呉夢思　武漢理工大学
李福琴　武漢理工大学
張夢婧　武漢理工大学
孟　晴　太原理工大学
方沢紅　浙江農林大学
戚夢婷　浙江農林大学
李延妮　大連工業大学
于　晨　大連工業大学
王彩雲　大連工業大学
蘇　翎　北京外国語大学
季孟嬌　青島大学
張雪倩　常州工学院
肖宛璐　瀋陽薬科大学
範松梅　瀋陽工業大学

第12回
中国人の日本語作文コンクール受賞者一覧

最優秀賞

白　宇　蘭州理工大学

一等賞

郭可純　中国人民大学
張　凡　合肥優享学外語培訓学校
張君恵　中南財経政法大学
張彩玲　南京農業大学
金昭延　中国人民大学

二等賞

羅雯雪　雲南民族大学
肖思岑　湖南文理学院
王君琴　長安大学
王晨陽　国際関係学院
靳雨桐　中国人民大学
舒　篠　黒龍江外国語学院
王亜瓊　中南財経政法大学
朱翊慇　東莞理工学院
葉書辰　北京科技大学
張春岩　青島職業技術学院
徐　娜　恵州学院
張文輝　大連外国語大学
劉　安　山東政法学院
曾　珍　大連大学
王亜楠　山西大学

三等賞

肖年健　大連外国語大学
喬志遠　国際関係学院
謝　林　東華大学
余鴻燕　同済大学
郭　帥　青島農業大学
蔣易珈　南京農業大学
馬茜瀅　北京科技大学
梅錦秀　長江大学
林　璐　大連外国語大学
郭瀟穎　同済大学
洪　貞　上海理工大学
顧　誠　南京師範大学
李　聡　浙江農林大学
佟　徳　青海民族大学
李　倩　菏澤学院
劉嘉慧　江西農業大学南昌商学院
張靖婕　外交学院
高璟秀　合肥学院
陳倩瑶　吉林華橋外国語学院
王　婷　常州大学
王　弘　楽山師範学院
仲思嵐　揚州大学
劉権彬　東莞理工学院
郭建斌　運城学院
闞洪蘭　煙台大学
蔡偉麗　浙江農林大学
陳　怡　浙江農林大学
李慧玲　東北大学秦皇島分校
羅亜妮　南京理工大学
李琳玲　嘉興学院
李　達　大連外国語大学
劉小芹　東華大学
甘睿霖　揚州大学
周彤彦　南京郵電大学
李　氷　瀋陽師範大学
彭　俊　遼寧師範大学海華学院
陳　麗　天津科技大学
羅夢晨　南京師範大学
劉雨佳　瀋陽工業大学
許楚翹　常州大学
廖珊珊　東華理工大学
譚　翔　青島職業技術学院
李家輝　広東省外国語芸術職業学院
王沁怡　四川外国語大学
曹伊狄　遼寧対外経貿学院
李偉浜　南京工業大学
楊茹願　西安財経学院
朱杭珈　嘉興学院
陳子航　東華理工大学
戴俊男　東華大学
呉佩遙　同済大学
時　瑤　遼寧大学外国語学院
董鳳懿　大連工業大学
黄潔貞　五邑大学
施静雅　大連東軟情報学院
馮倩倩　安陽師範学院
付子梅　山東科技大学
鄭玉蓮　武漢理工大学
施金暁　寧波工程学院
丁　明　長春理工大学

佳作賞

周俊峰　江漢大学
張林璇　蘇州大学
楊晏睿　蘇州大学文正学院
祁麗敏　対外経済貿易大学
殷　静　重慶三峡学院
劉先会　天津財経大学
李睿禕　山東農業大学
黄国媛　曲阜師範大学
王建華　吉林建築大学城建学院
楊夢倩　華東理工大学
何思韻　広東外語外貿大学
黄　晨　南京大学金陵学院
陳静姝　長春理工大学
呂　月　淮陰師範学院
史　蕊　淮陰師範学院
張　悦　淮陰師範学院
陳維晶　北京郵電大学
黄少連　広東省技術師範学院
丁　一　渤海大学
王一平　重慶師範大学
陳蓓蓓　貴州大学
柏在傑　貴州大学
樊偉璇　貴州大学
袁静文　華僑大学
李方方　華僑大学
袁冬梅　華僑大学
蔡舒怡　華僑大学
金慧貞　華僑大学
李翔宇　華僑大学
任昀娟　青島大学
趙　芮　青島大学
王光紅　青島大学
丁夢雪　青島大学
李　明　青島大学
常暁怡　青島大学
閆　陽　青島大学
陳暁雲　華南理工大学
霍雨佳　海南師範大学
劉　曌　海南師範大学
楼金璐　四川外国語大学
王暁琳　吉林財経大学
方穎穎　泰山学院
熊萍萍　井岡山大学
高何鎧　浙江万里学院
宋躍林　嘉興学院平湖校区
謝子傑　嘉興学院平湖校区
張　彤　西南交通大学
鐘　璨　電子科技大学
王喩霞　煙台大学
蔡苗苗　東華理工大学
曾明玉　東華理工大学
張　琪　楽山師範学院
王　潔　楽山師範学院
蔡　楽　渭南師範学院
李天琪　西南民族大学
呉夏萍　吉林大学

姜景美	東北師範大学
郭　城	大連外国語大学
何璐璇	大連外国語大学
隋和慧	大連外国語大学
賴麗傑	大連外国語大学
馮佳誉	大連外国語大学
李欣陽	大連外国語大学
李佳沢	大連外国語大学
李嘉欣	大連外国語大学
艾雪驕	大連外国語大学
呂紋語	大連外国語大学
蘇靖雯	大連外国語大学
呉昱含	大連外国語大学
張曦冉	大連外国語大学
張暁晴	大連外国語大学
高　原	大連外国語大学
姚佳文	大連外国語大学
于　森	大連外国語大学
陳　暢	大連外国語大学
韓　慧	大連外国語大学
蘇日那	大連外国語大学
蘇星煌	大連外国語大学
羅晶月	大連外国語大学
叶桑妍	大連外国語大学
張楽楽	大連外国語大学
張　瑜	東華大学
郎　玥	東華大学
姚儷瑾	東華大学
蘇日那	大連外国語大学
蘇星煌	大連外国語大学
羅晶月	大連外国語大学
叶桑妍	大連外国語大学
張楽楽	大連外国語大学
張　瑜	東華大学
郎　玥	東華大学
姚儷瑾	東華大学
楊嘉佳	東華大学
黎世穏	嶺南師範学院
劉煒琪	嶺南師範学院
林小愉	嶺南師範学院
朱靄欣	嶺南師範学院
金美慧	大連民族大学
李霊霊	大連民族大学
周明月	大連民族大学
劉晨科	山東交通学院
徐　力	山東交通学院
権芸芸	対外経済貿易大学
劉孟花	山西大学
張殷瑜	山西大学
李　媛	惠州学院
張艾琳	惠州学院
洪毅洋	惠州学院
張　鈺	揚州大学
唐順婷	四川理工学院
李新雪	長江大学
楊欣儀	長江大学
鄭　巧	長江大学
陳　豪	長江大学
池夢婷	長江大学
鄔甚佳	黄岡師範学院
段　瑩	北京科技大学
董揚帆	北京科技大学
馬新艶	南京師範大学
夏君妍	南京師範大学中北学院
楊馥毓	浙江農林大学東湖校区
陳　怡	浙江農林大学東湖校区
李　毅	浙江農林大学東湖校区
孔増楽	浙江農林大学東湖校区
沈夏艶	浙江農林大学東湖校区
潘　呈	浙江農林大学東湖校区
李　楽	太原理工大学
李一菲	太原理工大学
孫甜甜	大連理工大学城市学院
韓　玲	大連理工大学城市学院
胡　硯	大連理工大学城市学院
李　婷	大連理工大学城市学院
姜　楠	ハルビン工業大学
陳　倩	長沙学院
王　翎	東北財経大学
鄧　婧	海南師範大学
冷　敏	海南師範大学
檀　靖	嘉興学院南湖学院
趙　莉	湘潭大学
何　丹	大連工業大学
宋　娟	大連工業大学
靳宗爽	大慶師範学院
陳　暁	大慶師範学院
夏丹霞	武漢理工大学
馬永君	武漢理工大学
林華欽	武漢理工大学
曹婷婷	武漢理工大学
孫　葳	武漢理工大学
曹　文	大連理工大学
闞　玥	大連大学
江　楠	大連大学
郭　莉	青島農業大学
王佳怡	寧波工程学院
費詩思	寧波工程学院
陳　聰	寧波工程学院
金静静	寧波工程学院
馮茹茹	寧波工程学院
俞夏琛	寧波工程学院
張　薇	遼寧師範大学
金智欣	遼寧師範大学
黄倩倩	合肥学院
龐嘉美	北京第二外国語大学
張雅楠	北京第二外国語大学
孫　肖	北京第二外国語大学
金静和	北京第二外国語大学
甘　瑶	新疆師範大学
張佳琦	上海交通大学
張雅鑫	天津工業大学
孫　帆	中南大学
彭暁慧	湘潭大学
史苑蓉	福建師範大学
林心怡	福建師範大学
張暁芸	福建師範大学
高建宇	吉林財経大学
劉建華	東南大学
陸君妍	湖州師範学院
鄭　娜	湖州師範学院
李双彤	湖州師範学院
濮淼琴	湖州師範学院
李夢丹	中南財経政法大学南湖校区
馬　沙	中南財経政法大学南湖校区
秦小聡	中南財経政法大学南湖校区
袁暁寧	中南財経政法大学南湖校区
康恵敏	中南財経政法大学南湖校区
黄鍇宇	大連理工大学
王　進	大連理工大学
金憶蘭	浙江師範大学
王依如	浙江師範大学
鄭　卓	浙江師範大学
方　園	南京郵電大学
姚　野	長春工業大学
李　月	運城学院
徐　捷	運城学院
謝　林	運城学院
吉　甜	天津師範大学
王佳歓	常州大学
李若晨	武昌理工学院
鄭詩琪	武昌理工学院
王志芳	武昌理工学院
黄佳楽	武昌理工学院
張　婭	武昌理工学院
李宝玲	天津科技大学
黄燕婷	東莞理工学院
張玉珠	南京農業大学
陳雪蓮	山東大学

第11回
中国人の日本語作文コンクール受賞者一覧

最優秀賞

張晨雨　山東政法学院

一等賞

雷雲恵　東北大学秦皇島分校
莫泊因　華南理工大学
張戈裕　嶺南師範学院
翁暁暁　江西農業大学南昌商学院
陳静璐　常州大学

二等賞

陳星竹　西安交通大学
孟　瑶　山東大学(威海)翻訳学院
王　林　武漢理工大学
羅暁蘭　国際関係学院
任　静　山西大学
王　弘　楽山師範学院
于　潔　揚州大学
郭可純　中国人民大学
劉世欣　南京理工大学
霍暁丹　黒竜江外国語学院
馮楚婷　広東外語外貿大学
周佳鳳　江西科技師範大学
王昱博　遼寧大学
許芸瀟　同済大学
鄒潔儀　吉林華橋外国語学院

三等賞

王羽迪　天津科技大学
張　敏　青島農業大学
趙盼盼　山東財経大学
金慧晶　北方工業大学
劉世奇　重慶大学
李思琦　山東大学(威海)翻訳学院
蒋雲芸　山東科技大学
蘇芸鳴　広東海洋大学
朱磊磊　鄭州大学
譚文英　南京農業大学
楊　力　瀋陽薬科大学
万瑪才旦　青海民族大学
宋文妍　四川外国語大学
梁　露　運城学院
張哲琛　東華大学
穀　柳　合肥学院
曹亜曼　南京師範大学
陳　婷　長春工業大学
祁儀娜　上海海事大学
夏葉城　遼寧対外経貿学院
張雅晴　ハルビン工業大学
閔子潔　北京師範大学
文家豪　雲南民族大学
牛雅格　長安大学
謝東鳳　中南民族大学
万　健　西南民族大学
陳蓓蓓　貴州大学
周　標　海南師範大学
田天縁　天津工業大学
白　露　長春理工大学
陳嘉敏　東莞理工学院
江　琼　江西財経大学
譚雯婧　広東海洋大学
陳維益　東北財経大学
王瀟瀟　南京大学金陵学院
李　珍　吉林大学
顧宇豪　浙江大学城市学院
王詣斐　西北大学
王超文　北京郵電大学
蔡　超　韶関学院
孫秀琳　煙台大学
李如意　外交学院
蒙秋霞　西南科技大学
牛宝倫　嘉興学院
範紫瑞　北京科技大学
畢　奇　太原理工大学
劉秋艶　大連外国語大学
楊慧穎　南京師範大学

佳作賞

李夢婷　天津財経大学
馮馨儀　天津財経大学
楊　珩　天津財経大学
馬雲芳　天津外国語大学
宋啓超　吉林大学
王曉依　浙江大学城市学院
曹　丹　青島大学
丁夢雪　青島大学
郝　敏　青島大学
楊　建　青島大学
葉雨菲　青島大学
成　慨　西南交通大学
俞　叶　西南交通大学
王　暢　西南交通大学
但俊健　西南交通大学
劉曉慶　西南交通大学
聶　琪　山東科技大学
張雪寒　吉林大学珠海学院
方　嘯　嘉興学院
陳子軒　嘉興学院
霍思静　嘉興学院
朱杭珈　嘉興学院
戴蓓蓓　嘉興学院
李　静　貴州大学
範　露　貴州大学
成　艶　貴州大学
趙慧敏　淮陰師範学院
付　雪　淮陰師範学院
劉樊艶　淮陰師範学院
陳　聡　淮陰師範学院
呉芸飛　淮陰師範学院
顧夢霞　淮陰師範学院
牛　雪　淮陰師範学院
李　艶　湘潭大学
夏英天　遼寧師範大学海華学院
白　洋　華僑大学
袁静文　華僑大学
曽宇宸　華僑大学
鄭貴嬰　華僑大学
徐鳳女　華僑大学
蔡舒怡　華僑大学
袁晨晨　浙江万里学院
唐佳麗　浙江万里学院
趙　琳　浙江万里学院
朱暁麗　浙江万里学院
王斐丹　浙江万里学院
胡佳峰　浙江万里学院
胡佳峰　浙江万里学院
宣方園　浙江万里学院
林嫺慧　浙江万里学院
趙浩辰　長春理工大学
余梓瑄　南京信息工程大学
劉　璐　南京信息工程大学

楊　茜　曲阜師範大学
徐嘉熠　北京理工大学
周　熠　北京理工大学珠海学院
魯雪萍　黄岡師範学院
陳　洪　四川外国語大学成都学院
陳　穎　西南交通大学
陳　茹　中国医科大学
梁小傑　西南交通大学
陳　晨　大連大学日本言語文化学院
王思雨　長安大学
華雪峡　大連大学日本言語文化学院
袁慶新　聊城大学
勾宇威　北京師範大学
于聖聖　長春理工大学
孫麗麗　山東大学
賈海姍　大連東軟情報学院
文胎玉　湖北民族学院
李官臻　大連東軟情報学院
楊錦楓　揚州大学
賈少華　大連東軟情報学院
孫暁宇　揚州大学
馬小燕　西北大学
孟維維　淮陰師範学院
潘秋杏　惠州学院
謝夢佳　淮陰師範学院
魏麗君　惠州学院
王正妮　河南理工大学
鄭暁佳　吉林大学珠海学院
金　珠　遼寧軽工職業学院
徐逍綺　上海師範大学天華学院
唐淑雲　華僑大学
牛愛玲　山東交通学院
戴惠嬌　華僑大学
李　玲　山東交通学院
文暁萍　広東外語外貿大学
張　楠　山東交通学院
陳明霞　中南大学
呉家鑫　山東交通学院
蔡海媚　広州鉄路職業技術学院
方　荃　天津職業技術師範大学
孫小斐　山東理工大学
張丹蓉　北京第二外国語大学
孫　漪　哈爾浜理工大学栄成学院
曾　瑩　嶺南師範学院外国語学院
林　霞　青島農業大学
張曉坤　嶺南師範学院外国語学院
鄭芳潔　青島農業大学
陳玉珊　嶺南師範学院外国語学院
張静琳　長江大学
劉暁芳　青島大学
向　沁　湖南大学
崔倩芸　青島大学
張　偉　遼寧大学外国語学院
温殊慧　山西大学
陶穎南　通大学杏林学院
張蓓蓓　山西大学
姜光曦　哈爾浜工業大学
任家蓉　山西大学
王　芬　浙江工業大学之江学院
余姣姣　南京林業大学
金　鑫　浙江工業大学之江学院
李　希　南京林業大学
章佳敏　合肥学院
唐　雪　湖州師範学院
林先慧　合肥学院
李　慧　琳湖州師範学院
張雅琴　寧波工程学院
曽　光　遼寧対外経貿学院
馮茹茹　寧波工程学院
瞿　蘭　浙江師範大学
王　静　浙江農林大学
李　欣　航長春外国語学校
潘　呈　浙江農林大学
陸楊楊　上海交通大學
廖美英　集美大学
王　耀　華山東外貿技術学院
李甜甜　集美大学
黄篠芙　東北育才外国語学校
雷紅艶　湘潭大学
郭　欣　東北育才外国語学校
皮益南　湘潭大学
王茹輝　天津工業大学

第10回 中国人の日本語作文コンクール受賞者一覧

最優秀賞

姚儷瑾　東華大学

一等賞

張　玥　重慶師範大学
汪　婷　南京農業大学）
姚紫丹　嶺南師範学院外国語学院
向　穎　西安交通大学外国語学院
陳　謙　山東財経大学

二等賞

王淑園　瀋陽薬科大学
楊　彦　同済大学
姚月秋　南京信息工程大学
陳霄迪　上海外国語大学人文経済賢達学院
王雨舟　北京外国語大学
徐　曼　南通大学杏林学院
陳梅雲　浙江財経大学東方学院
黄　亜　東北大学秦皇島分校
陳林傑　浙江大学寧波理工学院
呉　迪　大連東軟情報学院
呉柳艶　山東大学威海翻訳学院
孟文森　大連大学日本言語文化学院
趙含嫣　淮陰師範学院
郭　倩　中南大学
王　弘　楽山師範学院

三等賞

郝苗苗　大連大学日本言語文化学院
徐　霞　南京大学金陵学院
季杏華　揚州大学
李　楊　浙江万里学院
劉国豪　淮陰師範学院
金夢瑩　嘉興学院
鄢沐明　華僑大学
陳　韵　甘泉外国語中学
孫晟韜　東北大学軟件学院
楊　珺　北京科技大学
劉慧珍　長沙明照日本語専修学院
林　婷　五邑大学
申　皓　山東財経大学
宋　婷　長春理工大学
許　莉　安陽師範学院
余立君　江西財経大学
李　淼　大連工業大学
馮其紅　山東大学（威海）翻訳学院
陳　舸　浙江工業大学之江学院
黄倩榕　北京第二外国語大学
沈夏艶　浙江農林大学
曹金芳　東華大学
黎　蕾　吉林華橋外国語学院
任　静　山西大学
陳静逸　吉林華橋外国語学院
徐夢嬌　湖州師範学院
馮楚婷　広東外語外貿大学
徐聞鳴　同済大学
洪若檳　厦門大学嘉庚学院
姚怡然　山東財経大学
李　恵　中南財経政法大学
尤政雪　対外経済貿易大学
謝　林　運城学院
黄子倩　西南民族大学
万　運　湘潭大学
丁亭伊　厦門理工学院
梁泳恩　東莞理工学院
王秋月　河北師範大学匯華学院
孫丹平　東北師範大学
伊　丹　西安外国語大学

佳作賞

楊米婷　天津財経大学
喬宇航　石家庄外国語学校
林景霞　浙江万里学院
王亜瓊　中南財経政法大学
浦春燕　浙江万里学院
黄斐斐　上海海洋大学
戴舒蓉　浙江万里学院
李瑶卓　運城学院
程　月　長春工業大学
来　風　運城学院
瞿春芳　長春中医薬大学
路志苑　運城学院
伍錦艶　吉首大学

第9回
中国人の日本語作文コンクール受賞者一覧

最優秀賞

李　敏	国際関係学院

一等賞

李渓源	中国医科大学
趙思蒙	首都師範大学
毛暁霞	南京大学金陵学院
李佳南	華僑大学
張佳茹	西安外国語大学

二等賞

李　彤	中国医科大学
沈　泱	国立中山大学
張　偉	長春理工大学
何金雍	長春理工大学
葛憶秋	上海海洋大学
王柯佳	大連東軟信息学院
王雲花	江西財経大学
李　靈	上海師範大学天華学院
王楷林	華南理工大学
鄭曄高	仲愷農業工程学院
朱樹文	華東師範大学
斉　氷	河北工業大学
厳芸楠	浙江農林大学
熊　芳	湘潭大学
杜洋洋	大連大学日本言語文化学院

三等賞

羅玉婷	深圳大学
崔黎萍	北京外国语大学日研中心
孫愛琳	大連外国語大学
顧思骐	長春理工大学
遊文娟	中南財経政法大学
張　玥	重慶師範大学
張　眉	青島大学
林奇卿	江西農業大学南昌商学院
田　園	浙江万里学院
馬名陽	長春工業大学
尹婕然	大連東軟信息学院
王　涵	大連東軟信息学院
蒋文娟	東北大学秦皇島分校
李思銘	江西財経大学
梁　勁	五邑大学
馬　倩	淮陰師範学院
陳林杰	江大学寧波理工学院
崔舒淵	東北育才外国語学校
劉素芹	嘉応大学
邵亜男	山東交通学院
周文弢	遼寧大学遼陽校
虞希希	吉林師範大学博達学院
彭　暢	華僑大学
尹思源	華南理工大学
郭　偉	遼寧大学
魏冬梅	安陽師範学院
楊　娟	浙江農林大学
牛　玲	吉林華橋外国語学院
馬源営	北京大学
高麗陽	吉林華橋外国語学院
宋　偉	蘇州国際外語学校
劉垂瀚	広東外語外貿大学
唐　雪	湖州師範学院
呼敏娜	西安外国語大学
李媛媛	河北師範大学匯華学院
梁　婷	山西大学
呂凱健	国際関係学院
黄金玉	大連大学日本言語文化学院
黎秋芳	青島農業大学
劉　丹	大連工業大学

佳作賞

達　菲	浙江工商大学
蔡麗娟	福建師範大学
褚　蓄	長春理工大学
陳全渠	長春理工大学
朱姝璇	湘潭大学
劉潁怡	華南理工大学
付莉莉	中南財経政法大学
王明虎	青島大学
邵　文	東北育才学校
馬麗娜	浙江万里学院
趙一倩	浙江万里学院
黄立志	長春工業大学
沈　一	長春工業大学
熊　茜	大連東軟信息学院
曹　静	大連東軟信息学院
薛　婷	大連東軟信息学院
鄭莉莉	東北大学秦皇島分校
侯暁同	江西財経大学
雷敏欣	五邑大学
葉伊寧	浙江大学寧波理工学院
陳　芳	楽山師範学院
趙倩文	吉林華橋外国語学院
田　園	東師範大学
梁　瑩	山東大学
張可欣	黒竜江大学
馬　駸	華僑大学
梁建城	華南理工大学
高振家	中国医科大学
張玉珠	南京農業大学
李暁傑	遼寧大学
陳聞怡	上海海洋大学
孫君君	安陽師範学院
張　悦	連外国語大学
楊雪芬	江農林大学
周琳琳	遼寧師範大学
郭会敏	山東大学(威海) 翻訳学院日本語学部
王　碩	ハルビン工業大学
曽　麗	長沙明照日本語専修学院
喬薪羽	吉林師範大学
方雨琦	合肥学院
章　芸	湘潭大学
金紅艶	遼寧対外経貿学院
包倩艶	湖州師範学院
陳　婷	湖州師範学院
郭家斉	国際関係学院
張　娟	山西大学
王菊力慧	大連大学日本言語文化学院
龍俊汝	湖南農業大学外国語学院
李婷婷	青島農業大学
李　淼	大連工業大学

第8回
中国人の日本語作文コンクール受賞者一覧

最優秀賞
李欣晨　湖北大学

一等賞
兪妍驕　湖州師範学院
周夢雪　大連東軟情報学院
張鶴達　吉林華橋外国語学院
黄志翔　四川外語学院成都学院
王　威　浙江大学寧波理工学院

二等賞
銭　添　華東師範大学
張　燕　長沙明照日本語専修学院
馮金津　大連東軟情報学院
魏　娜　煙台大学外国語学院
張君君　大連大学
羅　浩　江西財経大学
葉楠梅　紹興文理学院
周小慶　華東師範大学
施娜娜　浙江農林大学
高雅婷　浙江外国語学院
韓　璐　大連工業大学
潘梅萍　江西財経大学
李雪松　上海海洋大学
李　傑　東北大学
于　添　西安交通大学

三等賞
劉　珉　華東師範大学
呉智慧　青島農業大学
李暁珍　黒竜江大学
孫明朗　長春理工大学
王傑傑　合肥学院
周　雲　上海師範大学天華学院
黄慧婷　長春工業大学
楊　香　山東交通学院
洪雅琳　西安交通大学
王洪宜　成都外国語学校
張　瀚　浙江万里学院
馬雯雯　中国海洋大学
周亜平　大連交通大学
張　蕊　吉林華橋外国語学院
王　璐　青島科技大学
鄭玉蘭　延辺大学
王晨蔚　浙江大学寧波理工学院
邱春恵　浙江万里学院
張　妍　華僑大学
楊天鷺　大連東軟情報学院
郝美満　山西大学
李書琪　大連交通大学
李艶蕊　山東大学威海分校
王翠萍　湖州師範学院
許正東　寧波工程学院
張　歓　吉林華橋外国語学院
楊彬彬　浙江大学城市学院
薛思思　山西大学
趙丹陽　中国海洋大学
楊　潔　西安交通大学
李文静　五邑大学
劉庁庁　長春工業大学
佟　佳　延辺大学
劉宏威　江西財経大学
牟　穎　大連大学
石　岩　黒竜江大学
郭思捷　浙江大学寧波理工学院
傅亜娟　湘潭大学
周亜亮　蕪湖職業技術学院
胡季静　華東師範大学

佳作賞
趙　月　首都師範大学
閻　涵　河南農業大学
楊世霞　桂林理工大学
蒋華群　井岡山大学
王暁華　山東外国語職業学院
呉望舒　北京語言大学
何楚紅　湖南農業大学東方科技学院
耿暁慧　山東省科技大学
郭映明　韶関大学
馬棟萍　聯城大学
曹　妍　北京師範大学珠海分校
張　晨　山東交通学院
范暁輝　山東工商学院
李　峄　北京外国語大学
藍祥茹　福建対外経済貿易職業技術学院
魏　衡　西安外国語大学
陳　婷　上海外国語大学賢達経済人文学院
唐　英　東北大学
逄　磊　吉林師範大学
朱　林　温州医学院
熊　芳　湘潭大学
王亜欣　湖北第二師範学院
王穏娜　南京郵電大学
梁慶雲　広州鉄路職業技術学院
孫　瑞　遼寧工業大学
柳康毅　西安交通大学城市学院
趙瀚雲　中国伝媒大学
林　玲　海南大学
李冰倩　浙江理工大学
劉夢嬌　北京科技大学
呂　揚　広州第六高等学校
郭　君　江西農業大学
黄嘉潁　華南師範大学
張麗珍　菏澤学院
胡　桑　湖南大学
呉佳琪　大連外国語学院
蘇永儀　広東培正学院
侯培渝　中山大学
陳絢妮　江西師範大学
袁麗娜　吉首大学張家界学院
劉　莎　中南大学
段小娟　湖南工業大学
許潁潁　福建師範大学
劉艶龍　国際関係学院
張曼琪　北京郵電大学
任　爽　重慶師範大学
李競一　中国人民大学
井惟麗　曲阜師範大学
張文宏　恵州学院
劉依蒙　東北育才学校
韓　娜　東北大学秦皇島分校
王　歓　東北大学秦皇島分校

第7回
中国人の日本語作文コンクール受賞者一覧

最優秀賞

胡万程　国際関係学院

一等賞

顧　威　中山大学
崔黎萍　河南師範大学
曹　珍　西安外国語大学
何洋洋　蘭州理工大学
劉　念　南京郵電大学

二等賞

程　丹　福建師範大学
沈婷婷　浙江外国語学院
李　爽　長春理工大学
李桃莉　暨南大学
李　胤　上海外国語大学
李　竑　上海海洋大学
李炆軒　南京郵電大学
王　亜　中国海洋大学
徐瀾境　済南外国語学校
李　哲　西安外国語大学
陳宋婷　集美大学
楊　萍　浙江理工大学
陳怡倩　湘潭大学
趙　萌　大連大学
陳凱静　湘潭大学

三等賞

劉　偉　河南師範大学
王鍶嘉　山東大学威海分校
冉露雲　重慶師範大学
李　娜　南京郵電大学
黄斯麗　江西財経大学
章亜鳳　浙江農林大学
張雅妍　暨南大学
王　玥　北京外国語大学
趙雪妍　山東大学威海分校
李金星　北京林業大学
羅詩蕾　東北育才外国語学校
莫倩雯　北京外国語大学
趙安琪　北京科技大学
欧陽文俊　国際関係学院
孫培培　青島農業大学
郭　海　暨南大学
孫　慧　湘潭大学
張徐琦　湖州師範学院
黄瑜玲　湘潭大学
楊恒悦　上海海洋大学
王吉彤　西南交通大学
任　娜　北京郵電大学
鄒　敏　曲阜師範大学
徐芸妹　福建師範大学
全　程　南京外国語学校
鄭方鋭　長安大学
秦丹丹　吉林華橋外国語学院
張臻園　黒竜江大学
任　爽　重慶師範大学
宋　麗　黒竜江大学
宣佳春　浙江越秀外国語学院
唐　敏　南京郵電大学
李玉栄　山東工商学院
陳　開　浙江越秀外国語学院
皮錦燕　江西農業大学
呉秀蓉　湖州師範学院
殷林華　東北大学秦皇島分校
黄　婷　浙江万里学院
雷　平　吉林華橋外国語学院
李嘉豪　華僑大学

佳作賞

範夢婕　江西財経大学
馮春苗　西安外国語大学
路剣虹　東北大学秦皇島分校
関麗嫦　五邑大学
何　琼　天津工業大学
趙佳莉　浙江外国語学院
崔松林　中山大学
王　菁　太原市外国語学校
馬聞嘒　同済大学
馬暁晨　大連交通大学
蔡暁静　福建師範大学
金艶萍　吉林華橋外国語学院
付可慰　蘭州理工大学
阮浩杰　河南師範大学
黄明婧　四川外語学院成都学院
高錐穎　四川外語学院成都学院
童　何　四川外語学院成都学院
李雅彤　山東大学威海分校
聶南南　中国海洋大学
王　瀾　長春理工大学
王媛媛　長春理工大学
朴太虹　延辺大学
張イン　延辺大学
呂　謙　東北師範大学人文学院
車曉曉　浙江大学城市学院
梁　穎　河北工業大学
李逸婷　上海市甘泉外国語中学
朱奕欣　上海市甘泉外国語中学
靳小其　河南科技大学
阮宗俊　常州工学院
呉灿灿　南京郵電大学
張　婷　大連大学
趙世震　大連大学
周辰溦　上海外国語学校
周　舫　湘潭大学
華　瑶　湘潭大学
霍小林　山西大学
文　羲　長沙明照日本語専修学院
王　星　杭州第二高等学校
李伊頔　武漢実験外国語学校
王　瑾　上海海洋大学
孙婧雯　浙江理工大学
童　薇　浙江理工大学
諸夢霞　湖州師範学院
林　棟　湖州師範学院
林爱萍　嘉興学院平湖校区
張媛媛　青島農業大学
顔依娜　浙江越秀外国語学院
王丹婷　浙江農林大学
陳婷婷　浙江大学寧波理工学院

第6回
中国人の日本語作文コンクール受賞者一覧

【学生の部】

最優秀賞
関　欣　西安交通大学

一等賞
劉美麟　長春理工大学
陳　昭　中国伝媒大学
李欣昱　北京外国語大学
碩　騰　東北育才学校

二等賞
熊夢夢　長春理工大学
徐小玲　北京第二外国語大学大学院
鐘自鳴　重慶師範大学
華　萍　南通大学
郭　莼　北京語言大学
王帥鋒　湖州師範学院
薄文超　黒竜江大学
彭　婧　湘潭大学
盧夢霏　華東師範大学
袁倩倩　延辺大学
周　朝　広東外語外貿大学
蒋暁萌　青島農業大学
周榕榕　浙江理工大学
王　黎　天津工業大学
陳　娟　湘潭大学

三等賞
樊昕怡　南通大学
呉文静　青島農業大学
潘琳娜　湖州師範学院
楊怡璇　西安外国語大学
王海豹　無錫科技職業学院
侯　姣　西安外国語大学
陸　婷　浙江理工大学
張郁晨　済南市外国語学校　高校部
張芙村　天津工業大学
呉亜楠　北京第二外国語大学大学院
沈　燕　山東交通学院
張　聡　延辺大学
許嬌蛟　山西大学
張　進　山東大学威海分校
方　蕾　大連大学
林心泰　北京第二外国語大学大学院
鐘　婷　浙江農林大学
王瑶函　揚州大学
甘芳芳　浙江農林大学
王　媚　安徽師範大学
杜紹春　大連交通大学
金銀玉　延辺大学
周新春　湖州師範学院
趙久傑　大連外国語学院
文　羲　長沙明照日本語専修学院
林萍萍　浙江万里学院
高　翔　青島農業大学
李億林　翔飛日本進学塾
馬暁晨　大連交通大学
呂星縁　大連外国語学院
任一璨　東北大学秦皇島分校

【社会人の部】

一等賞
安容実　上海大和衡器有限会社

二等賞
黄海萍　長沙明照日本語専修学院
宋春婷　浙江盛美有限会社

三等賞
胡新祥　河南省許昌学院外国語学院
蒙明超　長沙明照日本語専修学院
楊福梅　昆明バイオジェニック株式会社
洪　燕　Infosys Technologies(China)Co Ltd
唐　丹　長沙明照日本語専修学院
王冬莉　蘇州工業園区サービスアウトソーシング職業学院
桂　鈞　中化国際
唐　旭　常州職業技術学院

第5回
中国人の日本語作文コンクール受賞者一覧

【学生の部】

最優秀賞

郭文娟　青島大学

一等賞

張　妍　西安外国語大学
宋春婷　浙江林学院
段容鋒　吉首大学
繆婷婷　南京師範大学

二等賞

呉嘉禾　浙江万里学院
鄧　規　長沙明照日本語専修学院
劉　圓　青島農業大学
楊潔君　西安交通大学
戴唯燁　上海外国語大学
呉　玥　洛陽外国語学院
朴占玉　延辺大学
李国玲　西安交通大学
劉婷婷　天津工業大学
武若琳　南京師範大学
衣婧文　青島農業大学

三等賞

居雲瑩　南京師範大学
姚　遠　南京師範大学
程美玲　南京師範大学
孫　穎　山東大学
呉蓓玉　嘉興学院
邵明琪　山東大学威海分校
張紅梅　河北大学
陳　彪　華東師範大学
鮑　俏　東北電力大学
曹培培　中国海洋大学
龍斌鈺　北京語言大学
和娟娟　北京林業大学
涂堯木　上海外国語大学
王篠晗　湖州師範学院
魏夕然　長春理工大学
高　潔　嘉興学院
劉思邈　西安外国語大学
李世梅　湘潭大学
李麗梅　大連大学
謝夢影　暨南大学
馮艶妮　四川外国語学院
金麗花　大連民族学院
丁　浩　済南外国語学校
張　那　山東財政学院
姜　茁　中国海洋大学
韓若氷　山東大学威海分校
陳　雨　北京市工業大学
楊燕芳　厦門理工学院
閆　冬　ハルビン理工大学
朱　妍　西安交通大学
張姝嫻　中国伝媒大学
範　敏　聊城大学
沈釗立　上海師範大学天華学院
俞　婷　浙江大学寧波理工学院
胡晶坤　同済大学
温嘉盈　青島大学

【社会人の部】

一等賞

黄海萍　長沙明照日本語専修学院

二等賞

陳方正　西安NEC無線通信設備有限公司
徐程成　青島農業大学

三等賞

鄭家明　上海建江冷凍冷気工程公司
王　暉　アルバイト
翟　君　華鼎電子有限公司
張　科　常州朗鋭東洋伝動技術有限公司
単双玲　天津富士通天電子有限公司
李　明　私立華聯学院
胡旻穎　中国図書進出口上海公司

第4回
中国人の日本語作文コンクール受賞者一覧

【学生の部】

最優秀賞

徐　蓓　北京大学

一等賞

楊志偉　青島農業大学
馬曉曉　湘潭大学
欧陽展鳴　広東工業大学

二等賞

張若童　集美大学
葉麗麗　華中師範大学
張　傑　山東大学威海分校
宋春婷　浙江林学院
叢　晶　北京郵電大学
袁少玲　暨南大学
賀逢申　上海師範大学
賀俊斌　西安外国語大学
呉　珺　対外経済貿易大学
周麗萍　浙江林学院

三等賞

王建升　外交学院
許　慧　上海師範大学
龔　怡　湖北民族学院
範　静　威海職業技術学院
趙　婧　西南交通大学
顧静燕　上海師範大学天華学院
牛江偉　北京郵電大学
陳露穎　西南交通大学
馬向思　河北大学
鐘　倩　西安外国語大学
王　海　華中師範大学
許海濱　武漢大学
劉学菲　蘭州理工大学
顧小逸　三江学院
黄哲慧　浙江万里学院
藺　会　西安外国語大学
陳雯文　湖州師範学院
金　美　延辺大学
陳美英　福建師範大学
金麗花　大連民族学院

【社会人の部】

最優秀賞

張桐赫　湘潭大学外国語学院

一等賞

葛　寧　花旗数据処理（上海）有限公司大連分公司
李　榛　青島日本人学校
胡　波　無錫相川鉄龍電子有限公司

二等賞

袁　珺　国際協力機構JICA成都事務所
張　羽　北京培黎職業学院
李　明　私立華聯学院
陳嫻婷　上海郡是新塑材有限公司

三等賞

楊鄒利　主婦
肖鳳超　無職

特別賞

周西榕　定年退職

第3回
中国人の日本語作文コンクール受賞者一覧

【学生の部】

最優秀賞

陳歆馨　暨南大学

一等賞

何美娜　河北大学
徐一竹　哈尔濱理工大学
劉良策　吉林大学

二等賞

廖孟婷　集美大学
任麗潔　大連理工大学
黄　敏　北師範大学
張　旭　遼寧師範大学
金美子　西安外国語大学
賴麗苹　哈尔濱理工大学
史明洲　山東大学
姜　燕　長春大学
謝娉彦　西安外国語大学
銭　程　哈尔濱理工大学

三等賞

黄　昱　北京師範大学
張　晶　上海交通大学
呉　瑩　華東師範大学
蔡葭俍　華東師範大学
曹　英　華東師範大学
楊小萍　南開大学
于璐璐　大連一中
徐　蕾　遼寧師範大学
陸　璐　遼寧師範大学
黄　聡　大連大学
劉　暢　吉林大学
張　惠　吉林大学
鄧瑞娟　吉林大学
劉瑞利　吉林大学
劉　闖　山東大学
胡嬌龍　威海職業技術学院
石　磊　山東大学威海分校
林　杰　山東大学威海分校
叶根源　山東大学威海分校
殷曉谷　哈尔濱理工大学
劉舒景　哈尔濱理工大学
劉雪潔　河北経貿大学
尹　鈺　河北経貿大学
張文娜　河北師範大学
付婷婷　西南交通大学
張小柯　河南師範大学
張　麗　河南師範大学
文威入　洛陽外国語学院
王　琳　西安外国語大学
趙　婷　西安外国語大学
許　多　西安外国語大学
田　甜　安徽大学
朱麗亞　寧波大学
劉子奇　廈門大学
朱嘉韵　廈門大学
胡　岸　南京農業大学
張卓蓮　三江学院
代小艶　西北大学

【社会人の部】

一等賞

章羽紅　中南民族大学外国語学部

二等賞

張　浩　中船重工集団公司第七一二研究所
張　妍　東軟集団有限公司

三等賞

陳曉翔　桐郷市科学技術協会
厳立君　中国海洋大学青島学院
李　明　瀋陽出版社
陳莉莉　富士膠片（中国）投資有限公司広州分公司
朱湘英　珠海天下浙商帳篷有限公司

第2回
中国人の日本語作文コンクール受賞者一覧

最優秀賞

付暁璇　吉林大学

一等賞

陳　楠　集美大学
雷　蕾　北京師範大学
石金花　洛陽外国語学院

二等賞

陳　茜　江西財経大学
周熠琳　上海交通大学
庄　恒　山東大学威海分校
劉　麗　遼寧師範大学
王　瑩　遼寧師範大学
王荧艶　蘭州理工大学
張　嵬　瀋陽師範大学
張光新　洛陽外国語学院
王虹娜　厦門大学
許　峰　対外経済貿易大学

三等賞

曹文佳　天津外国語学院
陳　晨　河南師範大学
陳燕青　福建師範大学
成　慧　洛陽外国語学院
崔英才　延辺大学
付　瑶　遼寧師範大学
何　倩　威海職業技術学院
侯　雋　吉林大学
黄丹蓉　厦門大学
黄燕華　中国海洋大学
季　静　遼寧大学
江　艶　寧波工程学院
姜紅蕾　山東大学威海分校
金春香　延辺大学
金明淑　大連民族学院
李建川　西南交通大学
李　艶　東北師範大学
李一菡　上海交通大学
林茹敏　哈尔濱理工大学
劉忱忱　吉林大学
劉　音　電子科技大学
劉玉君　東北師範大学
龍　雋　電子科技大学
陸暁鳴　遼寧師範大学
羅雪梅　延辺大学
銭潔霞　上海交通大学
任麗潔　大連理工大学
沈娟華　首都師範大学
沈　陽　遼寧師範大学
蘇　琦　遼寧師範大学
譚仁岸　広東外語外貿大学
王　博　威海職業技術学院
王月婷　遼寧師範大学
王　超　南京航空航天大学
韋　佳　首都師範大学
肖　威　洛陽外国語学院
謝程程　西安交通大学
徐　蕾　遼寧師範大学
厳孝翠　天津外国語学院
閻暁坤　内蒙古民族大学
楊　暁　威海職業技術学院
姚　希　洛陽外国語学院
于菲菲　山東大学威海分校
于　琦　中国海洋大学
于暁艶　遼寧師範大学
張　瑾　洛陽外国語学院
張　恵　吉林大学
張　艶　哈尔濱理工大学
張　剣　洛陽外国語学院
周彩華　西安交通大学

第1回
中国人の日本語作文コンクール受賞者一覧

特賞・大森和夫賞

石金花　洛陽外国語学院

一等賞

高　静　南京大学
王　強　吉林大学
崔英才　延辺大学

二等賞

楊　琳　洛陽外国語学院
王健蕾　北京語言大学
李暁霞　哈爾濱工業大学
楽　馨　北京師範大学
徐　美　天津外国語学院
唐英林　山東大学威海校翻訳学院
梁　佳　青島大学
陶　金　遼寧師範大学
徐怡珺　上海師範大学
龍麗莉　北京日本学研究センター

三等賞

孫勝広　吉林大学
丁兆鳳　哈爾濱工業大学
李　晶　天津外国語学院
厳春英　北京師範大学
丁夏萍　上海師範大学
盛　青　上海師範大学
白重健　哈爾濱工業大学
何藹怡　人民大学
洪　穎　北京第二外国語学院
任麗潔　大連理工大学
于　亮　遼寧師範大学
汪水蓮　河南科技大学
高　峰　遼寧師範大学
李志峰　北京第二外国語学院
陳新妍　遼寧師範大学
姜舺羽　東北師範大学
孫英英　山西財経大学
夏学微　中南大学
許偉偉　外交学院
姜麗偉　中国海洋大学
呉艶娟　蘇州大学
蘇徳容　大連理工大学
孟祥秋　哈爾濱理工大学
李松雪　東北師範大学
楊松梅　清華大学
金蓮実　黒竜江東方学院
陳錦彬　福建師範大学
李燕傑　哈爾濱理工大学
潘　寧　中山大学
楊可立　華南師範大学
陳文君　寧波大学
李芬慧　大連民族学院
尹聖愛　哈爾濱工業大学
付大鵬　北京語言大学
趙玲玲　大連理工大学
李　艶　東北師範大学
魯　強　大連理工大学
蘇江麗　北京郵電大学
姚軍鋒　三江学院
宋　文　大連理工大学
張翠翠　黒竜江東方学院
崔京玉　延辺大学
裴保力　寧師範大学
鄧　莫　遼寧師範大学
田洪涛　哈爾濱理工大学
劉　琳　寧波大学
王　暉　青島大学
李　勁　大連理工大学
劉　麗　遼寧師範大学
武　艶　東北師範大学

「中国人の日本語作文コンクール」

中国若者たちの生の声 受賞作品集シリーズ

第1回

日中友好への提言2005

特賞・大森和夫賞 洛陽外国語学院 石金花

ISBN 978-4-86185-023-1 2000円＋税

第2回

壁を取り除きたい

最優秀賞 吉林大学 付暁璇

ISBN 978-4-86185-047-9 1800円＋税

第3回

国という枠を越えて

最優秀賞 暨南大学 陳歆馨

ISBN 978-4-86185-066-0 1800円＋税

第4回

私の知っている日本人

—中国人が語る友情、誤解、WINWIN関係まで—

最優秀賞・日本大使賞 北京大学 徐蓓

ISBN 978-4-86185-083-7 1800円＋税

第5回

中国への日本人の貢献

—中国人は日系企業をどう見ているのか—

最優秀賞・日本大使賞 青島大学 郭文娟

ISBN 978-4-86185-092-9 1900円＋税

第6回

メイドインジャパンと中国人の生活

—日本のメーカーが与えた中国への影響—

最優秀賞・日本大使賞 西安交通大学 関欣

ISBN 978-4-86185-107-0 2000円＋税

第7回

甦る日本！ 今こそ示す日本の底力

—千年に一度の大地震と戦う日本人へ—

最優秀賞・日本大使賞 国際関係学院 胡万程

ISBN 978-4-86185-122-3 2000円＋税

第8回

中国人がいつも大声で喋るのはなんでなのか？

最優秀賞・日本大使賞 湖北大学 李欣晨

ISBN 978-4-86185-140-7 2000円＋税

第9回

中国人の心を動かした「日本力」

—日本人も知らない感動エピソード—

最優秀賞・日本大使賞 国際関係学院 李敏

ISBN 978-4-86185-163-6 2000円＋税

第10回

「御宅（オタク）」と呼ばれても

中国“90後”が語る日本のサブカルと中国人のマナー意識

最優秀賞・日本大使賞 東華大学 姚儷瑾

ISBN 978-4-86185-182-7 2000円＋税

第11回

なんでそうなるの？

―中国の若者は日本のここが理解できない―

最優秀賞・日本大使賞 山東政法学院 張晨雨

ISBN 978-4-86185-208-4 2000円＋税

第12回

訪日中国人、「爆買い」以外にできること

―「おもてなし」日本へ、中国の若者からの提言―

最優秀賞・日本大使賞 蘭州理工大学 白宇

ISBN 978-4-86185-229-9 2000円＋税

第13回

日本人に伝えたい中国の新しい魅力

―日中国交正常化45周年・中国の若者からのメッセージ―

最優秀賞・日本大使賞 河北工業大学 宋妍

ISBN 978-4-86185-252-7 2000円＋税

第14回

中国の若者が見つけた日本の新しい魅力

―見た・聞いた・感じた・書いた、新鮮ニッポン！―

最優秀賞・日本大使賞 復旦大学 黄安琪

ISBN 978-4-86185-267-1 2000円＋税

第15回

東京2020大会に、かなえたい私の夢！

―日本人に伝えたい中国の若者たちの生の声―

最優秀賞・日本大使賞 上海理工大学 潘呈

ISBN 978-4-86185-292-3 2000円＋税

人民网
people.cn

2019年12月13日

把“宠物”扔进垃圾箱？日语作文大赛最优秀奖以“误译”为题获好评

2019年12月13日13:18 来源：人民网-日本频道

第15届全中国日语作文大赛颁奖典礼在北京举行。（摄影 陈建军）

人民网北京12月13日电（记者 陈建军）众所周知，日本的垃圾分类细致严苛。中国游客去日本旅游之前大多是要费一番功夫研究下如何分类丢垃圾，以免在外露怯。但当你举着空空的饮料瓶找到安置在日本景点的垃圾箱时，看到垃圾箱上赫然写着“宠物-瓶子”这几个中文字会作何感想，难道在日本可以随意将“宠物”扔进垃圾箱？这是中国大学生潘呈赴日旅游时的真实经历。而垃圾箱上的“宠物-瓶子”其实是PET bottle（塑料饮料瓶）的中文误译。除此之外，潘呈在日本街头还看到很多“闹笑话”的中文标记，他没有置之不理，而是花了很多时间去思考如何才能消除这种误译并杜绝这些误译对中国游客的误导，最后提出了通过网络提供正确翻译来解决问题的路径。之后，他将这一经历写成作文投稿给全中国日语作文大赛，还成功获得了最优秀奖——日本大使奖。

2020年11月5日

第16届全中国日语作文大赛结果揭晓

2020年11月05日20:38 来源：人民网-国际频道

第16届全中国日语作文大赛获奖作品集《守望相助——中日携手抗击新冠疫情》封面。

人民网东京11月5日电（记者刘军国）11月5日，由日本侨报社和日中交流研究所主办的第16届全中国日语作文大赛结果揭晓。来自大连外国语大学的万园华凭借《语言将我们联系在一起》获得最优秀奖。

万园华在作文中表示，今年新冠疫情肆虐之际，日本捐赠中国物资以及上面所写着赠言给她留下了深刻的印象，并使她回想起了2008年汶川大地震时前来中国实施救援的日本救援队的情形，让她更加坚定了“一定要努力学习日语，将来成为一名出色的译员”的决心。

日テレNEWS24

中国で日本語作文コンクール　最優秀賞は…

ツイートする　シェアする　2019年12月13日 02:43

全文

北京の日本大使館で、１２日、中国人による日本語作文コンクールの表彰式が行われ、最優秀賞には「翻訳を通じて国際交流に役立ちたい」という目標をつづった作品が選ばれた。

ことしで１５回目となる日本語作文コンクールには、中国全土から４３００あまりの作品が寄せられた。最優秀賞に選ばれた上海の大学院生は、"翻訳家の卵として東京オリンピックで翻訳に携わるボランティアをしたい"との思いを作文にした。

最優秀賞　潘呈さん「訪日する人々に対し正確な翻訳を提供することがオリンピック精神にもかなうでしょうし、実り豊かな国際交流にも役に立ちます」

中国で日本語を学ぶ人数は、２０１５年度に初めて減少したものの、日中関係の改善などを背景に再び増加し、１００万人を超えて世界最多となっている。

2019年12月13日

2019年12月27日

学習者は百万人超！中国の最新・日本語教育

ツイートする　シェアする　2019年12月27日 05:31

日本語を学んでいる人は、世界で約３８０万人。そのうち最多の１００万人を占める中国で、最新の取り組みを取材した。

◆日本語を学ぶ中国人は世界最多の１００万人超

今月１２日、北京の日本大使館で、ある授賞式が行われた。中国人の学生を対象とした日本語作文コンクール（応募総数４３５９本　日本僑報社主催）だ。

最優秀賞に選ばれた上海の大学院生は、"翻訳家の卵として、東京オリンピックで翻訳に携わるボランティアをしたい"との思いを作文にした。

最優秀賞・潘呈さん「訪日する人々に対し、正確な翻訳を提供することが、オリンピック精神にもかなうでしょうし、実り豊かな国際交流にも役立ちます」

こうした日本語を学ぶ中国人は、日中関係の悪化を背景に２０１５年度、初めて減少したが、昨年度の調査で再び増加。１００万人を超え、世界最多となっている。

日本僑報社・段躍中さん「ひとつの大きな流れは、日中関係が良くなっていること。特に指導部（政治）の交流が頻繁になり、国民の交流も頻繁になって、若者たちが日本語を学ぶ意欲も高まっていると思います」

隣国の五輪 願い乗せて

来年の東京五輪・パラリンピックで「かなえたい夢」は? 15回目の「中国人の日本語作文コンクール」は、そんな問いかけに中国の若者たちが答えた。12日の表彰式で、それぞれの思いを聞いた。(北京＝高田正幸)

表彰式で記念撮影する受賞者ら＝12日、北京、高田正幸撮影

中国人の日本語作文コンクール

溝乗り越え 祖父と観戦約束

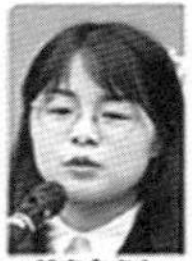

雄文会さん

青島農業大の雄文会さん(22)は「東京五輪を一緒に見る」という祖父との約束を作文にした。

日中戦争で家族を亡くした祖父は、雄さんが大学で日本語を学び始めると電話に出てくれなくなった。「認めて欲しい」との思いから、雄さんは自宅に帰った時に日本の花見の様子を映したテレビ番組を祖父と見た。「きれいだな」と祖父は笑顔で応じた。卒業旅行で一緒に東京五輪を観戦に行くことを提案してくれるようになった。

その後、祖父にがんが見つかった。それでも「一緒に日本に行く」と闘病を続けている。「自分の通訳で祖父が笑って日本人と話をする姿を夢見ている」と雄さんは話す。

韓若氷さん

「パラリンピックのボランティアをしたい」と書いたのは大連外国語大の韓若氷さん(21)。

小学生の時、近所に窓越しにあいさつを交わす「お兄ちゃん」がいた。「バスケットボール選手になりたい」と話していたが、足が不自由だった。

そんな時、2008年の北京パラリンピックで障害者スポーツの存在を知った。「お兄ちゃんのような人を助けたい」と考えたのがボランティアを目指すきっかけだ。東京大会は日本語能力を生かす絶好の機会。「障害者と一緒に幸せになりたい」と話す。

龔緯延さん

西安電子科技大の龔緯延さん(20)は「敬語をしゃべる『ドラえもん』をつくって」と訴えた。

アニメを通じて5歳から日本語の勉強を始め、日本語能力試験で最上級の「N1」に15歳で合格。自信満々で大学に入った。だが「これからはよろしく」とあいさつすると、先生は微妙な表情に。敬語を使わなかったことが原因だと後でわかった。

「アニメで日本語を学ぶ外国人は多い。同じ悩みを抱える人は多いはず」。提案したのは五輪の「招致スペシャルアンバサダー」のドラえもんを活用するアイデア。ドラえもんのせりふを敬語にして、外国人に学んでもらう狙いだ。

日本人の中国理解 壁指摘も

一部の受賞者からは、日本人の中国イメージが実際と違うとの指摘があった。

呉雅婷さん

西安翻訳学院の呉雅婷さん(21)は今年春、インターンで日本を訪問した経験が忘れられない。

仲良くなった日本人にLINEの連絡先を聞いたところ「中国ではLINEを使うと殺されると聞いた」と心配されたのだ。中国ではネット規制でLINEやフェイスブックが使用できない。とはいえ「殺される」は誇張が過ぎる。

呉さんは「見て、触れれば、その国と国民が本当はどんな様子か知ることができるはず」と訴えた。

朱琴剣さん

西北大の朱琴剣さん(20)は、日本の女性と話をした時に「中国の人は今も人民服を着ているの?」と聞かれたことがあった。「日本人の中国に対するイメージは古い」と語った。

誤訳から見えた可能性

最優秀賞　潘昱さん(26)　上海理工大大学院

来年の東京五輪・パラリンピックで、SNSを通じて街や会場で見かけた誤訳を共有したり、日本語の分からない人の質問にボランティアが応じたりするアイデアを提案した。「翻訳を通じた国際交流は五輪精神に一致する」と話す。

日本を旅行していた今年4月、東京スカイツリー近くのごみ箱に目がとまった。「ペットボトル」という表示に「寵物」という中国語訳が添えられていた。動物の「ペット」の意味だ。機械的に翻訳した誤りだと考えた。

小学生の時、アニメを見て日本に興味を持ち始めた。大学院では日本語翻訳を専攻。人工知能(AI)化が進んで「翻訳者の仕事は取って代わられる」と考えたこともある。でも、日本で目撃した誤訳から「適切な翻訳には背景にある文化への理解が必要。翻訳者の生存空間はまだまだある」と考え直すようになった。将来は、さらに次世代の翻訳家を育てる教師になりたいと思っている。

中国人の日本語作文コンクール

日中間の相互理解促進を目的に2005年に始まった。日本僑報社が主催、朝日新聞がメディアパートナー。今年は中国各地から4359本の応募があった。日本僑報社は最優秀賞から3等賞までの受賞作81本を「東京2020大会に、かなえたい私の夢!」として出版した。詳細は同社の関連サイト(http://duan.jp/jp/index.htm)で。

朝日新聞 2019年12月25日

朝日新聞 DIGITAL
2018年12月18日

日本の良さって？中国女子に聞いた　名所や技術でなく…

2018年12月18日14時38分

表彰式で横井裕・駐中国大使（左から4番目）らと記念撮影する最優秀賞・1等賞の受賞者たち＝12日、北京の日本大使館、冨名腰隆撮影

中南財経政法大を卒業したばかりの王美娜さん（23）は、東京一人旅の最終日に財布をなくした。スーツケースや民泊の部屋の隅々まで探したが出てこない。

出発時間が近づき焦りが募る中、民泊部屋の大家が駅に電話をかけるなど助けてくれた。諦めかけた最後に交番を訪ねると見慣れた財布が届けられていて、大家と抱き合って喜んだ。

日本への印象が良くない周囲の人々に「日本には困った時、助けてくれる優しい人がたくさんいるよ」と言える、と作文につづった。

日中平和友好条約を結んで40年。いまや年間約800万人の中国人が日本を訪れる時代だ。14回目となった「中国人の日本語作文コンクール」のテーマの一つは「中国の若者が見つけた日本の新しい魅力」。中国人を感動させ、日本のイメージを変えさせたものは何か。12日に北京で開かれた表彰式で、受賞者に聞い

日テレNEWS24
2018年12月13日

中国・北京の大使館で日本語作文コンクール

ツイートする　シェアする　2018年12月13日 01:51

©NNN
最優秀賞
黄安琪さん
これからも日中友好の架け橋として
活躍できるよう頑張る

全文

中国・北京の日本大使館で１２日、中国人を対象にした日本語作文コンクールの表彰式が行われ、バリアフリー化が進む日本社会への思いをつづった作品が最優秀賞に選ばれた。

主催した団体によると、今回の作文コンクールには、中国全土から４２００あまりの作品が寄せられたという。

最優秀賞に選ばれた上海の大学生は、作品の中で、日本のバリアフリー化が進んでいると紹介した上で、「車いす生活を送る祖母を東京オリンピックに連れて行く」との目標をつづった。

最優秀賞・黄安琪さん「日本社会の平等や愛を感じた。これからも日中友好の懸け橋として活躍できるよう頑張る」

朝日新聞 2018年12月17日

訪日で越えた 心の壁

中国人の日本語作文コンクール

日中平和友好条約を結んで40年。いまや年間約800万人の中国人が日本を訪れる時代だ。14回目となった「中国人の日本語作文コンクール」＝キー＝のテーマの一つは「中国の若者が見つけた日本の新しい魅力」。中国人を感動させ、日本のイメージを変えさせたものは何か。12日に北京で開かれた表彰式で、受賞者に聞いた。（北京＝冨名腰隆、西村大輔）

日中間の相互理解促進を目的に2005年に始まった。日本僑報社が主催し、朝日新聞がメディアパートナー。今年は中国各地の235校の大学、専門学校、高校などから4288本の応募があった。日本僑報社は最優秀賞から3等賞までの受賞作81本を「中国の若者が見つけた　日本の新しい魅力」として出版する。詳細は同社の関連サイト（http://duan.jp/jp/index.htm）で。

入賞作を読むと、多くの若者が旅行や短期留学で訪日経験があることに気づく。彼らが日本の魅力として挙げるのは、親切や気遣いなどの「心」だ。

表彰式で横井裕・駐中国大使（左から4番目）らと記念撮影する最優秀賞・1等賞の受賞者たち＝いずれも12日、北京の日本大使館、冨名腰隆撮影

民泊・地下鉄・食堂…優しさにふれた

中南財経政法大を卒業したばかりの王美娜さん(23)は、東京一人旅の最終日に財布をなくした。スーツケースや民泊の部屋の隅々まで探したが出てこない。

王美娜さん

出発時間が近づき焦りが募る中、民泊部屋の大家が駅に電話をかけるなど助けてくれた。諦めかけた最後に交番を訪ねると見慣れた財布が届けられていて、大家と抱き合って喜んだ。日本への印象が良くない周囲の人々に「日本には困った時、助けてくれる優しい人がたくさんいるよ」と言える、と作文につづった。

「中国人と日本人の心の壁を壊したい」と目標を書いたのは江蘇師範大3年の周夢琪さん(23)。きっかけは、高校の卒業旅行で日本へ行ったことだ。地下鉄を乗り間違え、隣に座っていた中年男性に助けを求めると、男性は額に汗をにじませながら片言の英語で説明してくれた。様々な場面で優しさに触れ、日本語を専攻しようと決めた。

浙江万里学院の陳昕羽さん(21)は、短期留学で通い詰めた東京の食堂について書いた。夫婦で営む店の「家庭の味」はもちろん、帰り際の「夜道に気をつけてね」「傘を忘れないでね」という何げない一言が忘れられないと話す。「初めての海外で不安ばかりだった私にとって、どれだけありがたかったか。日本人の印象が一変した」

陳昕羽さん

ロリータ服 スタンプ カルチャーにハマった 神社 猫の駅長

日本のカルチャーに魅せられた学生も多い。

広東外語外貿大南国商学院4年の呉曼霞さん(22)は、昨年夏に和歌山電鉄の「猫の駅長」を訪ねた体験を書いた。日本へ行って猫に会いたいと言ったら同級生に笑われたが、まるで本当の駅長のように猫を大事にする姿がいかにも日本らしいと感じた。「人間と動物の距離が近い。これは中国にはないこと」

呉曼霞さん

神社文化をきっかけに日本に関心を持った呉さんは、京都の八坂神社なども訪れ、絵画のように美しい景色だと思った。

「スタンプ文化」にはまったのは中国人民大4年の路雨倩さん(22)。駅や観光地などにある記念スタンプに興味を持ち、集め歩いた経験を書いた。スタンプには探す過程におもしろさがあるという。別府でスタンプマニアの日本人の若者と知り合い、旅の道連れとなった経験も。「手帳に残った色あせたスタンプは、写真よりも鮮明に自分の人生の足跡を記録してくれる」

吉林外国語大を経て9月に日本に留学した雷昕さん(20)は、高校時代にロリータファッションに目覚めた。個性を存分に演出できるのが魅力という。中国の街を歩くのは勇気が要る。知らない人に「日本鬼子（日本人への蔑称）が着ている服だろ」と言われたことも。作文には「好きな服を着るのは人の権利。日本では人目を気にせずロリータファッションを楽しみたい」と書いた。一方で、「いずれは中国の伝統的な漢服も日本に紹介し、中国の文化をもっと知ってもらえたら」とも。

最優秀賞 黄安琪さん(21)

バリアフリーに感銘「祖母を東京五輪に」

復旦大で日本文学を学ぶ黄安琪さん(21)の祖母は若いころ、小学校の体育教師だった。2008年の北京五輪を心待ちにしていたが、その年交通事故で右足を粉砕骨折し、車いす生活になってしまう。公共交通機関の利用にも苦労する祖母は、五輪を見に行くことがかなわなかった。

10年後、大学の交流プログラムで訪れた京都で黄さんは驚いた。車いすでバスに乗る客のために、時間が遅れてもスロープを準備する運転手。文句も言わず席を畳んでスペースを作る乗客。日本のバリアフリー化に感銘を受け、東京五輪に祖母を連れて行きたいと感じた体験を作文にした。

浙江省杭州市の出身。日本と関わりの深い魯迅の小説を中学1年で読み、日本文学や作家に興味を持つようになった。お気に入りは川端康成の「古都」。「京都の名所や年中行事が鮮やかに描かれ、日本の伝統や芸術の美しさが込められている」と話す。

来年9月から大学院に進み、国際コミュニケーションやメディアについて学ぶ。英国留学も決まった。「将来は国際社会に貢献できる人間になりたい。日中の架け橋にもなれるよう、もっと頑張りたい」

2019年1月1日　日　中　文　化　交　流

日本語作文コンクール表彰式 北京の日本大使館で開催さる

日本僑報社・日中交流研究所（段躍中代表）が主催する第14回「中国人の日本語作文コンクール」（当協会後援）の表彰式と日本語スピーチ大会が、昨年12月12日、在中国日本国大使館で開催された。横井裕駐中国大使をはじめ、上位入賞者と指導教師ら関係者約160名が出席した。最優秀賞から3等賞までの計81作品は、『第14回中国人の日本語作文コンクール受賞作品集』（本体2，000円、日本僑報社刊）に収録されている。

同コンクールは、2005年に始まり、これまで中国の300を超える大学や大学院、専門学校などから、のべ4万1490本の応募があった。

お問い合せは、日本僑報社（電話03・5956・2808）まで。

毎日新聞　2018年10月7日

世界の見方

日中交流 草の根から

段躍《だんやく》中《ちゅう》　日本僑報社代表

日中平和友好条約締結40周年を記念して、中国に滞在した経験のある日本人を対象にした第1回「忘れられない中国滞在エピソード」（作文・写真）を募集したところ、多くの応募をいただいた。昨年は中国に留学した経験のある日本人を対象に作文を募集、書籍化し、日中双方のメディアから注目された。2年間の作文審査を経て、中国での貴重な経験は、特に日本における日中交流の促進に生かすことができるのではないかと考えている。

中国から来日して27年になった。20年前、初の書籍「在日中国人大全」を出した時、日本に長期滞在する中国人は20万人余りだった。現在では日本国籍取得者を含めて約100万人に上るとされる。彼らに積極的に声をかけ、言葉の学習や料理のレシピ、生活の知恵などさまざまな情報を交換するのは有意義だろう。

中国滞在、留学経験者は、その語学力と知識を生かし、急増している訪日中国人とも交流してほしい。初めて日本を訪ね、困っているお隣の国の観光客を助けてほしい。それがフェース・トゥー・フェースの真の交流につながり、中国人客は「爆買い」以外にも日本文化への理解を深めることができるはずだ。

中国人の日本語学習をサポートしつつ「相互学習」してほしい。弊社が主催する「中国人の日本語作文コンクール」は2005年以来14回も続けてこられた。応募者数は4万人を超えている。中国で日本語を学ぶ学生と、日本で中国語を学ぶ学生は草の根交流の良きパートナーになれる。

11年前から東京・西池袋公園で開いている日中交流サロン「日曜中国語コーナー」にも気軽に参加してほしい。開催は550回以上になり、すでに10カ国以上から約2万人が参加している。日本にいても「日中市民交流」は深められる。平和友好条約40周年を機に身近な所から交流を始めてはいかがだろうか。（寄稿）

日中平和友好条約

日中間の平和友好関係の強化、発展を目的にした5条からなる条約で、いわゆる反覇権条項の第2条で、日中両国がアジア・太平洋地域や他のいかなる地域でも覇権を求めないこと、また覇権を確立しようとするいかなる国、集団の試みにも反対することをうたっている。

1978年8月12日に締結され、中国の最高実力者だった鄧小平氏が批准書交換のために来日して10月23日に発効した。

2019年2月15日　日中友好新聞

「車椅子で、東京オリンピックに行く！」が最優秀賞

第14回 中国人の日本語作文コンクール

日本僑報社・日中交流研究所主催の「第14回中国人の日本語作文コンクール」の表彰式と日本語スピーチ大会が昨年12月12日、北京の日本大使館で、横井裕大使をはじめ上位入賞者やその指導教師、家族ら関係者約160人が出席して開かれました。

日中平和友好条約締結40周年だった昨年、コンクールはその認定事業の一環として開催されました。

中国人の日本語作文コンクールは、日本と中国の相互理解と文化交流の促進をめざして、05年にスタート。中国で日本語を学ぶ、日本に半年以上の留学経験のない学生を対象として、昨年で14回目。中国各地の大学や専門学校など235校から、計4288本もの作品が寄せられました。

うち佳作賞以上の計302本（人）が入選を果たし、横井大使自らによる審査で、復旦大学日本語文学学部4年（作文執筆時は同3年）の黄安琪さんの「車椅子で、東京オリンピックに行く！」が見事、日本大使賞の栄冠に輝きました。

左から横井大使と黄安琪さんと段躍中さんで記念撮影

この作品は、京都での短期交流プログラムに参加した黄さんが、日本の進んだバリアフリー文化に接し、元体育教師で現在は車椅子で生活する祖母の「オリンピックを見に行きたい」というかねてからの夢を東京五輪でかなえてあげたいという、心優しく、かつ強い思いが感じられる感動的な作品。

受賞者代表のスピーチでは、黄安琪さんをはじめ、1等賞受賞の郜華静さん（青島大学、現在は天津外国語大学大学院に在学中）、王婧婷さん（中南財経政法大学、6月に卒業）、劉玲さん（華東師範大学）、呉曼霞さん（広東外語外貿大学南国商学院）の5人が登壇。

来賓あいさつに続いて、日中交流研究所の段躍中所長がコンクールの開催について、壇上のスクリーンに図表などを映し出しながら報告。

続いて、2019年の第15回コンクールのテーマが発表されました。東京オリンピック・パラリンピックに関するものとして（1）「東京2020大会に、かなえたい私の夢！」をはじめ、（2）「日中新時代を考える――中国の若者からの提言」（3）「今こそ伝えよう！先生、家族、友だちのこと」の3つが挙げられました。

表彰式第1部の「学生の部」に続く第2部は「先生の部――日本語教師フォーラムin中国」として、2015年に創設された「優秀指導教師賞」の受賞者が発表されました。

コンクール3等賞以上の受賞者を育てた教師に対して、その日ごろの努力と成果をたたえるもの。受賞者それぞれに同賞が授与されました。

表彰式の模様は、朝日新聞はじめ、共同通信、日本テレビ、中国の各メディアなどにより多数報道されました。（段躍中＝日本僑報社）

朝日新聞
2018年
3月4日

地球24時

■日中の大学生ら交流

日本と中国の大学生らが3日、東京都内で開かれた日中教育文化交流シンポジウムで両国の魅力について語り合った。日中共同の世論調査で、相手に「良くない印象」を持つ人は日本人の約9割、中国人の7割近く。互いを行き来した経験がある若者たちが、将来の日中関係に果たす自分たちの役割などを討論した。

昨年の「中国人の日本語作文コンクール」（主催・日本僑報社、メディアパートナー・朝日新聞社）で最優秀賞を得た河北工業大の宋妍さん(22)は、「信号機の押しボタン」に感心した。日本の街のどこにでもあり、東京五輪を控えて外国人にも使いやすいよう工夫が進んでおり、生活する人のことを考えて工夫を惜しまない日本らしさの象徴だと感じたという。

中華圏の娯楽文化を紹介する活動をしている鈴木由希さん(28)は「今、中国のバラエティー番組が面白い。おちゃらけのレベルも高い」。政治状況から、レギュラーの出演者が突然編集で消えたこともあったといい、「そんなところから、政治を考えるきっかけにもなる」と話した。

溝残る日中 私がつなぐ

中国人の日本語作文コン

表彰式で、横井裕・駐中国大使（左から7人目）らと記念撮影する最優秀賞と1等賞のみなさん＝12日、北京の日本大使館、延与光貞撮影

中国の魅力って何だろう——。日本を訪れる中国人は増える一方なのに、中国に行く日本人は増えない。今年で13回目を迎えた「中国人の日本語作文コンクール」の課題の一つは「日本人に伝えたい新しい中国の魅力」だった。受賞した学生たちの思いを聞いた。

（北京＝古谷浩一、延与光貞）

「マナー悪い」変化へ努力

「中国の新しい魅力は絶えず発展していく農村」

青島大学4年の王曽芝さん(22)は、曽祖父が暮らす農村を久しぶりに訪れたときの経験を作文に書いた。大きなイチジクの農園ができたことで、貧しかった村が豊かに変わっていたことに驚いたからだ。

「以前の日本は中国が発展できないと思っていたのではないか。でも、中国は発展できることを証明した」という王さんは「日本人に中国の発展ぶりを見て欲しい」と話す。

上海理工大学3年の黄鐘濤さん(21)は、日本人の友人から中国人のマナーの悪さを指摘され、「誇りが傷ついた」ことを書いた。

これをきっかけに、「この国をきれいで清潔な国にする」と心に決め、環境問題のNPO活動に参加。中国でも環境保護を大事に考える価値観が広がっていることを知ったという。

黄さんは「今、私たちは努力しているし、変わりつつある。知って欲しいのはその事実です」と力強く語った。

踊り・漫才・漢方…魅力伝えたい

発展ぶりではなく、伝統文化をあげる学生も少なくなかった。

東北大学秦皇島分校3年の林雪婷さん(21)は課題を前に「新しい中国を伝えたい」と思ったが、頭に浮かんだ中国の大都市の光景は、どれも先進国にもあるようなものばかりだった。日本人に「魅力」と言えるほどのものは何だろうか。結局、自らの故郷である広東省で、小さいころから慣れ親しんだ伝統的な踊り「英歌舞」を紹介した。「この踊りは困難を克服する勇気を与えてくれると祖母に教わった。昔もそうだし、今もそう」

中国の漫才に当たる「相声《シャンション》」のことを書いたのは江西財経大学4年の王智群さん(22)。「歴史の古いものだけど、内容は時代に合わせて変化しているから」。将来は通訳になって、日本の人に「相声」で笑ってもらいたいという。

広西チワン族自治区出身の邱吉さん(24)が訴えたのは、新たなソフトパワーとしての漢方医薬。漢方医の祖父が足をけがしたおばあさんを助けたときのことを書いた。

「今は中国でも西洋医学が中心になっているが、漢方医学を新たな魅力としてアピールしたいと思った」と邱さん。すでに浙江工商大学を卒業し、9月から日本の関西大学に留学し、大学院で日中の文化交渉について学んでいるという。

魅力的だと自慢したい場所は古里が多いようだ。

中国人民大学4年の王静昀さん(22)は、出身地である福建省アモイの海産市場のことを思い入れたっぷりに書いた。王さんは言う。

「みんな国際化がいいと言うけれど、民族的なものこそ魅力がある。日本に行く中国人も同じ。好きなのは日本独特の文化なんです」

震災復興 願い歌った

最優秀賞の宋妍さん(22)

最優秀賞を受賞し、表彰式でスピーチする宋妍さん＝12日、北京の日本大使館、延与光貞撮影

2011年に東日本大震災が起きた時は中学3年生だった。河北工業大学に入って先生に見せてもらった復興支援ソングのビデオを見て心を動かされた。多くの外国人が被災者を支えようとしている。でも、中国人は登場しなかった。

「日本語を学ぶ学生として中国の声も伝えたい」

友人や周囲の人を誘い、ビデオ制作に取り組んだ話を作文に書いた。

桜の花を折り紙で作り、それを手に歌った。「中国人が折ることで、中国の好意が伝わると思った」からだ。学食の調理員からロシアに留学中の同級生まで55人が登場する。日本語を知らない人には自ら教えた。

河北省の出身。「名探偵コナン」などのアニメに親しんだこともあり、大学で日本語を専攻した。「同じ漢字を使うから、楽に学べる」と考えたが、「実際は読み方が全く違う。ひらがなやカタカナに苦労した」と笑って振り返る。

戦争の記憶もあり、中国では「日本語を学んでいる」と言うと嫌な顔をされたりもするが、気にしない。「やさしさと思いやりのある国。日中友好のために学びたい」。将来の夢は外交官。来年から北京大学の大学院で日本語を磨く。

> **中国人の日本語作文コンクール**
>
> 日中間の相互理解促進を目的に2005年に始まった。日本僑報社が主催し、朝日新聞がメディアパートナー。日中国交正常化45周年と重なった13回目の今年は、中国各地の189校から4031本の応募があった。日本僑報社の段躍中代表は「日本語を学んだ中国人の若者は日本にとっても財産だ。彼らが考える新たな中国の魅力を多くの日本人に知ってもらいたい」と願う。同社は最優秀賞から3等賞までの受賞作計81本を作文集「日本人に伝えたい　中国の新しい魅力」として出版。詳細は同社サイト(http://duan.jp/jp/index.htm)で。

朝日新聞
2017年 12月14日

東京新聞 2017年4月6日

ミラー

日中友好に役立ちたい

大学院生 白《はく》 宇《う》 23
（中国・南京市）

今年で十二回目となる「中国人の日本語作文コンクール」で最優秀賞をもらった。副賞として二月上旬に一週間、日本を訪問した。三回目の日本。自分の足で東京を歩き、自分の肌で日本を感じた。

過去の訪日では、おいしい食べ物、有名な観光地、アニメやドラマに登場するものだけに目が行った。だが、今回得たものは全然違った。「また日本へ行きたい」。この気持ちこそ、今回の訪日で得た最も尊いものだと感じる。

滞在中に、多くの政治家、大学教授、協力団体の皆さまと直接交流する機会を得た。私の日本語学習や進路についてどなたも親切に助言をくださった。ホームステイもさせていただいた。教科書でよく見る納豆はやはり苦手だった。私も張り切って中国料理を作ったが、塩を入れ過ぎてしまった。それでもご家族は笑顔で食べてくださった。短い間だったが本当の家族のような感じがした。

将来、私は中日友好の役に立ちたい。今の私にはお金も地位もないが、両国の明るい未来のためなら頑張れる。自分が日本で感じたものを中国の友達、先生、家族に伝えたい。そして、これから知り合う日本人にも中国、中国人の良さをもっと伝えていきたいと思っている。広い中国には日本語学習者をはじめ、日本に興味を持つ若者がたくさんいる。彼らにもぜひ自分の心で日本と触れ合ってもらいたいと思う。

私の旅はまだまだ続いていく。あの一週間は夢ではなく、皆さんの温かさが私の中にちゃんと残っている。今でもやりとりしているメールで、私はある約束をした。「必ずまた会いに行きます」と。

NHK NEWS WEB 2017年12月12日

LIVE 日本海側中心に荒れた天気

日本語作文 最優秀の中国大学生 “「花は咲く」広めたい”

12月12日 21時25分

シェアする

日本語を学ぶ中国の大学生の作文コンクールで入賞した作品をスピーチの形で披露する催しが北京で行われ、最優秀賞の学生は、東日本大震災の復興支援ソング「花は咲く」の歌を中国で広めたいなどと日本語への思いを語りました。

日本経済新聞 2016.12.26

春秋

流行語にもなった「爆買い」。一時の勢いは衰えたともいわれるが、その隆盛を同じ国の若者はどう感じているのだろう。中国で日本語を学ぶ学生たちの作文集「訪日中国人、『爆買い』以外にできること」が出版されたので読んでみた。彼らの日本旅行記が印象深い。

▼演歌好きの学生は初の訪問地に大阪を選ぶ。「浪花恋しぐれ」の舞台、法善寺横丁を見るためだ。店の人や客たちと大阪弁で盛り上がる。歌詞に登場する落語家について解説を受ける。帰国後、店での時間を思い出し感慨深い気持ちになった。「爆買いだけしかしないなら、忘れがたい思い出を作ることは難しい」と記す。

▼別の学生は長野県の農村に足を運ぶ。無農薬の野菜作りに驚き、ブドウやリンゴのみずみずしさに「中国のものと全く違う」と思う。環境汚染に悩む母国と、公害問題の解決に努力した日本。国内にいると急速な発展にうぬぼれがちだ。「同胞たちよ、観光地や買い物以外に、本当の日本を体験しよう」と呼びかけている。

▼「爆買い」が注目される裏に、マナーの悪さにまゆをひそめるニュアンスを読み取る学生もいる。前向きな好奇心、感受性、潔癖感が行間からあふれ、何ともまぶしい。年末年始、日本を離れ海外で過ごす人の出国ラッシュがもうすぐ始まる。日本の若者も異国の素顔を知り、母国を見つめ直す経験を積んでほしいと願う。

東京新聞

2017年
9月21日

文化

■18■

本屋がアジアをつなぐ

石橋 毅史

アニメ、漫画に熱い思い

大勢の漫画、アニメファンが出入りし、待ち合わせ場所にもなっているアニメイト＝筆者撮影

アジアをはじめ海外の客を集めている書店の筆頭といえば、アニメ、漫画の大型専門店だ。八月後半のアニメイト池袋本店（東京）は、学生の夏休み期間ということもあってか、いつのぞいても大盛況、かつ国際色豊かであった。

香港から来た二十三歳の男性二人連れは、とくに「機動戦士ガンダム」の大ファンだと話した。「香港にも支店はあるけど、日本のアニメイトに来てみたかった。明日は箱根の温泉へ行きます」

中国・上海出身で、現在は日本に留学中という女性は「月に二、三回くらい来ます。今日は上海から来る友達と待ち合わせています」。

手には缶バッジなどアニメのキャラクターグッズが。店の前の公園がファンのグッズ交換の場として知られていて、それも目的なのだという。「日本人と交換することが多いけど、他の国の人とやりとりすることもあります」。日によっては百人を優に超える集まりとなることもあり、インターネットでは〝野生アニメイト〟などと呼ばれる。アニメファンの間で発生した現象にまで店名を使われてしまうほど存在が浸透しているということだろう。

アジア各国からの来店客向けサービスについてアニメイトに訊《き》くと、「中国語圏で普及するキャッシュカード『銀聯《ぎんれん》カード』が利用可能」「英語および中国語を話せるスタッフの常駐」を挙げたが、外国人をターゲットにした品ぞろえ、催事などは、とりたてて行っていないという。日本人客と同様にもてなすところが、むしろ海外の人々を引きつけるのかもしれない。

『「御宅《オタク》」と呼ばれても』（日本僑報社）という本がある。日本語を学ぶ中国人学生を対象とした作文コンクールの優秀作をまとめたものだ。一九九〇年代に生まれた〝90後〟世代による「ACG」（日本のアニメ、コミック、ゲームを総称した中国語圏の言葉）への熱い思いが綴《つづ》られている。

彼らは、友情、平和の尊さ、人や社会との向き合い方について、自ら答えを探すことを教えてくれたのがACGだ、と語る。ある作文では「中国のアニメは先生、日本のアニメは身近な先輩」、別の作文では、漫画の主人公は「心の中の親友」。漫画、アニメの海外展開というと有力な輸出産業といった大きな観点で語られがちだが、それを海の向こうで受けとめているのは、切実な悩みや希望を抱えた一人ひとりの若者である。

漫画市場も紙の単行本や雑誌の売り上げは下落し、近年は電子書籍へ急速にシフトしつつある。だが、アニメイトの店内を歩く人たちは皆、生き生きとしていた。二人連れやグループは満面の笑みで語り合い、ひとりで来ている人は、商品の一つひとつを真剣な表情で見つめていた。本屋の現場は、数字に表れないものを映しだす。

（いしばし・たけふみ＝出版ジャーナリスト）

＊第1、第3木曜掲載。

朝日新聞

2017年 3月27日

特派員メモ

◆東京

白さんの思いを胸に

第12回「中国人の日本語作文コンクール」で最優秀賞に選ばれた南京大学大学院の白宇さん(22)が先月、日本にやってきた。昼食をとりながら本音を聞く機会があった。

白さんは日本好きだったわけではない。ふるさと安徽省の農村は保守的で、日本によい印象はなく育った。ところが大学では希望していない日本語学科に配置された。

思いを変えたのは、2人の日本人教師。熱心な指導に心を打たれた。勉強に没頭し、日本の魅力を知った。春節には日本人を連れて里帰りし、村人と交流した。日本人を受け入れてみると、村の雰囲気も変わった。白さんの受賞をみな喜んでいるという。

語学にとどまらず、訪日の「爆買い」や漫画、文学をきっかけに、日本を体感したいと思う中国人は多い。それぞれの経験を通した日本観が若者を中心に広まっている。

白さんは「日本人に中国の魅力を伝えていきたい」と言う。日本を知る中国人だけでなく、中国を知る日本人も増えれば、お互いをより冷静に見られるはずだ。私はもうすぐ北京へ赴任する。相互理解に、微力ながらも貢献したいと思う。

（福田直之）

朝日新聞 2016年12月14日

「爆買い」超える交流を

中国で日本語学ぶ若者に聞く

今年で12回目を迎えた「中国人の日本語作文コンクール」のテーマの一つは「訪日中国人、『爆買い』以外にできること」。急激に増える中国人観光客とその豪快な買い物ぶりを印象づけた「爆買い」だが、中国の若者はどのように受け止めているのだろうか。12日に北京で開かれた同コンクールの表彰式で、中国で日本語を学ぶ受賞者たちの率直な思いを聞いた。

デジタル版に受賞作文

中国人の日本語作文コンクール

日中間の相互理解促進を目的に2005年に始まった。日本僑報社が主催し、朝日新聞がメディアパートナー。12回目の今年は過去最多となる5190本の応募があった。今年のテーマは中国人訪日観光客による「爆買い」や「日本語教師の教え」など。日本僑報社の段躍中・編集長は「応募数も質も年々上がっている。日本語ができる人材は日中両国の宝物。これからも応援していきたい」と話す。同社は最優秀賞から3等賞までの受賞作計81本を作文集「訪日中国人『爆買い』以外にできること」として出版。詳細は同社サイト（http://duan.jp/jp/index.htm）で。

横井裕・中国大使（中央）から表彰を受けた最優秀賞と1等賞の受賞者たち=12日、北京の日本大使館、延与光貞撮影

「日本の製品良くて安い」

「もし私が日本に行くなら、100%間違いなく、爆買いするな。1回じゃ持って帰れないくらい」

山東政法学院の劉安さん(21)は、爆買いについて聞くと笑顔で言った。「日本製品の質は良くて安いから。それに、多くの中国人が自分の目で日本を見て感じることはいいことだと思う」

今年、日本を訪れた中国人は9月時点で500万人以上。年内には過去最多の700万人に迫る勢いだ。

中国人民大の金朗延さん(20)は「私自身は爆買いに興味はないけど、その気持ちは分かる。質と価格、あとはブームってことじゃないかな」と話した。

「高い購買力中国の誇り」

「爆買い」にはマナーの悪さという意味合いが込められることもあるが、「中国の若者のマナーは大きく改善されている。一部の変な行為は年配者のものでは」と湖北省にある中南財経政法大の大学院出身の張君慧さん(26)。

多くの学生はむしろ、爆買いの行為が示す中国人の購買力の高まりを誇りに感じているようだ。

旅行好きで、安徽省の外国語訓練学校に通う張凡さん(27)は、「中国人がみんなお金持ちになったと思って、日本人は複雑な感情なのかもしれない。でも、同じ商品が中国では2倍とかの値段。日本でできるだけ多く買いたいという思いは分かるでしょ」。

一方で、ギクシャクした日中関係が続くなか、中国で日本語を学ぶことへの微妙な感情も浮かぶ。

南京の大学に通う女性(21)は「ネット上に爆買いは売国奴だと書かれているのを見て、そうだなと思った。民族感情があるから。日本旅行は『敵に塩を送る』ことにならないかな、と」。日中戦争を知る祖母からは日本語を学ぶことに反対されたという。

ただ「爆買い」は最近、沈静化してきているとされる。学生たちも、訪日経験者たちの関心は別のものに移ってきているようだ。

「次回の訪日伝統に興味」

中南財経政法大の大学院出身の王[illegible]さん(23)は今年1月の日本旅行の際、友人らから魔法瓶3本や化粧品などを買ってくるように頼まれた。自分の服やお菓子も買った。

でも、近く行く予定の2度目の訪日で興味があるのは「日本のふろしきや着物」。中国で伝統服は気軽に町中を歩く服ではないのに、京都で着物を着た人を見て新鮮に感じた。「おすしを食べるのも楽しみ」と日本語で語った。

「爆買いだけでは物足りない」というのは、中国人民大の郭可純さん(21)。今年2月まで約半年間、神戸に短期留学していた。両親が遊びに来たときは、もっと多くの日本を紹介したいと思った。

「日本人が中国人に対して爆買いのイメージしか持たないとしたら、悲しい。中国もお客さんへのおもてなしなら負けない。礼儀正しくないところもあるかもしれないけど、中国人の親切さも知ってほしい」

（北京=吉岡桂子、延与光貞）

大好きな日本語で日中つなぐ職が夢

最優秀賞の白宇さん(22)

最優秀賞（日本大使賞）を受賞した蘭州理工大学の白宇さん(22)は中国内陸部・安徽省の農村出身。実家も農家だ。保守的な土地柄で、日本へのイメージは良くないという。

尖閣諸島をめぐって日中関係が悪化した2012年の9月に入学。会計などを勉強したかったが、希望していなかった日本語学科を学校にあてがわれた。「専門を変えることだけを考えていた」と白さん。母親は将来を悲観して泣いた。

作文では、そんな白さんが授業で出会った「江黒佳先生」夫妻に支えられ、4年間勉強を続けるうちに日本語が大好きになったことをつづっている。

今秋、南京大学の大学院に進学し、日本語を学ぶ。教師や外交官、通訳など日本と中国をつなぐ仕事に就くのが夢だ。12日の表彰式では、「機会があれば、留学して日本を肌で感じたい」と話した。

昨年7月に訪日した際には、家族や友人らへのプレゼントの「爆買い」を楽しんだ。「買い物を通じて日本や日本人の良さを知るきっかけになる。次は日本人に中国の良さを知ってもらいたい」

テレ朝 news 2016年12月12日

東京新聞 2016年2月28日

「予想していた通り みな親切」

中国人の日本語作文コンクール　最優秀の張さんが訪日

日本語作文コンクールで最優秀賞に選ばれた張晨雨さん＝都内で

十一回目となる「中国人の日本語作文コンクール」で最優秀賞（日本大使賞）に選ばれた山東政法学院四年生の張晨雨さん(二〇)が二月下旬に、副賞として日本を訪れた。日本語を学んで三年となる張さんは、日本を実際に見るのは初めて。「予想していた通り、町がきれいで、みな親切。来年ぜひ日本に留学したい」と語った。

このコンクールは、中国で日本語を学び、留学経験のない学生を対象としており、日本僑報社、日中交流研究所（東京都豊島区、段躍中所長）が主催している。

今年は過去最高の四千七百四十九の応募があり、張さんの「好きやねん、大阪」が最優秀賞に選ばれた。今回の入賞作は「なんでそうなるの？」という作品集として発刊された。

国際交流基金によれば、中国では、大学などの教育機関で約百五万人が日本語を学んでいる。日本語教師も約一万七千人（うち日本人約二千四百人）になっている。外国語では英語の人気が高いが、アニメ人気の影響で日本語の学習を希望する学生も多い。

張さんの作品は、中国では北京と上海の人が、「こっちが上」と自慢し合うが、東京と大阪でも同じようなことがあると書き出し、大阪弁のイントネーションや大阪の笑いなどに焦点を当てた。視点のユニークさが評価された。大阪には叔母が住んでおり、親近感があったという。

張さんは二十一日から二十八日まで訪日し、国会を訪れたり、中国の若者事情などについて講演した。

「子どものころから日本のアニメに興味があった」という張さんは、「日本の社会を学びたい。将来はファッションの仕事に就きたい」と語った。（五味洋治）

朝日新聞 2015年12月18日

歴史対立 葛藤を言葉に

中国人の日本語作文コンクール

約100万人が学んでいるとされる中国の日本語教育の現場。複雑さを増す日中関係のなか、学生たちと日本語教師は、どんな思いでいるのだろうか。今年で第11回を迎えた「中国人の日本語作文コンクール」のテーマの一つは「私の先生はすごい」だった。受賞者と指導教官に話を聞いた。

家族の日本観 変えた先生

嶺南師範学院3年 張戈裕さん(21)

張戈裕さん

「私の先生はすごい。彼一人の力で私の家の歴史を変えたのだ。日本を憎む歴史を」

広東省にある嶺南師範学院3年生の張戈裕さん(21)は、1等賞をとった作文でそう書いた。

受験で志望学部に受からず、仕方なく入った日本語学科。曾祖父を日中戦争で亡くした家庭では、「日本を好きだ」ということは、「道徳」や「家訓」に反することだったという。

その張さんが「戦争があったからすべての日本人が悪いという思考回路がおかしい」と思うようになったのは日本語教師の「矢野先生」と出会ってからだった。「矢野先生」は日本批判を言われても何も言わず、黙々と日本について教えてくれる人だった。その熱心な指導について話を聞いた両親の態度も微妙に変わった。依然として日本をよく言うことはないが、周囲の人に「娘の専攻は英語」と偽っていた母親は「うちの娘は日本語を勉強しています」とはっきりと言うようになった。

張さんは今、「将来は日本語教師になりたい」と思っているという。

多くの学生が、こうした中国で日本語を学ぶことの気持ちの葛藤を作文に盛り込んだ。日中関係の悪化の影響も受け、日系企業への就職は以前より難しくなっている。日本語学科を第1志望とする学生も減ってきているとも言われる。

常州大学の陳静璐さん(21)は「周囲の友だちは日本を理解している方だからいいけど、年齢の高い親戚たちの日本のイメージは昔のままみたい」と話した。

一方、華南理工大学の日本語教師、金華さん(44)は、日本語がうまくなるには、日本人の考え方を理解することが必要だ」と訴える。学生たちにとって、日本人教師は目の前にいる日本人の考え方のお手本。その印象は日本に対する印象自体も変えるというのだ。

「一日中、学生と過ごす教師も」

笈川幸司さん(45)

中国300校で日本語教育

教え子が次々とスピーチ大会で入賞し、「カリスマ日本語教師」と呼ばれる笈川幸司さん(45)に聞いた。

私はこれまで中国の300の学校の日本語教育の場を回ってきた。感じるのは、中国にいる日本人の日本語教師は、ただ教えるだけでなく、朝から晩まで学生と一緒に過ごすことが多いということ。

地方の多くの大学には、日本人留学生もいない。学生にとっては、先生イコール日本だ。日本人の先生がいなければ日本が分からないといった環境で、日本語を教えている。

歴史問題などで日中関係が緊張すれば、大変な立場に立たされるということもある。多くの教師が地道に仕事をしているが、その苦労は大きい。

教師ら「反日」ほぐす努力

最優秀賞を受賞した山東政法学院の張晨雨さん(20)の作文を指導した藤田炎二教師(57)は元新聞記者。昨年9月から同学院で日本語教師をしている。

ネットで作文コンクールの応募を知り、学生たちに呼びかけたが、クラス16人のうち応募は2人だけだった。日本語の能力はあるのになぜ書かないのか。

「学生たちは反日運動が激しかったときに日本語学科に入った世代。心の中に引っかかりが残っていても不思議ではない」という。

「来年はいったい何人が応募してくれるか。これが私の（日本語教師としての）通信簿だ」と話した。

1等賞の受賞作を指導した常州大学の古田島和美教師(59)は学生に対して、「指導ではなく、対話をした」と語る。「どうしたら学生の思いが正確に伝わる作文になるのか、自分も学ばせてもらった」

一方、授業で政治に触れることはタブーだという。ある教師は「大学側から政治と言葉を学ぶことは分けて欲しいと言われている」と話した。

（北京＝古谷浩一、倉重奈苗）

表彰式後、記念撮影する受賞者ら。前列左から4人目が最優秀賞の張晨雨さん＝12日、北京の日本大使館、倉重奈苗撮影

中国人の日本語作文コンクール

応募は計4749本 11回で過去最多

2005年、相互理解促進を目的に始まったコンクールで日本僑報社が主催、朝日新聞がメディアパートナー。今年は過去最多の4749本の応募があった。

最優秀賞(日本大使賞)に選ばれたのは、大阪で働く叔母とのやりとりを書いた山東政法学院の張晨雨さんの「好きやねん、大阪」。12日に開かれた表彰式で、「将来は日本でファッションに関する仕事に就きたい」。

日本僑報社編集長の段躍中さんは「中国の若者の作品を多くの日本人に読んでもらいたい」。受賞作を集めた作文集「なんでそうなるの？中国の若者は日本のココが理解できない」が出版されている。詳細は、同社のサイト（http://duan.jp/jp/index.htm）。

朝日新聞

2015年2月3日
2014年12月18日

ひと

中国人の日本語作文コンクールで最優秀賞

姚《ヤオ》 儷瑾《リーチン》さん(20)

上海で生まれ育ち、地元の東華大学日本語学科に合格して祝福されたのは、2012年の春。その秋に日本政府が尖閣諸島を国有化し、中国で反日デモの嵐が吹き荒れたさなかに入学した。

「日本語の専攻を親に反対された級友もいる。でも、中国の若者には、日本のアニメやコミック、ゲームやアイドルが大好きな『オタク』もたくさんいる」

昨年の第10回中国人の日本語作文コンクール（日本僑報社主催、朝日新聞社協賛）は過去最多の4千を超す応募があった。今週、副賞で日本を初めて訪れている。

「日本はきれいで、やさしい」

14歳の時、アニメ「機動戦士ガンダムSEED」と出会う。「日本のアニメは社会問題を反映したものが多く、深い。ガンダムは戦場のリアルな描写が命の尊さを伝えていた。世界情勢を身近に意識するようになった」という。

アニメに絡めて日中関係について書いた受賞作では「殺されたから殺して、殺したから殺されて、それで本当に最後は平和になるのか」というアニメで知った言葉から書き出した。日中関係をチョコに例える。「ミルクの甘い思い出もビターの苦い思い出もある」。時にはけんかをしながらも理解を深めていく、恋人のような関係になってほしい。

記者志望。「私の言葉で、お互いの良さを伝えたい」からだ。

文・坂尻信義　写真・西田裕樹

対立超える魅力 言葉に

10回目の「中国人の日本語作文コン」応募最多

中国で日本語を勉強する若者たちは今、何を思っているのだろうか――。両国関係の悪化にもかかわらず、「中国人の日本語作文コンクール」＝[キー]＝（日本僑報社主催、朝日新聞社など協賛）は今年で10回目を迎え、その応募数は過去最多に上った。受賞者の学生たちの率直な思いを聞いた。

日本語力 アイドルのおかげ

最優秀賞 大学3年・姚儷瑾さん(20)

姚儷瑾さん

最優秀賞・日本大使賞を受賞した姚儷瑾さん(20)は上海にある東華大学の3年生。日本語を勉強し始めたのは大学に入ってからだが、「小さいころから日本のアニメやドラマが好きで、自然に日本語を使っていた」という。

受賞作も、そうした日本のアニメへの思いを両国関係の現状に重ねて書いた。

今、夢中になっているのは人気アイドルグループ「嵐」で、「日本語能力が上がったのは嵐のおかげ」。それだけに副賞で来年、日本に行けるのがうれしい。「わくわく。渋谷とか秋葉原で、日本のファッションを見たいなあ」

木寺昌人大使（右から3人目）から表彰された最優秀賞・日本大使賞の姚儷瑾さん（左から3人目）と一等賞の入賞者＝12日、北京の日本大使館、林望撮影

小遣いで買ったマンガ 宝物

大学3年・陳謙さん(22)

陳謙さん

アニメなどの「サブカル」をきっかけに、日本に関心を持ち始めた学生が目立つ。

山東財経大学3年の陳謙さん(22)は幼い頃、勉強の邪魔になるからと「クレヨンしんちゃん」を取り上げた母親が、自分に隠れて読みふけっていた経験を書いた。小遣いをためて買う日本の漫画は、宝物のようだったという。

大学で第1志望の専攻が定員オーバーでやむなく進んだ日本語学科だったが、「（日本語を敬遠する人が増えている）今こそチャンス。学べば学ぶほど、日本のことも知りたくなる」。

感情の悪化で つらい思いも

しかし、歴史問題などをめぐり、双方の国民感情は厳しい。日本語を勉強していることで、つらい思いをすることもあるようだ。

重慶師範大学4年の張玥さん(21)は、友人と一緒にテレビを見ていた時、「日本っていいな」と口にした途端、言い合いになった。日本を批判する友人に張さんが「私の知っている日本人はみないい人よ。一面だけ見るべきじゃない」と反論すると、「国の裏切り者」と言われた。

「私だって祖国を愛している。でも、信じるのは、自分で感じたことや見たこと。私の体験を通して、（日本嫌いの人たちの）考えを変えることができたら」と話した。

中国で日本語を学ぶ学生は100万人に上るとされる。日中関係の悪化は、就職などに直結した問題だ。

「政治は政治、自分は自分です」

西安交通大学4年の向穎さん(22)の夢は日本語教師になって、宮沢賢治の作品を中国の子どもたちに伝えていくことだ。「彼の文章は純粋。子どものような心が感じられる」。政治や経済に偏りがちな日本のイメージを、豊かにする力になりたいと意気込む。

南京農業大学の汪婷さん(21)は、故郷の江蘇省に多数進出している日本企業で通訳として働きたいと思っている。

「話すのは難しいです。日本人はみんな敬語を話すじゃないですか。日系企業で働くなら、今の私の敬語じゃダメ」。念願の日本留学を果たすため、奨学金プログラムにもチャレンジするつもりだ。

（北京＝古谷浩一、林望）

日本文化が好き 伝えられた

主催の段躍中さん

コンクールの主催者である日本僑報社編集長の段躍中さん(56)は、日中関係の悪化に関係なく、「中国の若者たちが日本のアニメやドラマといった文化をいかに好きか」ということが、今回のコンクールで如実に表れたと見ている。

段さんは中国湖南省出身。中国青年報の記者を経て、1991年に来日。新潟大学大学院の博士課程を修了後、96年に日本僑報社を設立し、日中の架け橋として、両国関係に関する多数の書籍を出版してきた。

コンクールを主催したのも、「日中の相互理解を進めたい」との思いからだ。両国関係はこの10年間、絶え間なく問題が生じた。日本語を学ぶ学生たちは批判を受けることもあったというが、それでも、「彼らは日本語学習を通じ、日本人や日本文化への理解を深め、そのすばらしさに感動している」という。

段さんは「作文を通じて、そんな中国の学生たちの『生の声』を伝えることができ、うれしく思っている」と話した。

中国人の日本語作文コンクール

中国で大規模な反日デモが起きた2005年、相互理解の促進を目的に「日中友好への提言」をテーマに始まったコンクール。毎年1回開かれ、今年の第10回のテーマは「ACG（アニメ・コミック・ゲーム）と私」と「公共マナーと中国人」の二つ。応募数は過去最多の4133編に上り、12日に北京の日本大使館で表彰式があった。主催の日本僑報社は、受賞作計61本を作文集「『御宅（オタク）』と呼ばれても」として出版。詳細は、同社のサイト(http://duan.jp/jp/index.htm)まで。

朝日新聞

THE YOMIURI SHIMBUN
讀賣新聞 2014年9月22日

popstyle Cool

受験、恋…関心は同じ

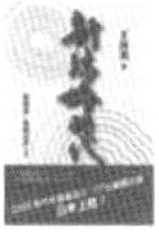

I love JPN

「中国の若者の間での日本のサブカルチャーの影響力を思い知りました」。中国で日本語を学んでいる学生が対象の日本語作文コンクールを主催しているが、10回目の今年、テーマの一つを「ACG（アニメ・コミック・ゲーム）と私」にしたら、過去最多の4133人の応募者のうち約８割が、それを選んだからだ。

中国の全国紙「中国青年報」記者を経て、1991年８月に来日し、日本生活は23年になる。95年に新潟大学大学院に入学し、中国人の日本留学についての研究に取り組んだ。96年に「日本僑報社」を設立、まず月刊誌刊行を始めた。「日中の相互理解のために役立つ良書を出版したい」との思いから、中国のベストセラーの邦訳などを出している。

日本僑報社編集長
段躍中 さん 56
DUAN Yuezhong

▲中国人の日本語作文集や中国小説の邦訳本を書棚から取り出す段躍中さん（東京都内の日本僑報社で）

2006年には、大学受験生たちを描いた中国のベストセラー小説『何たって高三！　僕らの中国受験戦争』の邦訳を出版。昨年９月には、不倫や老いらくの恋などの人間模様を描いた現代小説『新結婚時代』の邦訳書を出した。「中国社会は大きく変化を遂げており、日本人と中国人の関心事が重なるケースが多くなってきています」

中国人の作文コンクールの作品集も毎年出版しており、第９回のタイトルは『中国人の心を動かした「日本力」』だった。一方、日本の書籍の版権を取り次ぎ、中国で出版する仲立ちもつとめている。その成果の一つとして、日本の与野党政治家の思いをまとめて02年に出た『私が総理になったなら　若き日本のリーダーたち』が、04年に中国で翻訳・出版された。「今後も『日本力』を中国に伝える仕事をしていきたい」と力を込める。

讀賣新聞 2014年4月4日

論点

小さな市民交流 重ねて

日中関係改善への一歩

段《だん》 躍中《やくちゅう》 氏

「中国青年報」記者を経て1991年来日。新潟大院博士課程修了。96年に日本で出版社「日本僑報社」設立、編集長。55歳。

領土や歴史認識に関する主張が対立する日中関係の改善は、残念ながら、当面は望めない。そんな中で、市民の立場からも、少しでも関係が良い方へ向かうよう、自ら考えて行動すべきではないだろうか。

私も微力ながら相互理解に役立てばと、6年前から東京・西池袋公園で「漢語角」という中国語の交流会を行ったり、中国で日本語を勉強している学生が対象の日本語作文コンクールを主催したりしている。コンクールは今年で10回目を迎え、毎年約3000もの作品が寄せられる。応募数は、日中関係が悪化した2012年以降も減っていない。日本語の水準は様々だが、「中国のごく普通の若者が一生懸命日本語で書いたもの」という点で共通しており、非常に大きな意味を持つと思う。

彼らの多くは日本のアニメやドラマなどのサブカルチャーから日本に興味をもったようで、今年は作文コンクールのテーマの一つを「ACG（アニメ・コミック・ゲーム）と私」としたほどだ。日本語を学ぶには至らないが、そうしたものが大好きな中国人は多い。日本の企業が作った電化製品や自動車などを高く評価し、好んで購入する人たちも常に存在する。つまり、中国には相当数の「日本ファン」がいるのだ。

そこで、日本国民にお願いしたいのが、「日本ファン」のサポートだ。

例えば、最近は日本各地で中国人旅行者と遭遇する機会が多くなっていると思う。買い物のためだけに来日したという印象を持たれるかもしれないが、彼らにとって日本への旅費は決して安くなく、「日本を楽しもう」という思いは、欧米からの旅行者より強いかもしれない。サポートとは、中国人旅行者が困っているのを見かけた時、ほんの少しでも手を差しのべてもらえないかということだ。道に迷っているなら交番を教えるだけでもいい。店舗内なら、店員を呼んで来るだけで構わない。小さな親切は良い思い出として残り、帰国後に周囲に語られ、さらにその周囲にも広がる。一つの〝小さな国際交流〟で影響を与えられる人数は少なくても、その機会が多ければ多いほど、影響される人数も増えていく。

ほかにも、市民にできる行動はある。

先日、昨年の日本語作文コンクールの受賞作をまとめた書籍「中国人の心を動かした『日本力』」に関する読売新聞の記事を読んだ女性から、3冊注文が入った。後日頂戴したはがきには、1冊は自分用、1冊は日本人の友人、もう1冊は中国から来た友人にプレゼントしたと書いてあった。私は感激するとともに、草の根交流を推進する者として、非常に刺激を受けた。

今はフェイスブックやツイッターなどもある。街で見知らぬ中国人に声をかけることができなくても、こうしたツールを活用して一般市民が両国の「良い部分」を伝え、広められる。それを読んだ中国人から、拙い日本語で書かれたメッセージを日本人が受け取る日が来れば、日中関係が改善に向かう、小さいが確実な一歩となるだろう。

産経新聞

2014年7月31日

アピール

日本僑報社編集長
段躍中 56
（東京都豊島区）

日中友好支える日本語教師の努力

国際交流基金の日本語教育に関する調査によれば、2012年度に世界で約400万人の人々が日本語を勉強しており、うち約104万人が中国の学習者だったという。

驚いたのは、ここ数年、日中関係はどん底とも言われる冷え込みの中にあるにもかかわらず、学習者数が2009年度より20万人以上も増加しており、日本語教育機関の数も同年度比で5・4%増の1800施設だったことである。

私は毎年、「中国人の日本語作文コンクール」を主催しているが、10回目を迎えた今年、応募件数は過去最多の4133件に上った。中国での日本語学習熱は、両国関係にあまり左右されないとは感じていたが、これらの数字を目にして、それが確信に変わると同時に、感動すら覚えた。

ただ、中国の日本語学習者や日本語教師を取り巻く状況はかなり厳しいと、容易に想像できる。事実、コンクールの応募作にも、日本語を学ぶことを家族や友人に反対された経験をつづったものが数多くあった。

しかし、彼らのほとんどは外野の圧力に屈することなく日本語学習を続け、日本や日本人への理解を深め、日本語だけでなく日本のことも好きになっている。つまり、中国には日本語学習を通じて日本に好印象を抱く可能性のある人が、100万人以上もいるわけだ。

私は彼らの存在こそ、今後の日中関係において非常に重要だと考えている。現在のように両国トップが対話できない状況下で、国と国とをつなぐのは市民同士の交流以外にないと思うからだ。

日本語学習者という〝日中市民交流大使〟の育成には、日本語教師、とりわけ日本の本当の姿を正確に伝えられる日本人教師の皆さんの力添えが必要である。コンクールには、そのような高い志をもつ日本語教師をたたえる賞を設けることにした。賞が少しでも彼ら日本語教師の励みになればと心から願っている。

朝日新聞

2014年（平成26年）
1月27日

風

古谷 浩一
北京から

悪化する日中関係　それでも日本語を学ぶ若者

言うまでもなく、日中関係はとても悪い。こんなとき、中国で日本語を学ぶ若者たちはいったい何を感じているのだろうか、と思った。

「本当にいいのか。日本語なんて勉強しても将来性はないだろう」。日本僑報社が主催する「中国人の日本語作文コンクール」で1等賞をとった李佳南さん(21)は、受賞作文のなかで、父親にそう言われた経験を書いていた。それでも彼女は、福建省にある華僑大学日本語学科に入学した。「（両国民が）互いに尊敬し、助け合える日が来るだろう」と信じているという。

李さんに会ってみたいと思い、電話をした。「えっ」と驚いた様子の李さんだったが、すぐに承知してくれた。日本人と話す機会はほとんどないそうで、「私にとってもチャレンジです」という。

江西省の玉山県にある李さんの実家を訪ねた。省都の南昌から鈍行列車でゴトゴトと約4時間。郊外に山と農地が広がる地方の小さな街だ。

小ぎれいなアパートの部屋で、白と黒の縞のワンピースを着た李さんは、ちょっと緊張した表情で話してくれた。日本語学科に入ったのは、語学への関心からで、日本語にこだわったわけではなかったこと。両親は就職に有利な経済関係の学科を勧めたけど、合格点に達しなかったこと。

——今の中国で、日本語を学ぶって、どんな気持ち？

「別に……。でも2年生のときは最悪。勉強しても意味がないと思った」

李さんが言ったのは、一昨年の尖閣国有化の際の反日デモのことだ。「（日本語学科の）みんなは、ああ、この専門は良くないんだな、選択ミスだなって感じた」

——安倍首相の靖国参拝については？

「本当につらい。どうしてこうなっちゃうんだろう。経済や文化の面で関係を発展させるのは悪いことなのかな？私たちは私たちで勉強するしかないけど」

父親は出稼ぎに出ており、不在だった。近くの山で農業を営む祖父の遠木さん(82)を李さんと一緒に訪ねた。日中戦争の時、この辺りにも日本の軍隊が来て、食べ物などを奪っていった。殺された人もいたという。ちょっと迷ったが、聞いてみた。

——孫が日本語を学ぶのは嫌ですか。

「そんなことはないよ」。遠木さんは笑顔でそう言った。でも、それ以上は何を聞いても、あまり話してくれない。李さんは、私に申し訳なさそうな顔をした。

中国では今、約100万人が日本語を学んでいる。有名な日本語教師、笈川幸司氏によると、こうした学生たちにとって、31日からの春節（旧正月）は、親族のなかで居心地の悪いものになりそうだという。日中の交流がしぼめば、就職先もぐっと減る。

中国と言えば、きつい表情をした報道官が日本を厳しく批判する場面が頭に浮かぶかもしれない。日本人が中国政府の対応に怒りを感じることがあるのはよく分かる。

だけど、中国にも、私たちと同様、こんな状況は嫌だと思う人がいることも知って欲しい。対立を深める二つの政府の関係だけが、日中関係のすべてであってはならない。

取材を終え、駅に向かうタクシーのなかで、李さんに将来の希望を尋ねた。返ってきた答えは「日本に留学できれば、一番いい」。垂れた前髪の奥で、その目はずっと前を見つめていた。（中国総局長）

朝日新聞

2013年（平成25年）
12月7日

私の視点

日本僑報社編集長
段《だん》 躍中《やくちゅう》

冷めぬ中国の日本語学習熱

日中友好

国交正常化後で最悪と言われる日中関係だが、中国の若者の日本への興味と関心まで冷え込んでいるわけではない。中国で日本語を学習している留学未経験の学生を対象にした「中国人の日本語作文コンクール」で、今年は応募数の減少が懸念されたが、最終的には2938本が寄せられ、例年と変わらない盛況だった。「日本語学習熱」は冷めてはいない。

コンクールは私が代表を務め、日中関係の書籍を出版している日本僑報社と日中交流研究所が2005年から開催してきた。これまでに中国の200を超える大学から、2万本もの作文が集まった。

9回目の今年はテーマを「感動」にした。両国関係が試練に見舞われても、「感動」が両国民の心をつなぐきっかけになると考えたからだ。日中関係が悪化すれば、中国国内で日本語を学習すること自体、「難しい立場」に立つことになる。それでも、彼らは日常生活の中で、自分や家族が日本人と触れ合い、感動した体験を思い思いに描いていた。

いにしえの優雅さを短い言葉の中で語る和歌の世界や、出会って1週間しかたたない中国人に「国が原因で中国人を拒否するのは理不尽」と〝おもてなし〟の精神で誕生日を祝ってくれる研修仲間、旅行で訪れた日本で迷子になり、道を尋ねると、目的地まで連れて行ってくれた夫婦……。

そこには政治的な対立を乗り越え、積極的に交流を続け、友好を育もうとする、ごく普通の日中の市民が登場する。もちろん、文化や習慣の違いは大きい。「相互理解」と言っても、実生活で簡単に実現するものでもない。そこを認識した上で、その差を縮めていこうという強い意思、お互いを尊重し合うという前提に立てば、感動も共有できる。そういった体験が真摯につづられていた。

コンクールの入選作は、中国在住の学習者とは思えないほど日本語のレベルが高いものが多い。「入選作品集」は、中国では日本語学習教材にも利用されている。

日本人の審査員からは「日中関係の改善に、真剣に取り組もうとする両国の若者に感動した」「中国での日本人への評価が高いことに驚いた」などの声も上がった。

日本で日中友好活動に携わる立場から見ても、こうした若者は、両国の将来に頼もしい存在になるように思える。そんな彼らを、みなさんにも応援していただければありがたい。多くの人に、彼らの「生の声」とも言える入選作品集を、ぜひ手にとって読んでいただきたい。中国人の心を動かした「日本」は、きっとみなさんの心も感動させるはずだ。

2013年（平成25年）3月26日（火曜日） 東京新聞

東京新聞

中日新聞東京本社
東京都千代田区内幸町二丁目1番4号
〒100-8505 電話 03(6910)2211

日本語を学ぶ中国人学生

五味 洋治

沖縄県・尖閣諸島を日本政府が国有化して半年が過ぎたが、島をめぐる日本と中国の対立は一向に改善されない。日本に関心を持ち、日本語を学んでいる中国の学生たちは就職や日本留学が難しくなり、将来への不安を抱いている。

対立憂う 懸け橋の卵たち

二〇〇九年の調査によると、中国の日本語学習者数は約八十三万人。独学者を含めるとさらに増える。世界でも韓国（九十六万人）に次いで学習者が多い。国際交流基金などが行う日本語能力試験は中国全土で約十一万人が受験している。

同じ漢字文化圏だけに、短期間で中・上級段階に達する人が多い。最近、中国の外相に就任した王毅氏も、若いころ日本語を専門に学んだ。

日本語を学ぶ中国人は、日中両国の間をつないでくれる大切な人材だが、いま困難な状況に陥っている。

日本僑報社（東京・池袋）などが毎年主催する日本語作文コンクールで優秀な成績を収めた大学生たちが、安倍晋三首相への手紙という形で、自分たちの様子を日本語で同社に送ってきた。原文のままを引用してみる。

湖北大外国語学院の李欣晨さん(二二)は「進学と就職の問題について、さんざん迷っています」。日中関係悪化の影響で就職先が減り、日本への留学も家族や友人の強い反対に遭っているためだ。

李さんは、今年一月、作文コンクール最優秀賞の副賞で日本を訪問した。「過激な行動でお互いに傷つけているのが何の意味もないことを、しみじみ感じました。日本への先入観を取り除くために、微力ながら、自分なりの力を尽くしたいです」

外交官志望者が学ぶ国際関係学院（北京）四年生胡万程さん(二二)は、「外交の基本原則は自国の国益を守ること。しかし、自国の国益だけを追って、双方の国益を損なう結果になっていまいか。即刻解決が困難な問題は、双方、暫時、静観するという方法はとれないか」と提案した。

同じ国際関係学院四年生欧陽文俊さん(二三)は昨年五月、中国大学生訪日団の一員として日本を訪問し、大学生と将来の夢を話し合った。

「日本への留学を準備しています。自分の目で見た日本、体験した日本を丸ごとに友達や家族に教えたい。より多くの日本人と友達になりたいと思っているからです。中日関係を改善するには安倍首相が一番有力ではないでしょうか。中日両国が各レベルでちゃんと話しあえる未来に導いてほしい」と要望した。

尖閣諸島については公船を使って実力行使してくる中国側に問題がある。しかし中国にも、対立に戸惑い、和らげたいと思っている人たちが少なからずいる。手紙は今月、安倍首相に郵送された。ぜひ読んでほしい。（編集委員）

2013年 12月5日

MAINICHI 毎日新聞

発言

草の根発信で日中をつなごう

段 躍中 日本僑報社編集長

中国在住の日本語学習者を対象とした日本語作文コンクールを主催して9年になる。

毎回、中国全土で日本語を勉強する留学未経験者たちから約3000もの力作が集まるが、昨年来の両国関係の悪化による影響で応募が減るのではないかと心配していた。

だが、蓋《ふた》を開けると例年と変わらぬ数の作品が寄せられ、胸をなでおろした。同時に長年、日中の草の根交流活動に従事している立場としてこの状況でも日本語を熱心に勉強している中国人学生が数多くいるとわかり、うれしい気持ちにもなった。

今年のテーマは「中国人の心を動かした『日本力』」とした。それは、国と国との関係がどれほど冷え込もうとも「感動」は両国民の心をつないでくれると考えたからだ。応募作には作者自身や、家族、友人が体感した日本文化や触れ合った日本人から受けた感動的なエピソードが若者らしいみずみずしい文章で描かれており、彼らを感動させた「日本力」は審査員を務めた日本人にさえ日本の素晴らしさを再認識させた。

それら「日本力」は世界的に有名な日本のアニメなどのサブカルチャーと同様、全世界に訴えかけられるソフトパワーだ。このパワーこそ日中関係改善の切り札になり得る。

コンクールの応募者たちは、時に周りから日本語を学ぶことを批判されながらも勉強にいそしんでいるばかりでなく日本人や日本文化への理解も深め、その素晴らしさに感動し、作文という形で発信してくれた。彼らは今後も日本の良さに触れ、それを何らかの形で発信してくれるはずだ。世界中に数多く存在する「日本ファン」たちもフェイスブックやツイッターなどを使い、優れた「日本力」について発信し続けている。

日中という「引っ越しできない隣人同士」が〝ウィンウィン〟の関係を築くためには、お互いが尊重し合い、気持ちを通わせながら関係を築くことが必要ではないかと思う。その実現には、両国の政治家やメディアの努力ももちろん重要だが、一般市民の努力も必要だ。だからこそ日本の人々にも、先に述べたような新メディアを活用して自ら中国に対してアピールする「発信者」になってもらいたいと思うのだ。

「謙虚さ」は日本人が持つ素晴らしい特徴ではあるが、この場面では不要だ。「中国語や英語ができないから……」としり込みする人もいるかもしれないが、世界には日本の良き理解者でもある日本語学習者や「日本ファン」が大勢いる。あなたがインターネットを通して日本語で発信した言葉がそれらの人を介して中国をはじめとする全世界に広めてもらえる可能性が十分にある。

1991年に来日した筆者は東京を拠点に、出版活動や中国人を対象とした日本語作文コンクール、日本人及び在日中国人向けの「星期日漢語角」（日曜中国語コーナー）などの活動を行っているが、皆さんに「日中関係改善のための発信者の会」の設立を呼びかけたい。一人でも多くの「日本人発信者」が登場し、両国関係の改善に一役買ってくれることを願っている。

だん・やくちゅう　元中国青年報記者。編著書「中国人がいつも大声で喋るのはなんでなのか？」

朝日新聞 2013年 3月15日

ぴーぷる

■戦争の意味を問い直す

「第8回中国人の日本語作文コンクール」（朝日新聞社など協賛）で湖北大学外国語学院日本語学科4年の李欣晨さん(22)が最優秀賞（日本大使賞）に輝いた。

4回書き直した受賞作は「幸せな現在」。祖父の「今の生活を大切にすべきだ」という言葉と戦争体験から過去の戦争の意味を問い直し、「犠牲者が望んだのは、悪いレッテルを貼り合うことではないはずだ」と結ぶ。

大学には日本を嫌う学生もいる。「日本について知らない人たちです。日本も同じかもしれない。お互いが理解し合えば変わる」。いつか日本語教師として、懸け橋になりたい。

作品集「中国人がいつも大声で喋《しゃべ》るのはなんでなのか？」は主催の日本僑報社から出ている。（岡田玄）

デジタル版に受賞作全文

東京新聞 2013年 1月26日

「思った以上に清潔」

日本語作文コン最優秀 李さんが都内観光

「中国人の日本語作文コンクール」で最優秀賞（日本大使賞）に輝いた李欣晨さん(二二)が、副賞で日本に招かれた。二十五日に都内を観光し「思った以上に清潔です」と印象を話した。コンクールは日本僑報社・日中交流研究所（豊島区、段躍中所長）を中心に毎年開かれている。

李さんは、中国南部の貴州省出身。幼い頃は「中国で放送されている反日ドラマの影響で日本への印象は良くなかった」という。しかし、日本のアニメに興味を持ち、湖北大学外国語学院で日本語を専攻した。

日本を訪問した李さん＝千代田区で

受賞作品「幸せな現在」は、朝鮮戦争（一九五〇～五三年）に参戦し、砲弾の破片によるけがが残る祖父の追憶から始まる。戦場で苦労を重ねた祖父は「今の生活を大切にすべきだ」といつも口にし、平和の大切さを説いた。李さんは、作文で「日中間にもかつて戦争があった。そのせいか、両国民は先入観をもってお互いに悪いレッテルを張り合っている」と、過去の影に引きずられるのはやめようと呼びかけた。

来年は中国で大学院に進む。本当は日本に留学したかったが、領土をめぐる緊張のため、両親が日本行きに反対したためだ。帰国したら自分の目で見た日本の印象を話して、両親を説得するつもりだ。（五味洋治）

讀賣新聞
2013年（平成25年）
2月24日日曜日

中国人がいつも大声で喋るのはなんでなのか？　段躍中編　日本僑報社　2000円

相互理解に様々な視点

評・須藤 靖（宇宙物理学者 東京大教授）

それぞれ、そうだよネ。そんな声の合唱が聞こえてくるような秀逸かつ直球のタイトル。この宇宙がダークエネルギーに支配されているのはなぜか、大阪人にバキューンと撃つマネをすると必ず胸を押さえて倒れてくれるのはなぜか、などと同レベルの深く根源的な問いかけだ。

チマチマした印税稼ぎのために軽薄な説を押し付ける似非《えせ》社会学者による使い捨て新書の類いか？という疑念も湧きそうだ（残念ながら現代社会にその手の書籍が蔓延《まんえん》しているのも事実）。しかし本書はそれらとは一線を画す、日本語を学ぶ中国人学生を対象とした「第8回中国人の日本語作文コンクール受賞作品集」なのだ。

大声で主張するのは自信と誠実さを示す美徳だと評価され学校教育で繰り返し奨励されているという意外な事実。発音が複雑な中国語は大声で明瞭に喋《しゃべ》ることは不可欠。はたまた、通信事情が悪い中国では大声で喋らないと電話が通じない、という珍説も飛び出す。公共の場所において大声で喋るのは、他人を思いやらない無神経さの表れ。日本人が抱きがちなそんな悪印象が、視点をずらすだけでずいぶん変化する。

大皿に盛られた料理を大勢で囲み、にぎやかに喋りながら楽しむ食事。知り合いを見つけるや、はるか遠くからでも大声で会話を始める農村部の人々の結びつき。想像してみると確かにうらやましい文化ではないか。いかにも文集という素朴な雰囲気の装丁の中、日中両国を愛する中国人学生61名が、文化の違いと相互理解・歩み寄りについて、様々な視点から真摯《しんし》に、かつ生の声で語りかけてくれるのが心地良い。

酔っぱらった時の声がうるさいと、家内にいつも大声で叱責される私。しかし故郷の高知県での酒席は到底太刀打ちできない喧《かまびす》しさ。でも単なる聞き役に回る私ですら飛び交う大声は不快どころか楽しさの象徴だ。高知県人は深いところで一衣帯水の中国と文化を共有しているらしい。中国移住を真剣に検討すべきだろうか。

中国人がいつも大声で喋るのはなんでなのか？
生の声

◇だん・やくちゅう＝1958年、中国・湖南省生まれ。91年に来日し、新潟大大学院修了。日本僑報社編集長。

「大声で喋る」中国人と「沈黙のなか」で生きる日本人が理解し合う知恵を

佐高信の政経外科《せいけいげか》

Sataka Makoto

連載683

Layout Kazuhiro Tada

日中交流研究所所長の段躍中が編んだ『中国人がいつも大声で喋るのはなんでなのか?』(日本僑報社)という「中国人の日本語作文コンクール受賞作品集」がある。「中国若者たちの生の声」を集めたもので、第八回のコンクールの作品集だ。日本への留学経験のない中国人の学生を対象に募集された。

テーマもユニークだが、中にいろいろな声が出てくる。

大連交通大学の李書琪は、パリのノートルダム寺院には、漢字で「静かに」と注意の紙が貼ってある、と書き始める。

山東大学威海分校の李艶蕊の説明が説得力があるが、彼女の実家を含めて中国では十三億の人口のうち、九億ほどが農民であり、彼らは畑や市場で、たとえば、

「君のトウモロコシは良いね」

「そんなことないよ、天候がよくないから」

といった遣り取りを大声でする。中国人は賑やかさこそがいいことだと思っているからでもある。

李は「最近は農村から都市に移り住む人が多くなったが、彼らは大声の習慣も持ってきた」と指摘する。

長春工業大学の黄慧婷は、中国人の彼と日本人の彼女が恋人になったけれども、うまくいかなくなった時のことを書く。

「もう我慢できない。あなたと一緒にいるのは恥ずかしいのよ。いつも大声で喋るなんて、信じられない」

怒りを爆発させた彼女に、彼は一瞬黙り、にっこりと笑って言った。

「皆にはっきりと僕の気持ちを伝えるためだよ。もちろん、君にもそうだよ」

日中友好の象徴パンダの「鈍感力」が両国に必要だ

こうした違いを踏まえて、浙江大学寧波理工学院の王威は「十四億人あまりの二つの国で、たった一%の政治家や経済評論家だけが新聞やテレビにいつも出て、お互いの国の話をするのはおかしくないだろうか。国の中では、政治家や経済学者より働いている一般民衆の方がずっと多い。一つの国の本当の姿は、その国の民衆を見なければならない。利益より、文化の共感と人間の温情を強調し、他国の道徳観に対しては、責めるというより理解するという姿勢こそ両国のマスコミが持つべき態度ではないか」と提言する。

華東師範大学の銭添の「パンダを見てみよう！」も傾聴に価する。

日本と中国の間の暗い過去を乗り越え、偏狭なナショナリズムから脱して、恒久的な平和を築くためにはパンダが教えてくれる「鈍感力」が必要だというのである。

「パンダは物事に対して決して鈍いわけではなく、ただ余裕を持って過ごしているだけだ。いちいち大騒ぎするのではなく、寛容な態度で物事に接することこそ、両国国民の親近感を高めるのに最も欠かせないものなのではないか」

これを読むと、日中友好のシンボルのパンダが、また違って見えてくるだろう。

女優の檀れいは、あるテレビ番組で「海外で心惹かれる国」を問われて、「昔の中国」と答えたらしい。「昔の中国」は、現在とは逆に、「沈黙」が問題だった。

ドレイ根性を排した魯迅がこう嘆いたようにである。

「私は衰亡する民族の黙して声なき理由を知った。ああ、沈黙！　沈黙のなかで爆発しなければ、沈黙のなかで滅びるだけだ」

いまは、日本が「沈黙のなかで滅び」ようとしている。いずれにせよ、何で日本語なんか学ぶのかという白い眼の中で、それを学んだ若者たちの作文は貴重である。

朝日新聞　2012年 12月24日

風

坂尻 信義

北京から

日本語を学ぶ　若者の草の根交流が氷を砕く

この冬2度目となる雪化粧が北京にほどこされた14日、中国各地で日本語を学ぶ学生が日本大使公邸と棟続きのホールに集まった。「中国人の日本語作文コンクール」の表彰式に出席するためだ。

日中関係の書籍を出版する日本僑報社（東京・池袋）の主催で、今年で8回目。同社編集長の段躍中さん(54)は1991年、日本に留学した妻を追って、共産主義青年団の機関紙・中国青年報を辞めて来日した。アルバイトのない日は巣鴨の4畳半アパートと豊島区立図書館を往復する生活で、50音から日本語を学んだ。B5サイズ18ページのタブロイド判情報誌から始め、これまでに出版した書籍は約240冊にのぼる。

今年のコンクールには、中国の大学、専門学校、高校、中学の計157校から2648編が寄せられた。応募資格は「日本留学の経験がない学生」。優秀賞数編の中から日本大使が選ぶ最優秀賞の受賞者には、副賞として1週間の日本行きが贈られる。

会場で、昨年の最優秀賞を受けた胡万程さん(21)が、かいがいしく準備を手伝っていた。北京の国際関係学院4年。東日本大震災後、インターネットの掲示板に「ざまみろ」と書き込んだ高校時代の同級生との対立と和解を描いた作文「王君の『頑張れ日本』」で受賞し、今年2月に日本を初めて訪れた。

日本に行ったら「すべてを見たい」と昨年の表彰式で話した胡さんは、卒業後の日本留学を目指している。

今年の最優秀賞に選ばれたのは、中国内陸部にある湖北大外国語学院日本語学科4年の李欣晨さん(21)。受賞作「幸せな現在」は、祖父の戦争体験を踏まえ、日中両国の人々が「過去の影」に縛られてはいけないと書いた。

やはり日本への留学志望の李さんは、国有企業に勤める父親から、最近の日中関係の悪化を受けて難色を示されていた。でも、今回の受賞で「私が自分の目で見た日本が『想像した通りに人々が優しく、景色がきれいだったら、留学を支持する』と父親は言ってくれました」と、うれしそうだった。「やさしい響きが好き」という日本語の教師になることが、将来の夢だ。

今年あった、もうひとつの「日本語・提言コンテスト」の表彰式も、印象深かった。1等賞に選ばれた河南省の安陽師範学院3年、韓福艶さん(22)は「苦しい選択　日本語科」と題し、中国の農村部でこそ日中交流が必要と訴えた。子供のころ、テレビで見る戦争映画の日本兵は、鬼のような人物ばかりだった。

日本のアニメに魅せられて日本語を専攻したという韓さんは「私の選択が間違っていなかったことを両親に証明したい」と語った。

こちらの表彰式は、満州事変の発端となった柳条湖事件から81年の9月18日だった。中国では「国恥の日」と呼ばれるこの日、日本政府による尖閣諸島国有化に反発したデモが中国国内約100都市で燃え上がっていた最中で、会場探しに苦労したという。

こうした草の根交流が、運営資金の工面に苦しみながら、細々と続けられている。

大使不在の公邸の日本庭園は、雪のあとに降った雨が凍りつき、先週の雪でまた白く染まった。6年前、当時の安倍晋三首相が日中関係を修復するため決断した訪中が、中国で「破氷の訪問」と呼ばれていたことを、ふと思い出した。

（中国総局長）

書評委員 お薦め「今年の3点」

高原 明生

①「反日」以前　中国対日工作者たちの回想（水谷尚子著、文藝春秋・1300円）

②中国残留日本人　「棄民」の経過と、帰国後の苦難（大久保真紀著、高文研・2520円）

③偏見を取り除きたい　第二回中国人の日本語作文コンクール受賞作品集（段躍中編、日本僑報社・1890円）

①は戦中戦後に捕虜の教育や邦人送還などに従事した対日工作者たちとの貴重な面談記録。日本と日本人に深い理解と愛情を有した彼らに、日本人も強い敬愛の念を抱いたことが戦後の日中友好運動の牽引力だったと説く。日中関係の基本に光を当てる労作だ。

旧満州には150万人以上の日本人がいた。その中で中国に残留せざるをえなかった婦人や孤児は塗炭の苦しみを味わった。②は、長年の取材をもとに、その困難が帰国後も続くことを伝える。この人たちをこれ以上まだ苦しめるのか、日本社会の本質が問われる。

「偏見の無い、心が通い合う社会を、そして世界をつくりたい」。③は中国人学生による日本語作文コンクールの入賞作品集。これを読むと、日中間の「壁」に戸惑いつつ、理想を追う青年たちの明るく素直な思いが心に沁みる。若者は、いや人は皆、どこでも同じだ。

朝日新聞

朝日新聞東京本社

朝日新聞

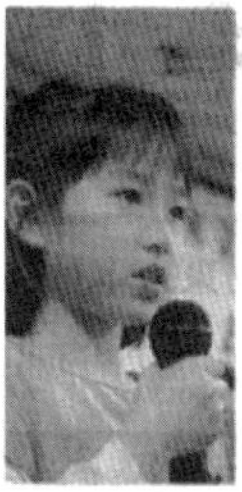

上海の思い出、最優秀賞に

幸せの天使となり、日中飛ぶ

「第2回日本人の中国語作文コンクール」（日中交流研究所など主催）の「学生の部」（全91作品）で最優秀賞に選ばれたのは、最年少の神奈川県鎌倉市の小学3年安部京ちゃん（8）＝写真＝だった。

父の転勤で03年から3年間、上海で暮らした。父の方針で、中国人だけの幼稚園、小学校に在籍。最初は言葉がわからず「泣いちゃった」。小泉前首相の靖国問題で日中関係が悪化、同級生から「日本鬼子」と呼ばれ、悔しかった。

でも、持ち前の人なつっこさで多くの友達ができた。帰国の際、「元気でね」と声かける友達の寂しそうな顔を見て「上海を離れたくない」と心から思った。

そんな上海の思い出をつづった受賞作では、「幸せの天使となって日本と中国の大空を飛んでまわりたい」と結んだ。（西村大輔）

☝2007年4月14日

在日中国人誌編集長

中国から見た日本伝えたい

在日中国人の情報誌「日本僑報」編集長で、日中両国で作文コンクールを続けている段躍中さん（49）が、中国・広州を訪れた。「第3回中国人の日本語作文コンクール」表彰式で、入賞作60本を収録した本「国という枠を越えて」（日本僑報社）を入賞者や会場の暨南大学に贈った。

コンクールは05年から毎年開催され、今回は「日中相互理解」「日中環境保護協力」の課題に、中国の99大学から約1500人の応募があった。「親や祖父母の日本観を通した思い」「日本のアニメ」を扱ったものや、「日本のゴミ分別に学ぶ」という主張も。

最優秀賞は、中国に輸出される産業廃棄物をテーマにした「電子廃棄物汚染から考える日中環境保護協力」で、国の枠を越えて協力しよう、という提言。「こうした声を日本の皆さんに伝えたい」（鈴木暁彦）

208年1月12日☞

2007年（平成19年）　5月9日　水曜日

MAINICHI 毎日新聞

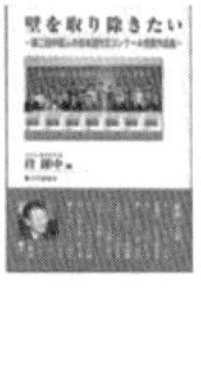

ひ・と・も・よ・う

人・模・様

中国と日本の懸け橋に

日中両国民の相互理解を深めようと、在日中国人が主宰する「日中交流研究所」の「第2回日本人の中国語作文コンクール」が行われ、学生の部で神奈川県鎌倉市、小学3年、安部京さん（8）＝写真左、社会人の部で東京都江東区、会社員、大庭美樹子さん（35）＝同右＝が、それぞれ最優秀賞に選ばれた。

安部さんは父親の秀さん（43）の転勤で03年夏から3年間移り住んだ中国・上海での体験を語った。初めは「幼稚園で先生が何を言っているのか分からず泣いてしまった」と言うが、すぐに上達し、授賞式でもすらすらと中国語でスピーチを披露した。将来は「ボーイスカウトの国際キャンプで通訳を務め、日本と中国の大空を自由に飛び回りたい」と夢を膨らませる。

大庭さんは中国留学の夢を捨てきれず、小学1年だった娘を連れて03年夏から1年間、上海の大学に留学した。作文ではその留学への情熱や愛娘の成長への喜びをつづった。帰国後は語学力を生かして再就職した商社で中国向け輸出を担当している。大庭さんは「心から中国人と交流することが最も大切と分かったのが留学の最大の成果です」と振り返った。【鈴木玲子】

毎日新聞　2006年 8月25日

ひと

日中作文コンクールを主催する在日中国人

段《だん》躍中《やくちゅう》さん

「両国民の相互理解を深めようと奔走する民間の努力が台なしになった。15日の参拝は、傷つけられた中国人の心の傷口をさらに広げただけ」

小泉純一郎首相の靖国神社参拝を巡って揺れ続ける日中関係を憂う。

靖国参拝が続いたこの5年、双方の民衆に不信感が広がるのを感じた。「在日中国人ができることは何か」と考え、昨年1月、日中交流研究所を設立。中国人の日本語作文と日本人の中国語作文コンクールを始めた。

「多くの人は相手の国について報道などの限られた情報しか知らない。民衆が相手の言葉で自分の気持ちを伝えていく。

本音を伝え合い　理解を深める努力を

これこそ民間の友好を培う力になる」と説く。今年、中国人1616人が応募した。日本人側は現在募集中だ。将来は「両国の受賞者でフォーラムを開き、顔を合わせて語り合う場を作りたい」。

中国有力紙「中国青年報」の記者だったが、妻の留学に伴い、91年に来日した。目に映ったのは在日中国人の活躍ぶりがほとんど紹介されていない実態だった。自ら在日中国人の活動を記録し始め、96年から活動情報誌「日本僑報」を発行、出版も始めた。5年前からは日本語と中国語の対訳で書かれた新スタイルの書籍も出版。出版数は140冊に上り、ホームページへのアクセスは1日3000件を超す。

「日中関係が冷え込むこんな時こそ、民間の間に交流チャンネルを張り巡らせていかなければ。これは在日中国人の責務だ」。そう自らに課す。

文と写真・鈴木玲子

中国湖南省出身。「現代中国人の日本留学」など著書多数。48歳。中国語作文の募集要項は、http://duan.jp/jc.htm。日中交流研究所は03・5956・2808。

朝日新聞 2006年5月30日

中国語作文コンクールを開いた日中交流研究所長

ひと

段《ドゥワン》躍《ユエ》中《ジョン》さん（48）

日本人が対象の中国語作文コンクールは珍しい。奔走したのは、日中の相互理解を深めることが、在日中国人の責務と決意したからだ。

「犯罪や反日デモの報道だけで、暗いイメージが祖国に定着するのは耐え難い」

243人が応募、優秀作36点に和訳を付け、「我們永遠是朋友」（私たちは永遠の友人）と題し出版した。中国の新聞社などに100冊を送った。

「日本語が読めない中国人にも、中国が好きな日本人の心情が伝わる意義は大きい」

きっかけは、中国人学生向けの日本語作文コンクールの表彰式に、04年に招かれたことだ。大森和夫・国際交流研究所長が私財を投じ、12年間続けてきた。中国人の日本語能力の向上と、対日理解の進展ぶりに感激した。

大森氏が事業の継続に限界を感じ断念したため、引き継ぐ一方、日本人も中国語で発信すれば「国民同士の本音の交流が広がる」と思い、日中交流研究所を設立した。

妻の日本留学を機に、中国青年報社を退職し、91年に北京から来日。在日中国人の活動を紹介する情報誌「日本僑報」を創刊、130冊の本を出版してきた。メールマガジンの読者は約1万人。

だが、不信感は日中双方の一部に根強い。自身のブログが批判されることもあり、運営費の工面にも四苦八苦だ。

来年は国交回復35周年。「受賞者同士が語る場を作り、顔も見える交流にしたい」

文・写真　伊藤　政彦

編者略歴
段 躍中（だん やくちゅう）
日本僑報社代表、日中交流研究所所長。1958年中国湖南省生まれ。有力紙「中国青年報」記者・編集者などを経て、1991年に来日。2000年新潟大学大学院で博士号を取得。
1996年日本僑報社を創立。以来、書籍出版をはじめ、日中交流に尽力している。2005年から作文コンクールを主催。2007年に「星期日漢語角」（日曜中国語サロン、2019年7月に600回達成）、2008年に出版翻訳のプロを養成する「日中翻訳学院」を創設。
2008年小島康誉国際貢献賞、倉石賞を受賞。2009年日本外務大臣表彰受賞。北京大学客員研究員、湖南大学客員教授、立教大学特任研究員、日本経済大学特任教授、湖南省国際友好交流特別代表などを兼任。主な著書に『現代中国人の日本留学』『日本の中国語メディア研究』など多数。
詳細：http://my.duan.jp/

The Duan Press

第16回中国人の日本語作文コンクール受賞作品集
コロナと闘った中国人たち

2020年12月12日　初版第1刷発行
編　者　段　躍中（だん　やくちゅう）
発行者　段　景子
発行所　株式会社日本僑報社
〒171-0021 東京都豊島区西池袋3-17-15
TEL03-5956-2808　FAX03-5956-2809
info@duan.jp
http://jp.duan.jp
中国研究書店 http://duan.jp

 Printed in Japan.　ISBN 978-4-86185-305-0　C0036

現場の日本語教師の体験手記

「私の日本語作文指導法」

（「中国人の日本語作文コンクール」受賞作品集シリーズ 特別掲載）

※教師名は敬称略

	教師	所属	タイトル
第11回（2015）	宮山昌治	同済大学	〈面白み〉のある作文を
	木村憲史	重慶大学	作文と論文のはざまで
	寺田昌代	対外経済貿易大学	時間がない！
	入江雅之	広東省東莞市理工学院	わたしの作文指導
	河崎みゆき	上海交通大学	「私」でなければ書けないことを大切に
	堀川英嗣	山西大学	書いたものには責任を持つ
	照屋慶子	嘉興学院	学生と私の感想
	松下和幸	北京科技大学	思いや考えを表現する手段を身につけさせる作文指導
	松下和幸	北京科技大学	中国人学習者の生の声よ、届け！
	劉　敬者	河北師範大学	パソコンで作成した学生の文章指導体験
	金澤正大	元西南交通大学	作文指導の基本
	若林一弘	四川理工学院	短期集中マンツーマン講座
	大内規行	元南京信息工程大学	「書いてよかった」と達成感が得られる作文を
	雨宮雄一	北京第二外国語学院	より良い作文指導を目指して
	閻　萍	大連理工大学城市学院	力をつける作文指導法
	半場憲二	武昌理工学院	私の日本語作文指導法
第12回（2016）	藤田炎二	山東政法学院	この難しい作文をどう書くか
	半場憲二	武昌理工学院	私の日本語作文指導法（2）
	池嶋多津江	同済大学	書くことは「考える」こと
	瀬口　誠	運城学院	【特別寄稿】審査員のあとがき
第13回（2017）	瀬口　誠	湖南大学	【特別寄稿】審査員のあとがき
	郭　麗	上海理工大学	オリジナリティのある面白い作文を目指して
	賈　臨宇	浙江工商大学	文中での出会い
	中村紀子	中南財経政法大学	感動はここからはじまる～授業外活動からの作文指導アプローチ～
	高良和麻	河北工業大学	読みたくなる作文とは
	張科　蕾	青島大学	日本語作文に辞書を活用しよう
	濱田亮輔	東北大学	私の日本語作文指導法
第14回（2018）	半場憲二	武昌理工学院	作文指導で生じている三つの問題点――私の日本語作文指導法（3）
	田中哲治	大連海事大学	私の作文指導の実践紹介
	古田島和美	常州大学	作文指導を通して思うこと―中国人学生の体験や思いを日本人に届けたい―
	徐　秋平	西南民族大学	作文指導とともに成長を遂げて
第15回（2019）	半場憲二	広東外語外貿大学南国商学院	国際化と個の時代重要性を増す作文指導――私の日本語作文指導法（4）
	高柳義美	元日本語教師	大連通い
	伏見博美	広東東軟学院	中国で暮らして感じたこと

病院で困らないための日中英対訳
医学実用辞典

松本洋子 編著

海外留学・出張時に安心、医療従事者必携！指さし会話集＆医学用語辞典。本書は初版『病院で困らない中国語』（1997年）から根強い人気を誇るロングセラー。すべて日本語・英語・中国語（ピンインつき）対応。豊富な文例・用語を収録。

2014年刊　A5判312頁 並製　ISBN 978-4-86185-153-7　定価2500円＋税

日中文化DNA解読
心理文化の深層構造の視点から

高橋弥守彦 著

中日両言語は、語順や文型、単語など、いったいなぜこうも表現形式に違いがあるのか。現代中国語文法学と中日対照文法学を専門とする高橋弥守彦教授が、最新の研究成果をまとめ、中日両言語の違いをわかりやすく解き明かす。

2016年刊　四六判250頁 並製　ISBN 978-4-86185-225-1　定価2600円＋税

日中翻訳学院の
授業内容を凝縮！

日中中日翻訳必携
シリーズ好評発売中！

日中中日翻訳必携
実戦編Ⅱ
脱・翻訳調を目指す訳文のコツ

武吉次朗 著

「武吉塾」の授業内容を凝縮した『実戦編』第二弾！脱・翻訳調を目指す訳文のコツ、ワンランク上の訳文に仕上げるコツを全36回の課題と訳例・講評で学ぶ。

四六判192頁 並製　定価1800円＋税
2016年刊　ISBN 978-4-86185-211-4

日中中日翻訳必携

武吉次朗 著

古川 裕（中国語教育学会会長・大阪大学教授）推薦のロングセラー。著者の四十年にわたる通訳・翻訳歴と講座主宰及び大学での教授の経験をまとめた労作。

四六判177頁 並製　定価1800円＋税
2007年刊　ISBN 978-4-86185-055-4

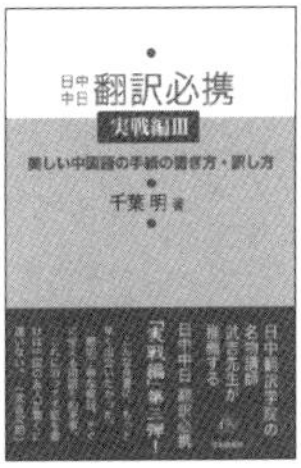

日中中日翻訳必携
実戦編Ⅲ
美しい中国語の手紙の書き方・訳し方

千葉明 著

日中翻訳学院の武吉次朗先生が推薦する『実戦編』第三弾！「尺牘」と呼ばれる中国語手紙の構造を分析して日本人向けに再構成し、テーマ別に役に立つフレーズを厳選。

A5判202頁 並製　定価1900円＋税
2017年刊　ISBN 978-4-86185-249-7

日中中日翻訳必携
実戦編
よりよい訳文のテクニック

武吉次朗 著

好評の日中翻訳学院「武吉塾」の授業内容が一冊に！実戦的な翻訳のエッセンスを課題と訳例・講評で学ぶ。『日中中日翻訳必携』姉妹編。

四六判177頁 並製　定価1800円＋税
2007年刊　ISBN 978-4-86185-160-5

日中中日翻訳必携
実戦編Ⅳ
こなれた訳文に仕上げるコツ

武吉次朗 編著

『実践編』第四段！「解説編」「例文編」「体験談」の各項目に分かれ、豊かな知識と経験に裏打ちされた講評に加え、翻訳者デビューした受講者たちの率直な感想を伝える。

四六判176頁 並製　定価1800円＋税
2018年刊　ISBN 978-4-86185-259-6

日本語と中国語の妖しい関係
中国語を変えた日本の英知

松浦喬二 著

「中国語の単語のほとんどが日本製であることを知っていますか？」一般的な文化論でなく、漢字という観点に絞りつつ、日中関係の歴史から文化、そして現在の日中関係までを検証したユニークな一冊。中国という異文化を理解するための必読書。

2013年刊　四六判220頁 並製　ISBN 978-4-86185-149-0　定価1800円＋税

日中語学対照研究シリーズ
中日対照言語学概論 ―その発想と表現―

高橋弥守彦 著

中日両言語は、語順や文型、単語など、いったいなぜこうも表現形式に違いがあるのか。現代中国語文法学と中日対照文法学を専門とする高橋弥守彦教授が、最新の研究成果をまとめ、中日両言語の違いをわかりやすく解き明かす。

2017年刊　A5判256頁 並製　ISBN 978-4-86185-240-4　定価3600円＋税

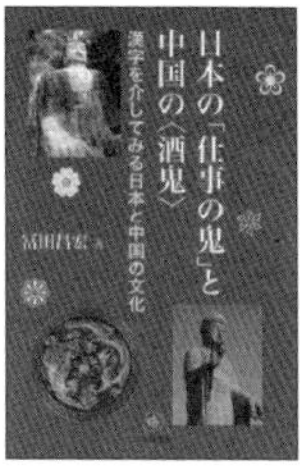

日本の「仕事の鬼」と中国の〈酒鬼〉
漢字を介してみる日本と中国の文化

冨田昌宏 編著

鄧小平訪日で通訳を務めたベテラン外交官の新著。ビジネスで、旅行で、宴会で、中国人もあっと言わせる漢字文化の知識を集中講義！

日本図書館協会選定図書

四六判192頁 並製　2014年刊　ISBN 978-4-86185-165-0　定価1800円＋税

中国漢字を読み解く
～簡体字・ピンインもらくらく～

前田晃 著

簡体字の誕生について歴史的かつ理論的に解説。三千数百字という日中で使われる漢字を整理し、体系的な分かりやすいリストを付す。
初学者だけでなく、簡体字成立の歴史的背景を知りたい方にも最適。

A5判186頁 並製　2013年刊　SBN 978-4-86185-146-9　定価1800円＋税

日中常用同形語用法 作文辞典

曹櫻 編著
佐藤晴彦 監修

同じ漢字で意味が異なる日本語と中国語。誤解されやすい語を集め、どう異なるのかを多くの例文を挙げながら説明。いかに的確に自然な日本語、中国語で表現するか。初級から上級まで幅広い学習者に有用な一冊。

2009年刊　A5判392頁 並製　ISBN 978-4-86185-086-8　定価3800円＋税

張立ほか 著　日中翻訳学院 監訳
日中翻訳学院　田中京巷、西岡一人 訳

8800円+税

チャイナ・パブリッシング・ブルーブック

中国デジタル出版産業

中国“デジタル化”の動向を追う
最も権威性あるチャイナ・パブリッシング・ブルーブックの注目作！　中国の各分野におけるデジタル化や標準化、著作権保護、産業育成政策などを分析。

ISBN 978-4-86185-275-6

魏玉山ほか 編著　日中翻訳学院 監訳
日中翻訳学院　大久保健、佐々木惠司 訳

7700円+税

チャイナ・パブリッシング・ブルーブック

中国アニメ・漫画・ゲーム産業

世界に広がる中国産業を分析
今や一大産業・市場へと発展しつつある中国アニメ・漫画・ゲーム産業の実態を、中国政府系出版シンクタンクの公的データに基づき多角的に分析。

ISBN 978-4-86185-272-5

劉軍国 著　日中翻訳学院 冨江梓ほか 監訳

2800円+税

★孔鉉佑 中華人民共和国駐日本国特命全権大使 推薦！

日本各界が感動した新中国70年の発展成果

温 故 創 新

人民日報駐日本記者現地取材集

「人民日報」駐日本記者が、日本の政界・財界・学術界など各界の人々に取材し、中国の発展成果などについての生の声をまとめた現地取材報告集。

ISBN 978-4-86185-284-8

笹川陽平、島田晴雄、近藤昭一、西田実仁
伊佐進一、小島康誉、池谷田鶴子 など70人 著

4900円+税

日本人70名が 見た 感じた 驚いた

新中国70年の変化と発展

中国は2019年に成立70周年を迎えた。日本人たちは隣人である中国の変化と発展をどう見ているのか。日本の各界人士70人からのメッセージを収録。

ISBN 978-4-86185-283-1

日本僑報社好評既刊書籍　　ご注文はhttp://duan.jp/

新装版 「ことづくりの国」日本へ
そのための「喜怒哀楽」世界地図

俳優・旅人 関口知宏 著

NHK「中国鉄道大紀行」で知られる著者が、世界を旅してわかった日本の目指すべき指針とは「ことづくり」だった！　人の気質要素をそれぞれの国に当てはめてみる「『喜怒哀楽』世界地図」持論を展開。

四六判248頁 並製　定価1800円＋税
2018年刊　ISBN 978-4-86185-266-4

中国の“穴場”めぐり

日本日中関係学会 編

宮本雄二氏、関口知宏氏推薦!!
「ディープなネタ」がぎっしり！
定番の中国旅行に飽きた人には旅行ガイドとして、また、中国に興味のある人には中国をより深く知る読み物として楽しめる一冊。

A5判160頁 並製　定価1500円＋税
2014年刊　ISBN 978-4-86185-167-4

争えば共に傷つき、相補えば共に栄える
日中友好会館の歩み
隣国である日本と中国の問題解決の好事例

村上立躬 著

日中友好会館の設立以来30余年がたち、争い無く日中両国が友好的に協力し相互理解活動を展開してきた。それは、隣国である日中両国がいかに協力して共に発展していくかを示す好事例である。日中友好会館の真実に基づいた詳細な記録。

四六判344頁 並製 定価3800 円＋税
2016年刊　ISBN 978-4-86185-198-8

現代中国カルチャーマップ
百花繚乱の新時代　日本図書館協会選定図書

孟繁華 著
脇屋克仁／松井仁子(日中翻訳学院) 訳

悠久の歴史とポップカルチャーの洗礼、新旧入り混じる混沌の現代中国を文学・ドラマ・映画・ブームなどから立体的に読み解く1冊。

A5判256頁 並製　定価2800円＋税
2015年刊　ISBN 978-4-86185-201-5

アメリカの名門CarletonCollege発、全米で人気を博した
悩まない心をつくる人生講義
—タオイズムの教えを現代に活かす—

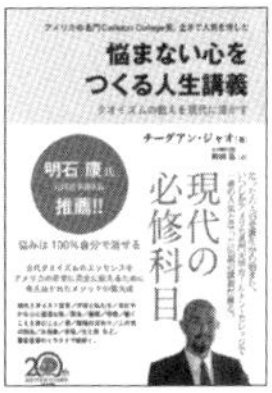

チーグアン・ジャオ 著
町田晶(日中翻訳学院) 訳

2500年前に老子が説いた教えにしたがい、肩の力を抜いて自然に生きる。難解な老子の哲学を分かりやすく解説し米国の名門カールトンカレッジで好評を博した名講義が書籍化！

四六判247頁 並製　定価1900円＋税
2016年刊　ISBN 978-4-86185-215-2

日中対訳版・朗読CD付
大岡信 愛の詩集

大岡信 著
大岡かね子 監修　陳淑梅 訳
陳淑梅・奈良禎子 朗読

戦後の日本において最も代表的な詩人の一人、大岡信が愛を称える『愛の詩集』。大岡信の愛弟子・陳淑梅が中国語に訳した日中対訳版。

四六判136頁 並製　定価2300円＋税
2018年刊　ISBN 978-4-86185-253-4

李徳全
—日中国交正常化の「黄金のクサビ」を打ち込んだ中国人女性—

石川好 監修
程麻／林振江 著
林光江／古市雅子 訳

戦後初の中国代表団を率いて訪日し、戦犯とされた1000人前後の日本人を無事帰国させた日中国交正常化18年も前の知られざる秘話。

四六判260頁 上製　定価1800円＋税
2017年刊　ISBN 978-4-86185-242-8

忘れえぬ人たち
「残留婦人」との出会いから

神田さち子 著

女優・神田さち子のライフワーク『帰ってきたおばあさん』。日本～中国各地での公演活動と様々な出会いを綴った渾身の半生記。

帯コメント 映画監督 **山田洋次**
カバーイラスト **ちばてつや**

四六判168頁 並製　定価1800円＋税
2019年刊　ISBN 978-4-86185-282-4